D0625151

Das Buch

Grausige Dinge ereignen sich in der New York State Library: Die schrecklich zugerichtete Leiche eines Nachtwächters wird gefunden, zwischen zertrümmerten Regalen, die kein Mensch auch nur einen Millimeter hätte bewegen können. Für welchen mysteriösen Angreifer das offenbar ein Kinderspiel war, muss Dr. Stephen Swain, Unfallchirurg aus Connecticut, am eigenen Leib erfahren: Er und seine achtjährige Tochter Holly sehen sich plötzlich auf unerklärliche Weise in das Labyrinth der Bibliothek transportiert – und mitten in einen Alptraum. Denn in dieser Nacht findet hier der alle tausend Jahre veranstaltete Kampf um die Herrschaft über das Universum statt. Und Swain, so informiert man ihn, wurde als Vertreter der menschlichen Rasse auserwählt, gegen die Gladiatoren der übrigen galaktischen Systeme anzutreten – in einem Kampf auf Leben und Tod. Die Regeln sind denkbar einfach: Sieben Teilnehmer betreten das Labyrinth, doch nur einer wird es verlassen ...

Der Autor

Der Australier Matthew Reilly wurde 1974 geboren und studierte Jura an der Universität von New South Wales. Sein erster Roman *Ice Station* wurde in vielen Ländern ein großartiger Erfolg, mit *Der Tempel* avancierte er zum Bestsellerautor.

Von Matthew Reilly sind in unserem Hause außerdem erschienen:

Ice Station
Der Tempel

Matthew Reilly

Showdown

Roman

Aus dem Englischen
von Alfons Winkelmann

Ullstein

Besuchen Sie uns im Internet:
www.ullstein-taschenbuch.de

Umwelthinweis:
Dieses Buch wurde auf chlor- und säurefreiem Papier gedruckt.

Ullstein Verlag
Ullstein ist ein Verlag des Verlagshauses Ullstein Heyne List GmbH & Co. KG.
Sonderausgabe September 2003
© 2003 für die deutsche Ausgabe by Ullstein Heyne List GmbH & Co. KG
© 2002 für die deutsche Ausgabe by Econ Ullstein List Verlag GmbH & Co.
KG, München
© 2000 by Matthew Reilly
Titel der australischen Originalausgabe: *Contest* (Pan Macmillan, Sydney)
Übersetzung: Alfons Winkelmann
Redaktion: Lothar Strüh
Umschlaggestaltung: Thomas Jarzina, Köln
Titelabbildung: amana Germany GmbH (Photonica), Hamburg
Gesetzt aus der Sabon
Satz: Pinkuin Satz und Datentechnik, Berlin
Druck und Bindearbeiten: Clausen & Bosse, Leck
Printed in Germany
ISBN 3-548-25711-9

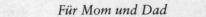

Für Mom und Dad

Danksagung

Besonderer Dank gilt Stephen Reilly, meinem Bruder – Marketing-Genie, gequälter Autor (sind wir das nicht alle?) und getreuer Freund. Weiterhin Natalie Freer – die Erste, die mein Werk liest, und die geduldigste und hingebungsvollste Person auf dieser Erde; meinen Eltern dafür, dass sie mich als Kind zu viel haben fernsehen lassen, sowie für ihre unerschütterliche Unterstützung; und Peter Kozlina für sein gewaltiges Zutrauen zu diesem Buch, noch ehe er auch nur ein Wort davon gelesen hatte.

Und natürlich erneuter Dank an alle bei Pan – Cate Paterson, die brillante Verlegerin; Jane Novak, eine phantastische Werbeagentin; Julie Nekich, eine verständnisvolle Lektorin (man muss einmal mit mir gearbeitet haben); und nicht zuletzt wieder an die vielen Verlagsvertreter von Pan für die zahllosen Stunden, die sie auf der Straße zwischen den Buchhandlungen verbracht haben. Vielen Dank!

An alle dort draußen, die einen Schriftsteller kennen: Unterschätzen Sie niemals die Kraft Ihrer Ermutigung!

Vorbemerkung des Autors

Hallo allerseits! Hier ist Matthew Reilly.

Alle, die zum ersten Mal ein Buch von mir lesen – herzlich willkommen! Alle, die zuvor schon meine Sachen gelesen haben – schön, Sie wieder zu sehen, wie geht's Ihnen?

Bevor die Show beginnt, würde ich Ihnen gern ein paar Geheimnisse über diesen Roman hier verraten, wenn ich darf.

Zunächst einmal war *Showdown,* wie einige von Ihnen vielleicht schon wissen, mein allererster Roman. Seine Vorgeschichte – dass ich ihn im Selbstverlag herausbrachte, nachdem alle größeren Verlage in Sydney abgelehnt hatten – ist anderswo ziemlich gut dokumentiert, also werde ich hier nicht näher darauf eingehen. Es reicht völlig, zu erwähnen, dass lediglich 1000 Exemplare gedruckt und auf den Markt geworfen wurden (und das auch nur in Sydney).

Dann kam *Ice Station.*

Viele Leute haben mir seither geschrieben, dass *Ice Station* für sie ein einziger Parforce-Ritt gewesen ist. Solche Bekundungen erfüllen mich mit großer Zufriedenheit, denn das Buch *sollte* genau das sein – eine Non-Stop-Achterbahnfahrt auf dem Papier.

Nur wenige wissen jedoch, dass ich beim Schreiben von *Ice Station* ein Ziel vor Augen hatte, das mich voll in Anspruch nahm: *Showdown* zu übertreffen.

Showdown ist das Buch, das *Ice Station* (und später *Der Tempel*) zu dem machte, was es war. Wenn es nicht so großkalibrig erscheint wie seine beiden Nachfolger, dann deshalb, weil es ein Erstling war. Es war der Prototyp, nach dem die anderen gebaut wurden; ein Prototyp für einen anderen *Stil* von Buch – einen superschnellen, absoluten Non-Stop-Thriller. Jeder muss irgendwo anfangen. Mein Anfang war *Showdown*.

Im Klartext: Die Story in *Showdown* ist die schnellste in allen meinen Büchern. Sie weist eine Straffheit auf, eine Kompaktheit, die weder *Ice Station* noch *Der Tempel* besitzen. Sie ist wie ein Auto, das auf die bloßen Komponenten reduziert ist – Räder, Rahmen, Motor. Keine modische Lackierung. Keine modischen Polster. Einfach nackte Non-Stop-*Energie*.

Und, hey, *Showdown* ist das einzige meiner Bücher, für das ich die Filmrechte verkauft habe, also muss da wohl etwas dran sein!

Wie Ihnen jeder Autor bezeugen wird, hat man immer nur einen Erstling, und der nimmt auf ewig einen besonderen Platz im Herzen ein. So geht es mir mit *Showdown*. Es war mein Erstling, und wenn ich jetzt darauf zurückblicke, sehe ich, dass er zweifelsohne den Grundstock für alles gelegt hat, was danach kam und noch kommen wird.

Ich hoffe wirklich und wahrhaftig, dass Sie so viel Spaß beim Lesen haben werden, wie ich beim Schreiben hatte.

Alles, alles Gute.

Matthew Reilly
Sydney,
1. November 2000

Do I dare
Disturb the universe?
        T. S. Eliot

LAGEPLAN DER BIBLIOTHEK IN NEW YORK

Dritte Etage: Lesesaal

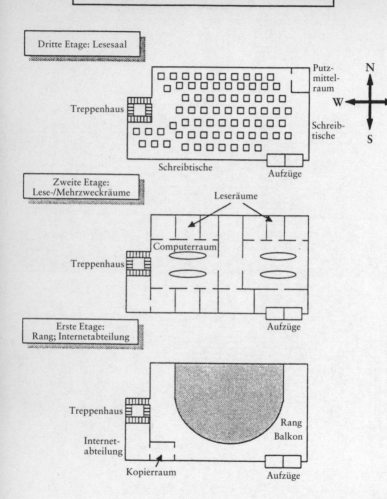

Putz-
mittel-
raum

N

W ← → O

S

Treppenhaus

Schreib-
tische

Schreibtische

Aufzüge

**Zweite Etage:
Lese-/Mehrzweckräume**

Leseräume

Computerraum

Treppenhaus

Aufzüge

**Erste Etage:
Rang; Internetabteilung**

Treppenhaus

Rang
Balkon

Internet-
abteilung

Kopierraum

Aufzüge

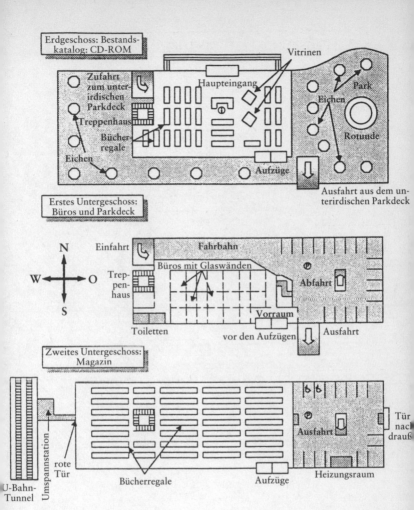

Erdgeschoss: Bestandskatalog: CD-ROM

Vitrinen

Zufahrt zum unterirdischen Parkdeck

Haupteingang

Eichen

Park

Treppenhaus

Bücherregale

Rotunde

Eichen

Aufzüge

Ausfahrt aus dem unterirdischen Parkdeck

Erstes Untergeschoss: Büros und Parkdeck

N
W — O
S

Einfahrt

Fahrbahn

Büros mit Glaswänden

Treppenhaus

Abfahrt

Vorraum

Toiletten

vor den Aufzügen

Ausfahrt

Zweites Untergeschoss: Magazin

Ausfahrt

Tür nach drauß

rote Tür

Bücherregale

Aufzüge

Heizungsraum

U-Bahn-Tunnel

Umspannstation

Einführung

Aus: **Hoare, Shane**
Sueton: Ein Bildnis Roms
(New York, Advantage Press, 1979)

KAPITEL VII:
DAS ERSTE JAHRHUNDERT N. CHR.

... letztlich ist es jedoch Suetons klassisches Werk *De vita Caesorum, Kaiserbiographien von Caesar bis Domitian*, das uns das beste Bild des höfischen Lebens im kaiserlichen Rom vermittelt. Was Sueton hier beschreibt – die Lust, die Grausamkeit, die Intrigen und die zahllosen *insidiae,* Verschwörungen, die das Leben am Hof des Kaisers beherrschten –, könnte man sehr wohl als moderne »Soap Opera« bezeichnen ... [S. 98]

... bei weitem nicht der letzte dieser Kaiser war Domitian. Obgleich wohl bekannt für seine *ad-hoc*-Exekutionen verschwörerischer Kurtisanen, führte er das vielleicht brutalste aller Beispiele einer römischen Intrige vor – die um Quintus Aurelius.

Aurelius, ein kultivierter ehemaliger Heerführer der römischen Armee, der unter Domitian im Senat zu einer Berühmtheit aufstieg, verlor anscheinend im Jahre 87 n. Chr. die Gunst des Herrschers. Ursprünglich hatte ihn Domitian als Beistand in militärischen Angelegenheiten berufen. Aurelius war allerdings auch ein fruchtbarer Schriftsteller, der den Kaiser nicht allein in Sachen militärischer Strategien unterwies, sondern diese Anweisungen gleichfalls seinen persönlichen Aufzeichnungen beifügte. Viele seiner Werke haben datiert und unversehrt bis auf den heutigen Tag überlebt.

Quintus Aurelius' Werk bricht jedoch abrupt im Jahr 87 n. Chr. ab.

Es gab keinerlei weitere Korrespondenz zwischen Senator und Herrscher. Aurelius' persönliche Aufzeichnungen weisen keine weiteren Einträge mehr auf. Von diesem Jahr an wird sein Name in keinem Dokument des Senats mehr erwähnt.

Quintus Aurelius war verschwunden.

Einige Historiker vermuteten, dass Aurelius – dem nachgesagt wird, den Senat in voller militärischer Aufmachung betreten zu haben – einfach die Gunst des Domitian verlor, während andere zur Debatte stellten, ob Aurelius möglicherweise bei der Vorbereitung einer Verschwörung ertappt wurde ... [S. 103]

Aus: **Freer, Donald**
Vom Mittelalter zur Moderne:
Europa von 1010–1810
(Londen, W. M. Lawry & Co., 1963)

... die Getreiderevolten in Cornwall waren eine vergleichsweise Marginalie gegenüber dem Durcheinander, in das eine kleine Bauerngemeinschaft in West Hampshire im Frühling des Jahres 1092 gestürzt wurde.

Historiker haben lange über das Schicksal von Sir Alfred Hayes, Lord von Palmerston Estate, gerätselt. Er verschwand spurlos im Jahre 1092, was zur Folge hatte, dass das Lehnssystem völlig aus dem Gleichgewicht geriet … [S. 45]

… der überraschendste Aspekt der ganzen Sache ist jedoch der folgende: Wenn Hayes tatsächlich plötzlich verstarb (beispielsweise an der Cholera), warum wurde sein Tod nicht im dortigen Kirchenregister vermerkt, wie es stets Brauch gewesen war? Einen für sein ruhmreiches Wirken auf dem Schlachtfeld so bekannten Mann, der sich innerhalb der Gemeinschaft eines solchen Status erfreute, hätte der Registrar bestimmt nicht übersehen. Traurige Tatsache ist jedoch, dass nie ein Leichnam gefunden und deswegen kein Todesfall verzeichnet wurde.

Nach dem Verschwinden seiner Lordschaft hat der Abt von West Hampshire vermerkt, dass Sir Alfred, von notwendigen militärischen Exkursionen abgesehen, zuvor niemals West Hampshire verlassen hatte und dass er während der Tage unmittelbar vor seinem Verschwinden im Ort gesehen worden war, wo er seinen Geschäften wie gewöhnlich nachging. »Es war merkwürdig«, schrieb der Abt, »dass man hier also einen Mann vor sich hatte, dessen Geburt urkundlich belegt ist, der jedoch offiziell niemals starb.«

Schiebt man alle mittelalterlichen Mythen von Hexerei und dämonischen Eingriffen beiseite, so sind die Tatsachen ziemlich eindeutig: Im Frühling des Jahres 1092 verschwand Sir Alfred Hayes, Lord von Palmerston Estate, West Hampshire, einfach vom Antlitz der Erde. [S. 46]

SHOWDOWN

PROLOG

New York City, 30. November, 2.01 Uhr

Mike Fraser drückte den Rücken fest an die schwarze Tunnelwand. Er kniff die Augen zusammen und tat sein Bestes, die Ohren vor dem Getöse des vorbeirasenden U-Bahn-Zugs zu verschließen. Aufgewirbelter Staub und Schmutz stachen ihm wie tausend Nadeln ins Gesicht. Es schmerzte, aber darauf gab er nichts. Er hatte sein Ziel fast erreicht.

Dann war der Zug fast ebenso rasch wieder verschwunden, wie er gekommen war, und das donnerhafte Gepolter verlor sich langsam in der Düsternis des Tunnels. Fraser öffnete die Augen. Vor der schwarzen Wand war lediglich das Weiße darin zu erkennen. Er löste sich von der Mauer und bürstete den Schmutz von der Kleidung. Der schwarzen Kleidung.

Es war zwei Uhr morgens, und während das übrige New York schlief, ging Mike Fraser seiner Arbeit nach. Rasch und lautlos schritt er den U-Bahn-Tunnel entlang, bis er fand, wonach er gesucht hatte.

Eine alte hölzerne Tür in der Tunnelwand, die mit einem

Vorhängeschloss versperrt war und auf der ein Schild
klebte:

```
    Eintritt verboten - Umspannstation
        Vorsicht, Hochspannung!
      Zutritt nur für Mitarbeiter
            der Firma Edison
```

Fraser untersuchte zunächst das Vorhängeschloss: rost-
freier Stahl, Kombinationsschloss, ziemlich neu. Dann die
Angeln der alten Holztür. Ja, viel einfacher.

Sein Stemmeisen passte genau darunter.

Knack!

```
Statusüberprüfung:
Initialisiere Programmsysteme.
Kontrolleure des dritten Elements:
Bitte Lieferung bestätigen.
```

Die Tür fiel aus dem Rahmen und schwang lautlos, fest
am Vorhängeschloss hängend, in Frasers wartende Hand.

Er blickte in die Öffnung, ließ die Brechstange in seinen
Gürtel zurückgleiten und trat ein.

Große, schachtelähnliche elektrische Messgeräte säum-
ten die Wände des Raums. Dicke schwarze Kabel schlängelten sich die Decke entlang. Auf der anderen Seite war
eine weitere Tür. Fraser schritt zielstrebig darauf zu.

Sobald er den Raum hinter sich gelassen hatte, ging er
einen schmalen, nur schwach erleuchteten Gang entlang,
bis er eine kleine rote Tür erreichte. Sie öffnete sich leicht,
und Fraser lächelte beim Anblick dessen, was er vor sich
hatte.

So weit das Auge reichte, erstreckten sich endlose Reihen von Bücherregalen – jedes reichte vom Fußboden bis zur Decke. Alte und ausgebleichte Neonröhren, von denen des Nachts nur jede dritte eingeschaltet war, zogen sich die Gänge entlang. Sie waren so alt, dass das Weiß in eine schimmelige Elfenbeinfärbung übergegangen war, und pulverisierter und oxidierter Leuchtstoff hatte sich in den Röhren abgesetzt. Aufgrund ihres erbarmungswürdigen Zustands lag über der untersten Etage der New York State Library ein gelblicher Glanz, der unheimlich wirkte.

Die New York State Library. Einhundert Jahre alt, ein stummes Heiligtum der Geschichte und des Wissens – und ebenso Besitzerin von zwölf brandneuen Pentium-III-Computern, deren Festplatten bald im Hinterzimmer von Mike Frasers Wohnung wiederzufinden sein würden.

Fraser überprüfte das Schloss an der Tür.

Ein Sicherheitsschloss.

Von der Umspannstation aus benötigte man keinen Schlüssel, aber von der Bibliothek aus sehr wohl. Es war eine dieser Automatiktüren, die den Neugierigen draußen halten, dort arbeitende Elektriker jedoch nicht versehentlich einschließen sollten.

Fraser überlegte einen Augenblick lang. Wenn er einen hastigen Rückzug antreten müsste, bliebe ihm keine Zeit, das Schloss zu knacken. Er schaute sich suchend um.

Das wird's tun, dachte er, als sein Blick auf das Regal gleich neben ihm fiel. Er schnappte sich das erstbeste Buch und verkeilte es zwischen der roten Tür und dem Rahmen.

Jetzt würde sie mit Sicherheit nicht zufallen, und Fraser huschte den nächsten Gang hinunter. Bald war die kleine rote Tür mit der Aufschrift UMSPANNSTATION – KEIN ZUTRITT FÜR BIBLIOTHEKSPERSONAL lediglich noch ein winziges Rechteck in der Ferne. Mike Fraser bemerkte es nicht einmal. Er wusste genau, wohin er jetzt wollte.

Terry Ryan warf – wieder einmal – einen Blick auf seine Uhr.

Es war 2.15 Uhr. Vier Minuten nachdem er das letzte Mal nachgesehen hatte, wie spät es war. Er seufzte. Meine Güte, bei diesem Job kroch die Zeit förmlich dahin!

```
Statusüberprüfung: Kontrolleure des
dritten Elements bestätigen, dass
Lieferung vollständig erfolgt.
```

Ryan blickte müßig durch die gewaltigen, vom Boden bis zur Decke reichenden Fenster des Atriums der New York State Library. Nichts regte sich draußen auf den Straßen.

Er berührte die Waffe an seiner Seite und stieß ein Gelächter aus. Wachmänner in einer Bibliothek – einer *Bibliothek,* um Gottes willen! Die Bezahlung blieb allerdings dieselbe, vermutete er, und solange das so bliebe, war es Terry Ryan völlig gleichgültig, was er bewachen sollte.

Er schlenderte weiter im Atrium umher, pfiff leise vor sich hin …

Ping – ping.

Er erstarrte.

Ein Geräusch.

Da, da war's wieder: *Ping – ping.*

Ryan hielt den Atem an. Es war von links gekommen. Er zog die Waffe.

Fluchend hob Mike Fraser hinter dem Infoschalter seinen Schraubenzieher vom Fußboden auf. Er lugte über die Theke.

Links war niemand. Rechts auch nicht. Er atmete tief aus. Niemand hatte ...

»*Keine Bewegung!*«

Fraser fuhr herum. Er erfasste rasch die Lage. Wachmann. Waffe. Vielleicht fünfzehn Meter, höchstens zwanzig. Blieben nicht viele Möglichkeiten.

»Ich habe gesagt: keine Bewegung!«, schrie Terry Ryan. Aber der Dieb hatte bereits das Weite gesucht. Ryan rannte hinterher.

Fraser stürmte einen schmalen Gang hinab, und die Bücher auf den Regalen wurden zu verwischten farbigen Streifen. Im Schädel vernahm er laut und deutlich seinen Herzschlag. Dann sah er auf einmal die Tür vor sich. Und das Schild: TREPPENHAUS.

Im Rennen packte Fraser das Geländer und rutschte daran die erste Treppe hinab. Zwei Sekunden später folgte der Wächter, Ryan, immer drei Stufen auf einmal nehmend.

Hinab, hinab, herum, herum. Fraser klammerte sich ans Geländer und warf sich an jeder Kehre herum. Er sah die Tür unten. Er jagte die letzte Treppe hinab und prallte unvermindert rasch auf die Tür. Sie flog ganz leicht auf – zu leicht –, und Fraser schlug der Länge nach auf den harten Holzboden.

Hinter sich hörte er schwere Schritte die Stufen hinabpoltern.

Fraser streckte die Hand nach dem Regal neben sich aus, um sich daran hochzuziehen. Sogleich verspürte er einen sengenden Schmerz im rechten Arm. Da fiel sein Blick auf sein Handgelenk. Es hatte die volle Wucht des Sturzes abbekommen und war jetzt zweifelsohne gebrochen, denn es stand in einem grotesken Winkel nach hinten.

Fraser biss die Zähne zusammen und zog sich mit dem

gesunden Arm hoch. Er war gerade wieder auf die Beine gekommen, da ...

»Bleib, wo du bist!«

Die Stimme war leise und selbstsicher.

Fraser wandte sich langsam um.

Hinter ihm auf der Schwelle stand der Wachmann und hielt die Waffe auf Mike Frasers Kopf gerichtet.

Ryan zog seine Handschellen heraus und warf sie dem verletzten Dieb zu.

»Anlegen!«

Fraser schloss angewidert die Augen. »Warum leckst du mich nicht am ... *Arsch!*«, sagte er und sprang wie ein verwundetes Tier den Wächter an.

Ohne mit der Wimper zu zucken, hob Ryan seine Waffe und feuerte über den Kopf des gestürzten Diebs hinweg in die Luft.

Der Schuss dröhnte hinaus in das Schweigen der Bibliothek.

Fraser fiel auf den Boden zurück und neben seinem Kopf schwebten kleine weiße Gipsflöckchen herab.

Ryan trat in den Gang hinaus, packte die Pistole fester und richtete sie wieder auf Frasers Kopf.

»Ich habe ›anlegen‹ gesagt. Also leg ...« Ryans Blick schoss nach links. »Was war das?«

Fraser hörte es auch.

Da – unheimlich, bedrohlich – ertönte es erneut.

Ein lang gezogenes, langsames Röcheln. Wie das Grunzen eines Schweins. Nur lauter. Bei weitem lauter.

»Was zum Teufel war das?«, fragte Fraser rasch.

Bumm. Ein lautes Donnern.

Der Fußboden erzitterte.

»Hier unten ist was ...«, flüsterte Fraser.

Bumm. Wieder.

Die beiden Männer standen wie versteinert da.

Ryan blickte an Fraser vorbei den Gang hinab. Er erstreckte sich endlos in die Dunkelheit und verlor sich dort.

Schweigen.

Tödliches Schweigen.

Der Holzboden war wieder ruhig.

»Machen wir bloß 'ne Fliege!«, zischte Fraser.

»Pscht!«

»Hier unten is' was, Mann!« Fraser hob die Stimme.

Bumm.

Erneut ließ ein Beben den Fußboden erzittern.

Ein Buch, das recht wackelig an der Kante eines Regals stand, fiel zu Boden.

»Verschwinden wir!«, schrie Fraser.

Bumm. Bumm. Bumm.

Haufenweise fielen Bücher von den Regalen.

Ryan beugte sich herab, packte Fraser beim Kragen und zog das Gesicht des Diebs zu sich hoch.

»Um Gottes willen, halt's Maul!«, flüsterte er. »Was es auch ist, es hört deine Stimme. Und wenn du weiter rumquatschst ...«

Ryan hielt jäh inne und sah Fraser stirnrunzelnd an. Die Augen des jungen Diebs waren weit vor Entsetzen, die Unterlippe zitterte wie wahnsinnig, sein ganzer Ausdruck war der des völligen und äußersten Unglaubens.

Ryan erstarrte das Blut in den Adern.

Fraser blickte ihm über die Schulter.

Was ›es‹ auch war, es schnaubte erneut, und währenddessen verspürte Ryan eine Woge heißer Luft über seinen Nacken rollen.

Es war hinter ihm.

Es war unmittelbar hinter ihm!

Als Ryan buchstäblich vom Fußboden hochgerissen wurde, löste sich ein Schuss. Fraser ließ sich fallen und starrte die riesige Masse von Schwärze an.

Hilflos kreischend kämpfte der Wachmann in den mächtigen Armen der dunklen Gestalt. Dann bellte die Kreatur laut und plötzlich und schleuderte ihn durch das Regal gleich neben sich. Ryans Körper klappte zusammen und sauste krachend *direkt durch* das alte Holzregal. Überall regneten Bücher herab.

Die gewaltige schwarze Gestalt schlenderte auf die andere Seite hinüber und suchte wohl dort nach dem Körper. In dem schwachen gelben Licht sah Fraser lange schwarze Stacheln über einen hohen, gebogenen Rücken fließen, erkannte dämonenhaft zugespitzte Ohren und mächtige, muskulöse Gliedmaßen, erhielt flüchtige Blicke auf strähniges, schwarzes Haar und riesenhafte, sichelgleiche Klauen.

Was es auch war, es hob Ryans Körper wie eine Marionette hoch und zog ihn in den Gang zurück, wo Fraser saß.

Der Flug durch das Bücherregal musste Ryan den Rücken gebrochen haben, aber der Wachmann war noch nicht tot. Fraser hörte ihn leise stöhnen, als ihn die Kreatur zur Decke hob.

Da kreischte Ryan laut auf.

Ein schrilles, ohrenbetäubendes, unmenschliches Kreischen.

Völlig entsetzt erkannte Fraser, was als Nächstes geschähe, und er legte sich die Hand übers Gesicht. Da vernahm er das Übelkeit erregende *Krack!*, und einen Augenblick später schwappte ihm ein Schwall warmer Flüssigkeit über die Vorderseite seines Körpers.

Ryans Gekreisch brach abrupt ab, und Fraser hörte das Untier ein letztes Mal brüllen, woraufhin ein donnerhaftes Mahlen von Holzregalen folgte.

Schließlich war da nichts mehr.

Stille.

Völlige und absolute Stille.

Langsam zog Fraser die Hand vom Gesicht.

Das Untier war verschwunden. Der verdrehte und zerquetschte Leichnam des Wachmanns lag reglos vor ihm. Eines der Bücherregale rechts hing entsetzlich schief. Es war aus den Halterungen an der Decke herausgedreht worden. Überall Blut.

Fraser rührte sich nicht, konnte sich nicht rühren.

Also saß er einfach da, allein in der kalten Leere der New York State Library, und wartete auf die Morgendämmerung.

ERSTER ZUG

30. November, 13.27 Uhr

STRAHLEND HELL SCHIEN die Sonne über der Norwood Grundschule. Es war Mittagspause, Schulkinder spielten draußen auf dem riesigen, rasenbewachsenen Sportplatz.

Statusüberprüfung:
Initialisiere Elektrisierungssysteme.

Norwood war eine der führenden privaten Grundschulen in Connecticut. Ein beeindruckender akademischer Ruf – sowie einer der größten Fonds zur Gebäudeerhaltung in Amerika – hatte sie zu einer der gesuchtesten Schulen für die oberen Zehntausend werden lassen.

Am unteren Ende des Rasenplatzes hatten sich etliche Kinder versammelt. Im Zentrum dieser Schar stand Holly Swain Nase an Nase mit Thomas Jacobs.

»Ist er nicht, Tommy.«

»Ist er wohl. Er ist ein *Mörder!*«

Die um die beiden Streithähne versammelten Kinder schnappten bei diesem Wort nach Luft.

Holly versuchte, gelassen zu bleiben. Der weiße Spitzenkragen ihrer Uniform wurde jetzt allmählich sehr eng, was sie sich um keinen Preis anmerken lassen wollte. Traurig schüttelte sie den Kopf und hob die Nase ein wenig höher.

»Du bist so kindisch, Tommy. Ein richtiger *kleiner Junge.*«

Die Mädchen hinter ihr zwitscherten ähnliche Bemerkungen zur Unterstützung.

»Wie kannst du mich kindisch nennen, wo *du* die Einzige aus der dritten Klasse bist?«, gab Tommy zurück. Die hinter ihm versammelte Gruppe äußerte Zustimmung.

»Sei nicht so *unreif*«, sagte Holly. *Schöner Ausdruck,* dachte sie.

Tommy zögerte. »Ja, okay, aber er ist und bleibt ein Mörder.«

»Ist er nicht.«

»Er hat einen Mann umgebracht, stimmt's?«

»Ja, okay, aber ...«

»Dann ist er ein Mörder.« Tommy sah sich nach Unterstützung um. »Mörder! Mörder! Mörder!«, fiel die Gruppe hinter ihm ein.

»*Mörder! Mörder! Mörder!*«

Holly ballte die Hände an ihrer Seite zu Fäusten und spürte, wie ihr der Kragen um den Hals noch enger wurde. Sie dachte an ihren Vater. *Sei eine Dame. Ich muss eine Dame werden.*

Sie wirbelte herum, wobei ihr der blonde Pferdeschwanz um die Schultern flog. Die Mädchen um sie herum schüttelten die Köpfe über die höhnischen Bemerkungen der Jungen. Holly holte tief Luft. Sie lächelte ihren Freundinnen zu. *Ich muss eine Dame werden.*

Der Singsang der Jungen ging unentwegt weiter.

»*Mörder! Mörder! Mörder!*«

Schließlich rief Tommy über den Singsang hinweg: »Wenn ihr Vater ein Mörder ist, dann wird Holly Swain später vielleicht auch eine Mörderin werden!«

»Ja! Ja, genau!«, stimmte seine Gruppe zu.

Hollys Lächeln erstarrte.

Langsam – oh, so langsam! – wandte sie sich wieder Tommy zu. Alle verstummten.

Holly trat näher heran. Tommy kicherte und warf seinen Freunden Blicke zu. Doch blieben diese jetzt stumm.

»Nun bin ich verstimmt«, meinte Holly ausdruckslos. »Du nimmst die Sachen besser zurück, die du gesagt hast. Bitte, ja?«

Tommy grinste höhnisch und beugte sich daraufhin vor. »Nix da.«

»Na gut«, sagte Holly höflich lächelnd. Sie blickte an ihrer Uniform herab und glättete sich den Rock.

Dann schlug sie zu.

Hart.

Die Klinik war zu einem Schlachtfeld geworden.

Reagenzgläser flogen gegen die Wände, dass die Glassplitter nur so durch die Luft sausten. Die Krankenschwestern sprangen beiseite und beeilten sich, die viele Millionen teure Ausrüstung aus der Schusslinie zu bringen.

Aus dem angrenzenden Beobachtungszimmer platzte Dr. Stephen Swain herein und machte sich sogleich daran, den Sturm zu beruhigen – den eine 57 Jahre alte, zwei Zentner schwere großbusige Frau namens Rosemary Pederman entfacht hatte, Patientin des St. Luke's Hospital, New York City. Sie litt an einer kleinen Anomalie im Gehirn, bekannt als zerebraler Aneurismus.

»Mrs. Pederman! Mrs. Pederman!«, rief Swain. »Schon gut, schon gut. So beruhigen Sie sich doch!«, sagte er beschwichtigend. »Was haben wir denn für ein Problem?«

»Ein Problem?«, fauchte Rose Pederman. »Das Problem, *junger Mann,* besteht darin, dass ich meinen Kopf nicht in dieses ... dieses *Ding* ... hineinstecken werde, bis mir jemand genauestens erklärt, was das soll!«

Beim Sprechen ruckte sie mit dem Kinn in Richtung des

gewaltigen Kernspintomographen, der das Zentrum des Raums vereinnahmte.

»Na, na, Mrs. Pederman«, sagte Swain streng. »Das haben wir doch schon mal durchgemacht.«

Rose Pederman zog eine Schnute wie ein Kleinkind.

»Der Tomograph wird Ihnen in keinster Weise Schaden zufügen …«

»Junger Mann. *Wie funktioniert er?*«

Swain presste fest die Lippen zusammen.

Mit 39 Jahren war er der jüngste Partner der Radiologiegemeinschaft Borman & White aller Zeiten, und das aus einem sehr einfachen Grund – Swain war *gut*. Er erkannte Dinge auf einer Röntgenaufnahme oder einer Computertomographie, die sonst kein anderer sah, und hatte dadurch bei mehr als einer Gelegenheit Leben gerettet.

Ältere Patienten ließen sich von dieser Tatsache jedoch nur schwer beeindrucken, da Swain – blond, glatt rasiert, schlank und mit himmelblauen Augen – sogar noch zehn Jahre jünger wirkte, als er war. Von der frischen, roten senkrechten Narbe auf der Unterlippe – einem Merkmal, das ihn älter erscheinen ließ – einmal abgesehen, hätte er gut und gern als Assistenzarzt im dritten Jahr durchgehen können.

»Sie möchten wissen, wie es funktioniert?«, fragte Swain ernsthaft. Er widerstand dem Drang, einen Blick auf seine Uhr zu werfen. Eigentlich hätte er woanders sein müssen. Andererseits hatte Rose Pederman bereits sechs Radiologen verschlissen, und das musste ein Ende finden.

»Ja, das möchte ich«, erwiderte sie starrsinnig.

»Na gut, Mrs. Pederman, der Prozess, dem Sie sich unterziehen werden, wird Kernspintomographie genannt. Er ist einer Computertomographie nicht unähnlich, und zwar in der Hinsicht, dass er Schichtbilder Ihres Schädels erzeugt. Nur dass wir anstelle photovoltaischer Methoden ein kontrolliertes magnetisches Feld benutzen. Damit messen wir die Energie, die unter Einfluss dieses Magnetfelds bei Relaxation der durch einen kurzen Hochfrequenzimpuls angeregten Kernspins aus dem Körper in Form von elektromagnetischen Wellen austritt. Wir erhalten dadurch einen dreidimensionalen Querschnitt Ihres Schädels.«

»Was?«

»Der Magnet im Kernspintomatographen reagiert mit der natürlichen Elektrizität Ihres Körpers, Mrs. Pederman, und schenkt uns somit ein perfektes Abbild des Innern Ihres Kopfs.«

»Äh, ja …« Mrs. Pedermans tödliches Stirnrunzeln verwandelte sich in ein strahlendes mütterliches Lächeln. »Dann ist es völlig in Ordnung. Mehr wollte ich nicht wissen, Schätzchen.«

Eine Stunde später eilte Swain durch die Türen des Umkleideraums der Chirurgie.

»Bin ich zu spät dran?«, fragte er.

Dr. James Wilson – ein rothaariger Kinderarzt, der vor zehn Jahren Brautführer bei Swains Hochzeit gewesen war – stürmte ihm bereits entgegen und warf ihm seine Aktentasche zu. »Es steht 14 zu 13 für die Giants. Wenn wir uns beeilen, können wir die letzten beiden Quarter bei McCafferty's mitkriegen. Komm schon, hier lang. Wir gehen durch die Notaufnahme.«

»Vielen Dank, dass du gewartet hast.« Swain musste sich beeilen, um mit seinem Freund Schritt halten zu können.

»Na, das ist schließlich dein Spiel«, meinte Wilson.

Die Giants spielten gegen die Redskins, und wie Wilson wusste, hatte Swain sehnsüchtig auf dieses Spiel gewartet. Es hatte etwas damit zu tun, dass Swain in New York wohnte und sein Vater in Washington, D. C.

»Sag mal, wie geht's deiner Lippe?«, fragte Wilson.

»Ganz gut.« Swain betastete die senkrechte Narbe auf seiner Unterlippe. »Nach wie vor ein bisschen empfindlich. Die Nähte sind letzte Woche gezogen worden.«

Wilson drehte sich grinsend um. »Du siehst damit noch hässlicher aus als sowieso schon.«

»Danke sehr.«

Wilson erreichte die Tür zur Notaufnahme, öffnete sie …

… und sah sich sogleich dem hübschen Gesicht von Emma Johnson gegenüber, einer der als Springer tätigen Krankenschwestern im St. Luke's.

Beide Männer hielten augenblicklich inne.

»Hey, Steve, wie geht's Ihnen?« Emma hatte lediglich Augen für Swain.

»Geht so«, erwiderte er. »Und Ihnen?«

Ein scheues Neigen des Kopfs. »Mir geht's gut.«

»Mir auch«, warf Jim Wilson ein. »Nicht, dass es jemanden interessieren würde …«

»Ich sollte Sie an Ihren Termin bei Detective Dickson erinnern. Sie wissen schon, wegen dieses … *Vorfalls*. Vergessen Sie nicht, um fünf.«

»Genau.« Swain nickte und strich sich geistesabwesend über den Schnitt in der Unterlippe. »Kein Problem. Ich erledige das nach dem Spiel.«

»Oh, hätte ich fast vergessen«, fügte Emma hinzu. »Sie haben noch eine Nachricht erhalten. Die Schule hat vor etwa zehn Minuten angerufen. Sie wollen wissen, ob Sie gleich rüberkommen können. Holly hat sich wieder geprügelt.«

Swain seufzte. »Nicht schon wieder. Sofort?«

»Sofort.«

Swain wandte sich an Wilson. »Warum heute?«

»Warum nicht?«, erwiderte Wilson sarkastisch.

»Gibt's später am Abend nochmal 'ne Aufzeichnung im Fernsehen?«

»Ich glaube schon, ja«, meinte Wilson.

Swain seufzte erneut. »Ich ruf dich an.«

ÜBER DAS LENKRAD seines Range Rover gebeugt, stand
Stephen Swain vor einer Verkehrsampel. Er warf einen
Blick auf den Beifahrersitz, wo Holly saß. Sie hatte die
Hände im Schoß verschränkt und hielt den Kopf gesenkt.
Die Füße streckte sie waagerecht vor, da sie den Wagen-
boden nicht erreichten. Entgegen ihrer Gewohnheit zap-
pelte sie nicht wild herum.

Im Wagen war es still.

»Alles in Ordnung?«, fragte Swain leise.

»Hmmm.«

Swain lehnte sich zu ihr hinüber, um sie näher in Augenschein zu nehmen.

»Oh, bitte nicht«, meinte er besänftigend und griff nach
einem Papiertaschentuch. »Hier.« Er tupfte ihr die Tränen
ab, die ihr über die Wangen liefen.

Swain war an der Schule eingetroffen, als Holly gerade
das Büro der Konrektorin verließ. Sie hatte rote Ohren
und weinte. Es war hart, dachte er, dass eine Achtjährige
so heruntergeputzt wurde.

»Na, na«, sagte er. »Ist schon gut.«

Holly hob den Kopf. Ihre geröteten Augen waren feucht.
Sie schluckte. »Tut mir Leid, Dad. Ich hab's versucht.«

»Was versucht?«

»Eine Dame zu sein. Ich hab's wirklich versucht. Ich hab
mir wirklich alle Mühe gegeben.«

Swain lächelte. »Wirklich, hm?« Er holte ein weiteres
Taschentuch hervor. »Mrs. Tickner hat mir nicht gesagt,

weswegen du's getan hast. Sie hat mir lediglich erzählt, dass die Lehrerin, die während der Mittagszeit Aufsicht hatte, dich rittlings auf einem Jungen vorgefunden hat, dem du eine fürchterliche Tracht Prügel versetzt hast.«

»Mrs. Tickner wollte mir nicht zuhören. Sie hat bloß immer wieder gesagt, dass es keine Rolle spielte, weswegen ich's getan habe. Es ist einfach bloß falsch, wenn sich eine Dame prügelt.«

Die Ampel sprang auf Grün. Swain legte den Gang ein und fuhr weiter.

»Also, was ist denn passiert?«

Holly zögerte und sagte dann: »Tommy Jacobs hat dich einen Mörder genannt.«

Swain schloss kurz die Augen. »Hat er, ja?«

»Ja.«

»Und du hast ihn deswegen zur Rede gestellt und ihn dann verprügelt?«

»Nein, ich hab ihn zuerst verprügelt.«

»Aber deswegen. Weil er mich einen Mörder genannt hat?«

»Hm – ja.«

Swain wandte Holly das Gesicht zu und nickte. »Danke sehr«, sagte er ernst.

Holly lächelte schwach. Swain lenkte den Blick wieder auf die Straße zurück. »Wie viel Mal darfst du es schreiben?«

»Einhundert Mal: ›Ich darf mich nicht prügeln. Das gehört sich nicht für eine Dame.‹«

»Na ja, da es zum Teil meine Schuld war – was meinst du, machst du fünfzig, und ich mach die anderen fünfzig in deiner Handschrift?«

Holly lächelte. »Das wär toll, Dad.« Ihre Augen bekamen allmählich ihr Leuchten wieder.

»Schön.« Swain nickte. »Versuch einfach nur, dich beim nächsten Mal nicht zu prügeln. Probier mal, die Sache irgendwie mit deinen Gedanken zu erledigen. Du wärst überrascht, wie viel mehr Schaden du mit deinen Gedanken anrichten kannst als mit den Fäusten. Und du kannst zugleich eine Dame bleiben.« Swain fuhr langsamer und blickte seine Tochter an. »Sich prügeln ist niemals die Antwort. Prügele dich nur, wenn dir keine andere Möglichkeit mehr bleibt.«

»Wie du's getan hast, Dad?«

»Ja«, erwiderte Swain. »Wie ich es getan habe.«

Holly hob den Kopf und blickte aus dem Fenster. Sie kannte die Gegend nicht.

»Wohin fahren wir?«, fragte sie.

»Ich muss zur Polizei.«

»Dad, steckst du wieder in der Tinte?«

»Nein, Schatz. Ich stecke nicht in der Tinte.«

»Kann ich Ihnen helfen?«, schrie ihnen der gehetzt wirkende Mann an der Rezeption über den Lärm hinweg zu.

Swain und Holly standen in der Eingangshalle des 14. Reviers des New York Police Department. Es ging zu wie in einem Bienenhaus. Cops schleiften Drogendealer weg; Telefone klingelten; Leute brüllten. Eine Prostituierte in der Ecke blinzelte Swain aufreizend zu, als er an der Anmeldung stand.

»Oh, ja, mein Name ist Stephen Swain. Eigentlich soll ich erst um fünf bei Detective Dickson sein. Aber ich habe gerade etwas Zeit, also …«

»Schon in Ordnung, Sie stehen auf der Liste. Er ist jetzt oben in seinem Büro. Sie können gleich hoch. Zimmer 209.«

Statuskontrolle:
Elektrisierungssysteme bereit.

Swain ging zum Treppenhaus auf der Rückseite der großen Zelle für die Untersuchungshäftlinge hinüber. Holly
hüpfte an seine Seite und fasste ihn bei der Hand. Swain
schaute auf den blonden Pferdeschwanz hinab, der wild
neben ihm auf und nieder wippte. Mit großen Augen
nahm Holly interessiert und neugierig wie ein Wissen-
schaftler das betriebsame Durcheinander in sich auf. Sie
war gewiss unverwüstlich, und mit ihrem naturblonden
Haar, den blauen Augen, der Knopfnase und dem scharfen Blick ähnelte sie ihrer Mutter von Tag zu Tag mehr ...

Hör auf damit!, dachte Swain. *Nicht diese Richtung.
Gerade jetzt ...*

Während sie die Treppe hinaufstiegen, schüttelte er seine Gedanken ab.

Im zweiten Stockwerk erreichten sie eine Tür mit der
Aufschrift: 209, MORDKOMMISSION. Von drinnen
hörte Swain eine vertraute Stimme schreien:

»Mir egal, welche Probleme Sie haben! Ich möchte, dass
dieses Gebäude dichtgemacht wird, klar?«

»Aber, Sir ...«

»Kommen Sie mir nicht so, John. Hören Sie mir einfach
nur einen Augenblick lang zu, ja? Schön. Sehen Sie mal,
was wir haben. Einen Wachmann, den man auf dem Fußboden gefunden hat – *in zwei Teilen –,* und einen dritt-
klassigen Dieb, der unmittelbar neben ihm gesessen hat.
Ja, genau, er hat bei unserer Ankunft einfach nur so da-
gesessen.

Und dieser Dieb ist im Gesicht und auf der ganzen Vorderseite des Körpers über und über mit Blut bespritzt.
Aber nicht mit seinem, sondern mit dem des Wachman-

nes. Also, ich habe keine Ahnung, was hier vorgeht. Aber glauben Sie ernsthaft, dieser Dieb gehört zu einer dieser verrückten Sekten, die rausgehen, einen Wachmann abschlachten und sich mit dessen Blut einschmieren? Und so ganz nebenbei schmeißt er noch ein paar drei Meter hohe Regale um?«

Die Stimme hielt einen Augenblick lang inne und hörte zu, während der andere Mann etwas murmelte.

»John, wir wissen einen Scheißdreck. Und bis wir mehr rausfinden, mache ich diese Bibliothek dicht. Kapiert?«

»Okay, Sarge«, gab die andere Stimme nach.

»Fein.« Die erste Stimme war wieder ruhig. »Jetzt gehen Sie schön da runter, legen das Band um alle Ein- und Ausgänge und setzen ein paar von unseren Burschen für die Nacht da rein.«

Die Tür öffnete sich. Swain trat beiseite, und ein kleiner Officer verließ das Büro, warf ihm ein rasches Lächeln zu und verschwand dann den Korridor entlang in Richtung Treppenhaus.

```
Statuskontrolle:
Elektrisierung beginnt in zwei Stunden.
Irdische Zeit: vier Uhr nachmittags.
```

Swain klopfte leise an die Tür und lugte ins Büro.

Der große Raum war leer, abgesehen von einem Schreibtisch drüben beim Fenster. Dort saß ein großer Mann mit mächtigem Oberkörper auf einem Drehstuhl und wandte ihm den Rücken zu. Er blickte aus dem Fenster, nippte an einem Becher Kaffee und schien einen Augenblick der Stille zu genießen.

Swain klopfte erneut.

»Ja, kommen Sie rein.« Der Mann schaute nicht auf.

Swain zögerte. »Äh, Detective ...«

Captain Henry Dickson fuhr in seinem Drehstuhl herum. »Oh, tut mir Leid. Ich habe jemand anderen erwartet.« Rasch erhob er sich, durchquerte das Zimmer und schüttelte Swain die Hand. »Wie geht's Ihnen heute, Dr. Swain?«

»Geht so.« Swain nickte. »Ich hatte gerade ein wenig Zeit, also dachte ich mir, ich schau mal vorbei und bringe diese Sache hinter mich, wenn das in Ordnung ist.«

Dickson führte beide zu seinem Schreibtisch. Dort griff er in eine offene Schublade und zog eine Akte hervor.

»Natürlich, kein Problem.« Dickson blätterte in der Akte herum. »Es sollte sowieso nicht mehr als ein paar Minuten in Anspruch nehmen. Einen Augenblick, bitte.«

Swain und Holly warteten.

»Aha«, sagte Dickson endlich und hielt ein Blatt hoch. »Das ist Ihre Aussage vom Abend des Vorfalls. Wir möchten sie gern dem Bericht der Abteilung beilegen, aber es ist gesetzlich vorgeschrieben, dass wir dafür Ihre schriftliche Zustimmung brauchen. Sind Sie einverstanden?«

»Selbstverständlich.«

»Gut. Dann werde ich Ihnen den Bericht einfach vorlesen, anschließend unterschreiben Sie ihn, und wir alle legen die Sache zu den Akten.«

```
Statuskontrolle: Kontrolleure aus allen
Systemen melden, Bereitschaft der
Teleporter. Erwarten Übertragung der
Netzkoordinaten des Labyrinths.
```

Dickson richtete sich in seinem Stuhl auf.

»Also«, sagte er und begann mit der Verlesung der Aussage. »Etwa gegen 20 Uhr 30 am Abend des 2. Oktober

2001 arbeitete ich in der Notaufnahme am St. Luke's Hospital, New York City. Man hatte mich für den radiologischen Befund einer Schusswunde bei einem Polizisten hinzugezogen. Röntgenaufnahmen, Halswirbeluntersuchung und Computertomographie waren erledigt, und ich war gerade mit den Filmen zur Notaufnahme zurückgekehrt, als fünf junge Latinos in den Farben einer Gang durch den Haupteingang der Notaufnahme stürmten und mit automatischen Waffen um sich schossen.

Sämtliche auf der Station Anwesenden warfen sich zu Boden, als der Kugelhagel alles in Sichtweite durchsiebte – Computermonitore, Weißwandtafeln, alles. Die Gangmitglieder schwärmten aus und riefen einander zu: ›Findet und tötet ihn!‹ Zwei hatten automatische Gewehre, die drei anderen halbautomatische Pistolen.«

Swain hörte schweigend zu, während Dickson die Vorfälle jenes Abends wiedererzählte. Er erinnerte sich, dass man ihm inzwischen berichtet hatte, der verwundete Polizist sei beim Sittendezernat gewesen. Offenbar hatte er als V-Mann bei einer Bande gearbeitet, deren Mitglieder in Queens als Crackdealer auftraten, und seine Deckung war bei einer verpfuschten Razzia aufgeflogen. Er war während der Schießerei am Arm verwundet worden, und die Leute von der Gang – stinksauer über seine Rolle bei der Durchsuchung – kamen, um ihm den Rest zu geben.

Dickson las weiter: »Ich stand gerade vor dem Zimmer des verwundeten Cops, als die fünf Männer das Krankenhaus stürmten. Es herrschte ein Höllenlärm – Menschen schrien, die Waffen der Männer dröhnten –, und ich ging hinter der nächsten Ecke in Deckung.

Dann sah ich plötzlich einen von der Gang, einen mit Pistole, auf das Zimmer des verwundeten Polizisten zulaufen. Ich weiß nicht genau wieso, aber als ich sah, wie er die Tür aufstieß und kurz darauf ins Zimmer grinste – da habe ich ihn von hinten angesprungen und ihm einen harten Schlag versetzt.

Wir sind beide gegen den Türrahmen geknallt, aber er hat mir seinen Ellbogen gegen den Mund gerammt – wobei mir die Lippe aufplatzte –, und wir sind auseinander gefallen. Anschließend wollte er die Pistole auf mich richten, ehe ich auch nur wusste, was los war.

Mitten in der Bewegung fing ich sein Handgelenk auf und drückte die Waffe von mir weg, da tauchte eines der *anderen* Gangmitglieder vor uns auf.

Dieser zweite junge Mann sah uns kämpfen und richtete sofort seine Pistole auf mich – ich hielt das erste Bandenmitglied noch immer am Handgelenk fest. Ich fuhr herum und hieb dem zweiten Jugendlichen mit der freien Hand aufs Gelenk seiner Pistolenhand. Reflexartig sprangen seine Finger auf und ließen die Waffe fallen. In der Gegenbewegung versetzte ich dem Jugendlichen einen Rückhandschlag vors Kinn, und er ging k. o.

In diesem Augenblick ging die Waffe des ersten Gangmitglieds los – obgleich ich ihn nach wie vor am Handgelenk festhielt. Gewehrschüsse dröhnten, die Wände wurden von Kugeln durchsiebt.

Ich musste etwas unternehmen, also stieß ich mich mit den Füßen vom Türrahmen ab. Wir gingen beide schwerfällig zu Boden – dabei wurde die Waffe des Jugendlichen gegen seinen Kopf gedrückt und ...«

Dann war die Waffe plötzlich losgegangen, und der Kopf des Jugendlichen förmlich explodiert.

Swain musste Dickson nicht mehr weiter zuhören. Er sah alles vor seinem geistigen Auge, als wäre er nach wie vor dort. Er erinnerte sich an das Blut, das sternförmig über die Tür gespritzt war. Er *spürte*, wie der Körper des Jugendlichen erschlaffte.

Dickson verlas noch immer die Aussage.

»… sobald die anderen Gangmitglieder ihren toten Kameraden sahen, flohen sie. Ich glaube, etwa zu diesem Zeitpunkt bin ich weggetreten. Diese Aussage ist datiert vom 3. 10. 2000, 1.55 Uhr, gezeichnet Stephen Swain, M. D.«

Dickson blickte von dem Blatt auf.

Swain seufzte. »So war's. Das ist meine Aussage.«

»Gut.« Dickson reichte Swain seine maschinengeschriebene Aussage. »Wenn Sie nur bitte dort unterzeichnen wollen, wo es heißt ›Einverständnis erklärt‹, dann wär's das wohl gewesen, Dr. Swain. Oh, und wenn ich es wiederholen darf, ich bedanke mich im Namen des New York Police Department sehr herzlich bei Ihnen.«

```
Statuskontrolle: Netzkoordinaten des
Labyrinths sollen für die Elektrisierung
an alle Systeme übertragen werden.
```

»Dann bis morgen früh«, sagte Officer Paul Hawkins, als er in der mächtigen durchsichtigen Glastür der New York State Library stand.

»Bis dann«, erwiderte der Lieutenant, während er ihm die Tür vor der Nase zumachte.

Hawkins wandte sich ab, trat zurück und nickte seiner Partnerin Parker zu, die mit einem großen Schlüsselring herankam. Während sie das erste von vier Schlössern an der riesigen durchsichtigen Tür zusperrte, sah Hawkins draußen den verschwommenen Umriss des Lieutenants, der gerade das leuchtend gelbe Absperrband am Eingang anbrachte. Das Band drückte sich von außen gegen die

Scheibe, und Hawkins erkannte die vertrauten Worte:
POLIZEIGEBIET – NICHT ÜBERTRETEN.

Er schaute auf seine Armbanduhr.

17.15 Uhr.

Nicht schlecht, dachte er. Sie hatten nur zwanzig Minuten benötigt, alle Ein- und Ausgänge des Gebäudes zu versiegeln.

Parker drehte den Schlüssel im letzten Schloss und wandte sich um.

»Fertig«, sagte sie.

Hawkins fiel ein, was die anderen Cops über Christine Parker erzählt hatten. Seit drei Jahren war sie seine Vorgesetzte und kaum hübsch zu nennen – und zierlich schon gar nicht. Große Hände, dunkle schwere Züge, gut im Umgang mit der Waffe. Unglücklicherweise hatten Berichte über ihre Unsensibilität nicht gerade dazu beigetragen, ihr Image aufzupolieren – in der Abteilung war sie für ihr ziemlich eisiges Verhalten bekannt. Hawkins tat das mit einem Achselzucken ab. Sie konnte sich behaupten, mehr zählte für ihn nicht.

»Gut.« Er wandte sich dem höhlenartigen Atrium der Bibliothek zu. »Weißt du, was los war? Man hat mich erst heute Nachmittag herbestellt.«

»Jemand hat eingebrochen und einen Wachmann niedergemetzelt. Ziemliche Sauerei«, erwiderte Parker gleichgültig.

»Eingebrochen?« Hawkins zog die Brauen zusammen. »Mir ist nicht aufgefallen, dass eine der Türen, die wir versiegelt haben, gewaltsam geöffnet worden wäre.«

Statuskontrolle:
0:44:16 bis Elektrisierung.

Parker schob die Schlüssel in die Tasche und zuckte die Schultern. »Frag nicht mich. Ich weiß bloß, dass sie noch nicht rausgekriegt haben, wo er rein ist. Dafür kommt morgen die Scientific Investigation Divison (SID). Der Typ hat vielleicht das Schloss an einer der Türen im Magazin geknackt. Diese Dinger müssen mindestens vierzig Jahre auf dem Buckel haben.«

Sie hob den Kopf. »Larry von der Schichteinteilung hat mir erzählt, sie haben den größten Teil des Tages damit verbracht, alles wieder sauber zu kriegen.«

Parker ging zum Informationsschalter hinüber und setzte sich. »Wie dem auch sei«, meinte sie und legte die Füße auf die Theke, »so schlimm ist das gar nicht. Ist doch nicht mein Bier, wenn ich das Doppelte dafür kriege, die ganze Nacht in einer Bibliothek rumzusitzen.«

»Komm schon, Dad!«, sagte Holly ungeduldig. »Ich verpasse noch Pokémon!«

»Okay, okay.« Swain stieß den Vordereingang auf. Holly schoss an ihm vorüber ins Haus.

Swain zog den Schlüssel aus dem Türschloss und rief ihr nach: »Rutsch nicht über den Teppich!«

Er trat ein, als Holly, die Keksdose in der einen, eine Cola in der anderen Hand, aus der Küche gesaust kam. Swain blieb wie angewurzelt stehen, weil sie so dicht an ihm vorüber zum Fernsehgerät stürmte.

Er setzte seine Aktentasche ab, verschränkte die Arme, lehnte sich gegen die Bank, die die Küche vom Wohnzimmer trennte, und beobachtete sie. Es überraschte ihn nicht, dass Holly mitten im Lauf zu Boden ging, anmutig über den Teppich rutschte und ganz knapp vor dem Fernsehgerät liegen blieb.

»He!«

Holly schenkte ihm ein beiläufiges Lächeln. »Tschuuul-digung!« Sie schaltete den Fernseher ein.

Kopfschüttelnd ging Swain in die Küche. Wie oft hatte er ihr schon gesagt, sie solle nicht über den Teppich rutschen, und Holly tat es trotzdem. Immer. Es war so etwas wie ein Ritual. Abgesehen davon, dachte er, hatte es Helen auch immer gesagt, und Holly hatte auch nie auf sie gehört. Es war für sie beide eine gute Methode, die Erinnerung an sie hochzuhalten.

Zwei Jahre war es jetzt her, seit Swains Ehefrau von einem betrunkenen Autofahrer, der mit sechzig Stundenkilometern bei Rot über die Ampel gerauscht kam, angefahren und getötet worden war. Es war spät an einem Abend im August geschehen. Ihnen war die Milch ausgegangen, und Helen hatte im 7-Eleven ein paar Blocks entfernt welche besorgen wollen.

Sie war nie zurückgekehrt.

Später in dieser Nacht hatte Swain sie im Leichenschauhaus zu sehen bekommen. Allein der Anblick ihres blutigen, zerstörten Körpers hatte ihn umgeworfen. Das ganze Leben, das Wesen, die Persönlichkeit – alles, was den Körper zu *Helen* gemacht hatte – war ihm ausgesogen worden. Die weit aufgerissenen Augen hatten leblos ins Nichts gestarrt.

Der Tod hatte zugeschlagen – brutal, rasch, unerwartet. Sie war losgegangen, um Milch zu besorgen, und dann war sie urplötzlich verschwunden. Einfach nicht mehr da.

Und jetzt gab es nur noch ihn und Holly, die irgendwie das Leben ohne sie weiterlebten. Selbst jetzt, zwei Jahre danach, ertappte Swain sich hin und wieder dabei, wie er aus dem Fenster starrte und an Helen dachte, wobei ihm Tränen in die Augen traten.

Swain öffnete den Kühlschrank und nahm sich selbst

auch eine Cola. Da läutete das Telefon. Es war Jim Wilson.

»Du hast ein *großartiges* Spiel verpasst.«

Swain seufzte. »Oh, ja …«

»Mann, das hättest du sehen sollen! Es ist in die …«

»Nein! Halt! Nichts sagen!«

Wilson am anderen Ende lachte laut. »Also, so was täte ich doch nicht!«

»Ist auch besser, wenn du überleben willst. Möchtest du rüberkommen und es dir nochmal anschauen?«

»Natürlich, warum nicht? Bin in zehn Minuten da«, sagte Wilson und legte auf.


```
Statuskontrolle:
0:14:38 bis Elektrisierung.
```

Swain warf einen Blick auf die Mikrowelle. Die grün leuchtenden Ziffern der eingebauten Digitaluhr zeigten 17.45 Uhr.

Er schaute zu Holly hinüber, die weniger als einen halben Meter vom Bildschirm entfernt campierte, auf dem vielfarbige Kreaturen herumtanzten.

Swain nahm sich sein Getränk und ging ins Wohnzimmer. »Was siehst du dir da an?«

Holly ließ die Augen nicht vom Bildschirm. »Pokémon«, erwiderte sie, tastete nach der Dose neben sich und holte sich einen Keks heraus.

»Gut?«

Naserümpfend warf sie einen raschen Blick zurück. »Nö. Mew ist heute nicht da. Ich schau mal, was es auf den anderen Kanälen gibt.«

»Nein, warte!« Swain beugte sich vor und streckte die Hand nach der Fernbedienung aus. »Gleich gibt's Sport …«

Das Bild wechselte auf einen anderen Kanal und ein Nachrichtensprecher erschien.

»... während beim Football die Fans der Bundeshauptstadt nicht enttäuscht wurden. Die Redskins überfuhren die Giants in einem Overtime-Thriller mit 24 zu 21. Zur gleichen Zeit ist in Dallas ...«

Swain schloss die Augen und sank in seinen Sessel zurück. »Au weiah.«

»Hast du das gehört, Dad? Washington hat gewonnen. Das wird Grandpa freuen. Er lebt in Washington.«

Swain lachte leise. »Ja, Schatz, ich hab's gehört. Ich hab's gehört.«

```
Statuskontrolle: Kontrolleure für den
irdischen Wettkampfteilnehmer: Bitte
erwarten Sie besondere Anweisungen für
die Teleportation!
```

Paul Hawkins schlenderte müßig im Foyer der Bibliothek herum.

Jeder einzelne Schritt hallte unheilvoll durch den offenen Raum des Atriums.

Er blieb stehen und sah sich seine Umgebung genau an. Das Atrium war, denkbar einfach, ein gewaltiger Innenraum. Wenn man den Balkon mit dem Geländer, der hufeisenförmig oberhalb der unteren Etage verlief, mit in Betracht zog, war die Decke eigentlich zwei Stockwerke hoch. In der frühen abendlichen Dunkelheit wirkte das Atrium beinahe höhlenhaft.

Dreieinhalb Meter hohe Bücherregale ragten drohend aus dem brodelnden Halbdunkel hervor. Mit Einbruch der Nacht drang als einzige Beleuchtung das bläuliche Licht der Straßenlaternen in den riesigen Raum, sah man einmal

von dem harten, weißen Glanz ab, der vom Informationsschalter herüberkam. Dort saß Parker und las.

```
Statuskontrolle:
0:03:04 bis zur Elektrisierung.
Teleport-Kontrolleure: Achtung!
```

Hawkins schaute zu Parker hinüber. Sie saß nach wie vor
hinter dem Informationsschalter, die Füße auf die Theke
gelegt, und las irgendein Lateinbuch, das sie mal in der
Schule gelesen hatte, wie sie sagte.
Mein Gott, ist das still hier!, dachte er.

```
Statuskontrolle:
0:01:41 bis zur Elektrisierung.
```

```
Statuskontrolle: Kontrolleure auf der
Erde bestätigen Empfang besonderer
Informationen. Halten sich bereit.
```

Erneut klingelte das Telefon. Holly sprang auf und
schnappte sich den Hörer.
»Hallo, hier Holly Swain«, sagte sie. »Ja, er ist hier.«
Sie drückte sich den Hörer an die Brust und schrie aus vol-
ler Kehle: »Daddy! Telefon!«
Swain kam aus seinem Schlafzimmer unten am Flur. Er
schloss gerade einige Knöpfe an einem sauberen Hemd.
Der Gürtel an seinen Jeans baumelte ihm um die Taille,
und das Haar war noch triefend nass vom Duschen.
Er schenkte Holly ein schiefes Lächeln, als er ihr den
Hörer abnahm. »Jetzt weiß also die ganze Nachbarschaft,
dass ein Anruf für mich da ist, hm?«
Holly tanzte schulterzuckend zum Kühlschrank davon.

»Hallo«, sagte Swain ins Telefon.
»Ich bin's nochmal.« Wilson.
Swain warf einen Blick auf die Uhr in der Mikrowelle.
»He, was tust du? Es ist fast sechs. Wo bleibst du?«
»Ich bin noch zu Hause.«

Statuskontrolle:
0:00:46 bis zur Elektrisierung.

»Zu Hause?«
»Der Wagen springt nicht an. Wieder mal.«
Swain lachte bloß.

Hawkins langweilte sich.
Müßig steckte er den Kopf in das zentrale Treppenhaus der Bibliothek und schaltete seine schwere Taschenlampe an. Weiße Marmorstufen, flankiert von einem soliden Eichenholzgeländer, stiegen in einer breiten Spirale in die Dunkelheit hinauf.
Hawkins nickte. Eines musste man diesen alten Gebäuden ja lassen, sie waren für die Ewigkeit erbaut.

Statuskontrolle:
0:00:15 bis zur Elektrisierung.

Parker erhob sich aus ihrem Sessel hinter dem Informationsschalter. Träge und mit zusammengekniffenen Augen starrte sie in die Dunkelheit.
»Was tust du da?«, rief sie.
»Schau mich bloß um.«

Statuskontrolle:
0:00:09 bis zur Elektrisierung.
Standby.

Parker ging zu Hawkins hinüber. Er stand am Eingang zum Treppenhaus, hatte die Taschenlampe eingeschaltet und spähte in die Dunkelheit hinauf.

:06.

Sie blieb neben ihm stehen.
»Hübsch und alt hier«, meinte Hawkins.
»Ja.« Parker nickte. »Hübsch.«

:04
:03
:02
:01

Standby.
– Elektrisierung initialisiert.

In diesem Augenblick, während Hawkins und Parker im Treppenhaus standen, blitzten leuchtend blaue Funken am Haupteingang zur Bibliothek auf. Ein elektrisch blauer Strom schoss zwischen den Glastüren hoch, und knisternde elektrische Klauen peitschten um die Kanten des Türrahmens.

Jedes einzelne Fenster der Bibliothek erbebte, als winzige, gegabelte blaue Blitze aus ihren Rahmen hervorschossen. An den Eingängen auf der Schmalseite der Bibliothek schmorte das gelbe Absperrband in der gewaltigen Hitze der elektrischen Energie, die jetzt durch die Türen floss.

Dann, von einer Sekunde auf die andere, war der Spuk vorbei.

An allen Fenstern und Türen, durch die man die Bibliothek hätte betreten können, war es plötzlich still.

Plötzlich wieder still.

Die State Library, alt und finster, stand düster in der Dunkelheit von New York City, und ihre prächtigen Glastüren glitzerten grau im Mondschein. Auf einen flüchtigen Betrachter wenige Meter entfernt wirkten sie genauso majestätisch und streng wie tags zuvor.

Erst beim Näherkommen fielen einem die winzigen blauen Blitze auf, die regelmäßig alle paar Sekunden zwischen den riesigen Türen herauszuckten.

Ebenso wie an allen anderen Zugängen zur Bibliothek.

Statuskontrolle: Elektrisierung komplett.
Sende Gitterkoordinaten des Labyrinths.

Beginne mit Teleportation.

HOLLY KLAMMERTE SICH an Swains Bein. Er schüttelte es spielerisch, während er ins Telefon sprach.

»Es wäre sowieso keine sonderliche Überraschung mehr. Ich habe bereits gehört, wer gewonnen hat.«

»Tatsächlich?«

Swain blickte auf Holly hinab, die in seine Jeanstasche griff. »Ja. Unglücklicherweise.«

Holly zog die Hand heraus und sah das Ding darin stirnrunzelnd an.

»Dad, was ist das?«

Swain warf einen Blick darauf und reckte überrascht den Hals. »Darf ich?«, fragte er.

Holly reichte ihm das kleine silberne Ding.

»Was ist los?«, wollte Wilson wissen.

Swain drehte den Gegenstand in der Hand. »Nun ja ... *Doktor* Wilson, vielleicht können Sie mir sagen, weshalb meine Tochter gerade ein Feuerzeug aus meiner Jeanstasche gezogen hat. Aus *meiner* Jeans, die du dir am Wochenende für diese kleine Cowboy-Sache ausgeliehen hast.«

Wilson zögerte. »Ich habe absolut keine Ahnung, wie es da reingeraten ist.«

»Tja, und das soll ich dir glauben?«

»Na gut, na gut, fang nicht damit an«, erwiderte Wilson. »Wie groß sind meine Chancen, mein Feuerzeug zurückzukriegen?«

Swain schob es in seine Tasche zurück. »Weiß ich nicht. Sechzig zu vierzig.«

Statusbericht:
Teleportationssequenz initialisiert.

»Sechzig zu vierzig!«

Holly holte sich noch etwas zu trinken aus dem Kühl-schrank. Swain klemmte sich den Hörer zwischen Kinn und Schulter und beugte sich herab, um sie aufzuheben. Er ächzte unter ihrem Gewicht.

»Mein Gott, bist du schwer!«

Initialisiere Teleporter: Erde.

»*Dad* ... Komm schon, ich bin jetzt acht ...«

»Zu alt, um auf den Arm genommen zu werden, hm? Na gu...«

In diesem Augenblick wurde das Zimmer um Swain hel-ler. Ein mysteriöser weißer Glanz erfüllte die Küche.

»Dad ...« Holly packte ihn fest an der Schulter.

Swain drehte sich langsam um die eigene Achse und starrte wie hypnotisiert auf das weiche weiße Licht, das rings umher aufleuchtete ... rings umher aufleuchtete ... aufleuchtete *und immer heller wurde!*

Heller!

In der Küche wurde es heller. Das Licht nahm an Inten-sität zu.

Swain wirbelte um die eigene Achse. Der weiche weiße Glanz war zu einem blendend weißen, gleißenden Schein geworden. Wohin er sich auch wandte, alles drehte sich vor ihm. Das Licht kam anscheinend aus allen Richtun-gen.

Er hob den Arm, um die Augen abzuschirmen.

»Dad! Was ist hier los?«

Swain drückte sie fester an sich, schob ihren Kopf an seine Brust, schützte sie vor dem Licht. Er kniff die Augen zusammen und versuchte, die blendend weiße Mauer, die sie umgab, mit dem Blick zu durchdringen und nach dessen Quelle zu suchen.

Er wich vor dem hellen Schein zurück, sah plötzlich auf seine Füße hinab – und da lag ein perfekter Kreis weißen Lichts um seine Turnschuhe.

Da verstand Swain.

Er war im Zentrum dieses Lichts.

Er selbst war dessen Quelle!

Windböen schossen durch die Küche. Staub und Papier wirbelten Swain um den Kopf, während er Holly eng an seine Brust gedrückt hielt. Er schloss die Augen und wappnete sich gegen den heulenden Wind.

Dann hörte er seltsamerweise über das Heulen hinweg eine Stimme. Leise, schwach, wiederholte sie beharrlich: »Steve? Stephen Swain, bist du noch dran?«

Er benötigte einen Augenblick, bis ihm klar wurde, dass sie aus dem Telefon kam. Wilson war noch immer in der Leitung. Swain hatte vergessen, dass er telefonierte.

»Stephen, was ist da los? Ste…«

Die Leitung war tot.

Ein ohrenbetäubender Donnerschlag ertönte, und im gleichen Moment wurde Swain in völlige Dunkelheit geworfen.

ZWEITER ZUG

30. November, 18:04 Uhr

VIELE LEUTE WÜRDEN SAGEN, dass die Angst vor der Dunkelheit lediglich ein Phänomen der Kindheit ist.

Ein Kind fürchtet sich deshalb im Dunkeln, weil ihm die Erfahrung fehlt, dass in Wirklichkeit überhaupt nichts da ist. Stephen Swain wusste jedoch, dass die Angst vor der Dunkelheit durchaus unter vielen Erwachsenen verbreitet war. Einige hielten das menschliche Verlangen nach Helligkeit für ebenso elementar wie das nach Nahrung.

Als er da in pechschwarzer Finsternis stand, ohne jeglichen Hinweis darauf, wo er war, kam es Swain sehr seltsam vor, dass er an seine Studien über menschliche Verhaltensweisen erinnert werden sollte. Ihm fielen die Worte eines Dozenten ein: »Menschliche Ängste sind sehr oft irrationale Konstrukte des Bewusstseins. Wie sonst ließe sich erklären, dass eine einsachtzig große Frau vom bloßen Anblick einer einzigen weißen Maus in Angst und Schrecken versetzt wird – einem Wesen, das kaum zehn Zentimeter lang ist?«

Aber keine Furcht wurde als irrationaler – oder dem Menschen eigentümlicher – erachtet als die Angst vor der Dunkelheit. Akademische Theoretiker und erschöpfte Patienten hatten seit Jahrhunderten unermüdlich wiederholt, dass im Dunkeln nichts sei, was nicht schon im Licht vorhanden gewesen war ...

Aber ich gehe jede Wette ein, dass ihnen so etwas noch nie passiert ist, dachte Swain, während er in das Meer aus Schwärze starrte.

Wo zum Teufel sind wir ...?

Er hörte sein Herz laut im Schädel hämmern. Eine Woge der Panik breitete sich langsam in seinem Körper aus. Nein. Er musste ruhig bleiben – rational, musste sich um Holly kümmern.

Er tastete an seiner Schulter nach ihr. Völlig erschrocken klammerte sie sich fest an ihn.

»Dad ...«

Wenn er nur *irgendetwas* sehen könnte, dachte er und versuchte, seine eigene stetig anschwellende Furcht in Schach zu halten. Einen Riss in der Dunkelheit. Einen Splitter von Licht. Irgendetwas.

Er schaute nach rechts, dann nach links. Nichts.

Lediglich Schwärze. Endlose, nahtlose Schwärze.

Die Furcht vor der Dunkelheit erschien jetzt nicht mehr so irrational.

»Dad. *Was ist hier los?*«

»Ich weiß es nicht, Schatz.« Swain schürzte nachdenklich die Lippen. Dann fiel ihm etwas ein.

»Warte mal einen Augenblick«, sagte er und schob ungeschickt die Hand unter Holly hindurch in seine Jeanstasche. Er stieß erleichtert die Luft aus, als er das kalte, glatte Metall des Feuerzeugs spürte.

Es sprang mit einem metallischen *Kling* auf und Swain drehte am Zündrädchen. Es gab einen kurzen Funken, aber der Docht fing kein Feuer. Swain versuchte es erneut. Wiederum ein Funke, jedoch keine Flamme.

»Meine Güte«, sagte er. »Das ist vielleicht ein Raucher.«

»Dad ...«

»Warte mal, Schatz.« Swain steckte das Feuerzug in die Hosentasche zurück und wandte sich wieder der Dunkelheit zu. »Sehen wir mal, ob wir nicht eine Tür oder so was finden.«

Er hob den Fuß und trat zögernd einen Schritt vor. Als er den Fuß jedoch senkte, verstand er allmählich die Angst einiger Leute vor der Dunkelheit. Die schiere Hilflosigkeit, das Nichtwissen, was unmittelbar vor einem lag, war Furcht erregend.

Sein Schuh traf auf den Fußboden. Er war hart. Kalt. Wie Schiefer- oder Marmorplatten.

Er trat einen weiteren Schritt vor. Nur dass sein Fuß, als er ihn dieses Mal niedersetzen wollte, keinen Boden fand, sondern schlicht leeren Raum.

»O je.«

Sein Gefühl von Panik schwoll wieder an. Wo zum Teufel war er? Stand er am Rand eines Abgrunds? Wenn ja, wie weit ging es nach unten? Und ging es auf allen Seiten hinab?

Scheiße.

Langsam senkte Swain den Fuß.

Nichts.

Langsam. Weiter. Immer noch nichts.

Dann traf sein Fuß auf etwas. Weiteren Fußboden, nicht tief unterhalb der Stelle, wo er stand.

Swain schob sich hinab und ging erneut vorwärts. Noch ein Stück Fußboden. Erleichtert lächelte er in der Dunkelheit.

Stufen.

Swain hielt Holly eng an seine Brust gedrückt, als er vorsichtig die Stufen hinabstieg.

»Wo sind wir, Dad?«

Swain blieb stehen und warf Holly einen Blick zu. Trotz der Dunkelheit erkannte er den Umriss ihres Gesichts. Die Augenhöhlen, den Schatten ihrer Nase auf ihrer Wange.

»Ich weiß es nicht«, erwiderte er.

Er wollte gerade einen weiteren Schritt machen, da fuhr

er hoch und schaute Holly erneut an. Die Augenhöhlen, der Schatten auf ihrer Wange …

Ein Schatten.

Irgendwo musste es Licht geben.

Irgendwo.

Swain sah sich ihr Gesicht genau an, und als er dem Schatten ihrer Nase folgte, erkannte er ihn plötzlich – den weichen grünen Schimmer, so schwach, dass er kaum ihre übrigen Gesichtszüge hervorhob. Swain beugte sich dichter heran, und der sanfte Schimmer verschwand abrupt.

»Verdammt!«

Langsam zog er den Kopf zurück, und ebenso langsam kehrte der Schimmer wieder, der Hollys eine Gesichtshälfte bedeckte.

Swain bekam große Augen. Es war sein *eigener* Schatten, der auf dem Gesicht seiner Tochter lag.

Die Quelle des Lichts war irgendwo hinter ihm.

Er fuhr herum.

Und dort, in der Schwärze, sah er es. Es schwebte in der Dunkelheit, auf gleicher Höhe mit seinen Augen, und war dennoch völlig still – ein winziges grünes Licht.

Es konnte nicht weiter als zwei Meter entfernt sein, und es leuchtete wie eines der kleinen Lämpchen auf einem Videorecorder. Gespannt starrte er das winzige grüne Licht an.

Da vernahm er eine Stimme.

»Sei gegrüßt, Wettkämpfer!«

Die Stimme hatte ihren Ursprung in dem grünen Licht.

Sie klang formell, korrekt, kultiviert. Und dennoch gleichzeitig schrill, als hätte ein Zwerg gesprochen.

Sie ertönte erneut.

»Sei gegrüßt, Wettkämpfer. Willkommen im Labyrinth.«

Swain drückte Holly eng an sich. »Wer ist da? Wo sind Sie?«

»Ich bin hier. Können Sie mich nicht sehen?« Die Stimme war nicht bedrohlich. Sie klang fast hilfreich, dachte Swain.

»Nein. Es ist zu dunkel.«

»Oh, ja. Hmm.« Die Stimme klang entmutigt. »Einen Augenblick, bitte.«

Das winzige grüne Licht sauste von Swain aus gesehen nach links und tanzte auf und nieder. Dann blieb es stehen.

»Ah, ja. Hier ist er.«

Etwas klickte, und sogleich sprangen einige Neonlampen an der Decke an.

In diesem neuen Licht erkannte Swain, dass er auf halber Höhe einer Treppe aus breiten Marmorstufen stand, die ein Geländer aus einem dunklen, glänzend polierten Holz hatte. Sie wand sich spiralförmig mehrere Etagen abwärts, bis sie in der Dunkelheit verschwand.

Swain vermutete, dass er im obersten Bereich des Treppenhauses stand, da es keine weiteren Stufen zum Absatz über ihm gab. Nur eine schwere Holztür führte irgendwohin.

Sein Blick wanderte nach links, und plötzlich sah er den Besitzer der Stimme.

Dort, gleich neben einem Lichtschalter, stand ein Mann, der keine anderthalb Meter groß und völlig in Weiß gekleidet war.

Weiße Schuhe, weißer Overall, weiße Handschuhe.

In einer Hand hielt der kleine Mann etwas, das wie eine graue Armbanduhr aussah. Von deren Ziffernblatt stammte auch das kleine grüne Licht, erkannte Swain.

Zusätzlich zu seiner völlig weißen Kleidung trug der kleine Mann eine merkwürdige, eng anliegende weiße Kappe, die den gesamten Kopf bedeckte und nur das Gesicht frei ließ.

»Dad, das sieht aus wie eine Eierschale«, flüsterte Holly.

»Pscht.«

Der kleine Mann trat bis zum Rand des Treppenabsatzes vor. Sein Kopf war nur wenig höher als Swains. Er sprach ein perfektes Englisch, ohne jegliche Spur eines Akzents.

»Seid gegrüßt! Willkommen im Labyrinth. Mein Name ist Selexin, und ich bin Ihr Führer.« Er streckte die kleine weiße Hand aus. »Wie geht es Ihnen?«

Swain starrte nach wie vor ungläubig den kleinen weißen Mann an. Abwesend hielt er seinerseits die Hand hin. Der kleine Mann reckte den Hals.

»Sie haben eine interessante Waffe«, meinte er in Hinblick auf den Telefonhörer in Swains Hand.

Swain warf einen Blick darauf. Mehrere Zentimeter von der Stelle entfernt, an der die spiralförmige Schnur in den Hörer überging, war sie durchtrennt. Ihm war nicht bewusst gewesen, dass er den Hörer nach wie vor festhielt. Rasch reichte er ihn Holly und schüttelte verlegen dem Mann in Weiß die Hand.

»Wie geht es Ihnen?« Selexin verneigte sich feierlich.

»Kapiere allmählich«, erwiderte Swain vorsichtig. »Wie geht es Ihnen?«

Der Mann in Weiß lächelte ernst und nickte höflich. »Oh, ja. Vielen Dank. Ich kapiere auch allmählich.«

Swain zögerte. »Hören Sie, ich weiß nicht, wer oder was Sie sind, aber ...«

Holly hörte nicht zu. Sie starrte den Telefonhörer an.

Ohne die Schnur, die sich zu einer Basisstation schlängelte, sah er wie ein Handy aus.

Sie untersuchte die Schnur. Sie wirkte, als hätte sie jemand mit einer äußerst scharfen Schere durchgeschnitten. Ein sauberer Schnitt. Ein *völlig* sauberer Schnitt. Die Drähte im Innern waren nicht einmal ausgefranst.

Holly zuckte die Schultern und steckte den Hörer in die Tasche ihrer Schuluniform. Ihr eigenes Handy, selbst wenn es nicht funktionierte. Sie sah wieder zu dem kleinen Mann in Weiß hinüber. Er sprach mit ihrem Vater.

»*Ich* habe nicht die Absicht, Ihnen etwas zu tun«, meinte er gerade.

»Nein?«

»Nein.« Selexin hielt inne. »Nun ja, *ich* nicht.«

»Wenn es Ihnen nichts ausmacht, könnten Sie uns dann vielleicht erzählen, wo wir sind und wie, zum Teufel, wir hier wieder rauskommen?«

Der kleine Mann wirkte schockiert.

»*Rauskommen?*«, fragte er verständnislos. »Niemand kommt hier raus. Noch nicht.«

»Was meinen Sie damit, niemand kommt raus? Wo sind wir?«

»Sie sind im Labyrinth.«

Swain begutachtete die Treppe. »Und wo bitte ist dieses Labyrinth?«

»Nun ja, Wettkämpfer, dies ist die Erde, natürlich.«

Swain seufzte. »Hören Sie, äh …«

»Selexin.«

»Ja. Selexin.« Swain lächelte ihn schwach an. »Selexin, wenn es für Sie in Ordnung ist, dann würden meine Tochter und ich gern Ihr Labyrinth verlassen, ja? Ich weiß nicht, was Sie hier zu tun haben, aber wir werden bestimmt nicht daran teilnehmen.«

Swain stieg die Treppe hinauf und ging zu der Tür hinüber, die vom Treppenabsatz wegführte. Er streckte die Hand nach dem Türgriff aus, da zog Selexin sie weg.

»*Nicht!*«

Er hielt Swains Hand von der schweren Holztür fern. »Wie ich gesagt habe, hier kommt niemand raus. *Noch nicht.* Das Labyrinth ist versiegelt worden. Schauen Sie!«

Er zeigte auf den Spalt zwischen der Tür und dem festen hölzernen Rahmen. »Sehen Sie das?«

Swain schaute hin und sah nichts. »*Nein*«, erwiderte er unbeeindruckt.

»Sehen Sie *genau* hin.«

Swain beugte sich näher heran und inspizierte den Spalt zwischen Tür und Rahmen.

Da sah er sie.

Eine winzige blaue gegabelte Zunge aus Elektrizität leckte hervor.

Sie zeigte sich nur kurz, aber der plötzliche blaue elektrische Blitz war unverkennbar. Swain folgte dem Türrahmen mit dem Blick bis zur Oberschwelle. Alle paar Zentimeter zuckte deutlich die helle bläuliche Ladung hervor.

Auf allen vier Seiten war es das Gleiche.

Langsam kehrte Swain auf den Treppenabsatz zurück. Er wandte sich um und fragte leise und ausdruckslos:

»Was zum Teufel tun Sie hier?«

Im Atrium der Bibliothek ging Officer Paul Hawkins vor dem Informationsschalter hin und her.

»Ich sag dir, ich hab's gesehen«, beharrte er.

Parker hatte die Füße auf die Theke gelegt, kaute an einem Riegel und las fröhlich eine alte Ausgabe des *Cosmopolitan*.

»Aber sicher.« Sie hob nicht mal den Blick.

Hawkins war sauer. »Ich habe gesagt, *ich hab's gesehen*.«

»Dann mach dich doch auf die Socken und guck nach!«, schlug ihm Parker abschätzig vor. In ihren Augen war Hawkins ein grüner Junge. Zu jung und unerfahren und bei weitem zu eifrig. Und wie jeder Neuling hegte er stets den Verdacht, dass das Verbrechen des Jahrhunderts direkt vor seiner Nase passierte.

Vor sich hin murmelnd ging Hawkins zu den Regalen in der Nähe des Treppenhauses.

»Was hast du gesagt?«, rief ihm Parker hinter ihrer Zeitschrift träge nach.

»Nichts«, brummte Hawkins im Davongehen. »Ich schau mal, ob es wieder passiert.«

Parker hob den Blick von ihrer Zeitschrift und sah Hawkins durch die Türen zum Treppenhaus verschwinden. Sie schüttelte den Kopf.

»Anfänger.«

Hawkins stieg langsam die weiße Marmortreppe empor und lugte an jeder Kehre in der Hoffnung um die Ecke, es

71

erneut zu sehen. Er beugte sich über das Geländer und blickte den Schacht hinauf.

Da die Lichter im Treppenhaus nicht brannten, würde er über den ersten Treppenabsatz hinaus kaum etwas erkennen können ...

Da war ein Licht!

Ganz oben.

Eine der Neonlampen ganz oben im Treppenhaus brannte – und das war zuvor nicht der Fall gewesen.

Hawkins verspürte einen Adrenalinstoß.

Jemand war hier drin.

Was sollte er jetzt unternehmen? Parker holen? Ja, Unterstützung – Unterstützung war eine gute Sache. Nein, warte. Sie würde ihm nicht glauben. Sie hatte ihm vorhin schon nicht geglaubt.

Hawkins spähte wieder den Schacht hinauf und sah das Licht. Zögernd nahm er die erste Treppenstufe.

Da geschah es.

Ein blendend heller Strom weißen Lichts schoss durch den Zentralschacht des Treppenhauses nach oben und erleuchtete die gesamte Umgebung. Sofort sprang Hawkins vom Geländer weg.

Wirbelnde Staubflocken im leeren Kern des Treppenhauses erwachten plötzlich zum Leben, getroffen vom aufsteigenden Lichtstrahl. Sie erzeugten eine senkrechte Lichtsäule, bei deren Anblick einem ganz wirr im Kopf wurde.

Voller Ehrfurcht starrte Hawkins sie an. Genau dasselbe hatte er zuvor schon gesehen – einen gleißenden Lichtstrom, der sich durch den Schacht des Treppenhauses ergoss.

Dennoch war es irgendwie anders.

Die *Quelle* war eine andere. Diesmal kam das Licht nicht von irgendwo hoch oben aus dem Treppenhaus.

Nein, diesmal kam es von unten.

Langsam schob sich Hawkins heran und lugte über das Treppengeländer in den Schacht hinab.

Das Licht kam anscheinend von einer Stelle unter einem der Treppenabsätze. Er erkannte lediglich den Rand von etwas, das aussah wie eine große glühende Kugel reinen weißen ...

Es erlosch.

Es verblasste nicht. Es flackerte nicht. Es verschwand einfach und hinterließ Schwärze. Genau wie zuvor.

Hawkins fand sich plötzlich im leeren Treppenhaus wieder, und der hohle Schacht in der Mitte war lediglich ein schweigendes, klaffendes Loch in der Finsternis.

Er warf einen Blick über die Schulter zum Atrium zurück. Auf der anderen Seite der Regale sah er Parkers Füße lässig auf der Theke des Infoschalters ruhen. Er dachte daran, seine Kollegin zu rufen, entschied sich jedoch dagegen.

Er wandte sich wieder dem dunklen Treppenhaus zu.

Er schluckte und vergaß dann plötzlich völlig das Neonlicht, das oben brannte.

Hawkins zog seine schwere Taschenlampe aus dem Gürtel und schaltete sie an.

Dann begann er den Abstieg in die Dunkelheit.

Selexin hielt nach wie vor das graue Armband fest. Es wog schwer in seiner Hand, hauptsächlich wegen der dicken Metallschnallen, mit denen man es am Handgelenk des Trägers befestigte.

Er warf einen Blick auf das Zifferblatt. Es war rechteckig – wie eine gestreckte Digitaluhr –, sehr breit, aber nicht hoch. Obenauf glitzerte hell das kleine grüne Lämpchen. Gleich daneben war ein anderes Lämpchen von schwach rötlicher Färbung, etwas größer als das grüne. Im Augenblick war es tot.

Gut, dachte Selexin.

Unterhalb der beiden Lämpchen war auf einer schmalen länglichen Anzeige zu lesen:

```
UNVOLLSTÄNDIG - 1
```

Selexin blickte auf. Er sah Swain und Holly an einem Fenster stehen und in sicherer Entfernung von den elektrisierten Fensterbrettern hinausschauen.

Selexin knurrte, schüttelte traurig den Kopf und sah wieder auf die Uhr. Die Anzeige flackerte.

```
UNVOLLSTÄNDIG - 1
```

Einen Augenblick lang verschwanden die Worte. Gleich darauf tauchten sie wieder auf, allerdings verändert. Jetzt war auf der Anzeige zu lesen:

```
UNVOLLSTÄNDIG - 2
```

Die Anzeige war wieder stabil.

Selexin ging zu Swain ans Fenster und blieb neben ihm stehen.

»Verstehen Sie jetzt?«

Swain starrte weiterhin hinaus.

Nachdem er die unter Strom gesetzte Tür oben am Treppenhaus gesehen hatte, war er ohne zu zögern die erste Treppe hinabgestiegen und hatte die nächste Tür geöffnet, eine große Feuerschutztür, markiert mit einer roten »3«.

Die Tür hatte sich in einen sehr, sehr ausgedehnten Raum mit niedriger Decke und von vielleicht fünfzig Metern Breite geöffnet. Swain hatte sich durch die merkwürdig geformten Stahlrohrtische seinen Weg zum nächsten Fenster gebahnt.

Der Raum stand voll mit diesen eigentümlich geformten Tischen. An der Rückseite eines jeden war senkrecht ein Brett angebracht, sodass es mit der Schreibtischplatte eine L-Form bildete. Hunderte dieser Tische, zu jeweils vieren eng zusammengestellt, bedeckten den weiten Fußboden des Raums.

Als er jetzt aus dem Fenster schaute und den vertrauten Park der Innenstadt erblickte, umgeben von den abgedunkelten Straßen New Yorks, verstand er allmählich.

»Wo sind wir, Dad?«

Swains Blick erfasste die Vielzahl abgeteilter Tische im Raum. In der nächsten Ecke befand sich eine schwere Tür, die zu einem Putzmittelraum führte, und gleich daneben war ein Schild angebracht:

LESESAAL
BITTE RUHE!
TASCHEN BITTE DRAUSSEN LASSEN!

Ein Lesesaal.

Swain wandte sich Selexin zu. »Wir sind in der Bibliothek, Schatz. In der Staatsbibliothek.«

Selexin nickte. Genau.

»Das«, sagte er, »ist das Labyrinth.«

»Das ist eine *Bibliothek*.«

»Das mag durchaus sein.« Selexin zuckte die Schultern. »Aber das soll Sie jetzt nicht weiter kümmern.«

»Ich denke, das soll mich gerade im Augenblick eine ganze Menge kümmern«, sagte Swain. »Was tun Sie hier und was wollen Sie mit uns?«

»Nun ja, zuallererst wollten wir eigentlich nicht Sie beide«, begann der kleine Mann und sah Swain an. »Eigentlich wollten wir nur *Sie*.«

»Warum haben Sie meine Tochter dann auch hergeholt?«

»Das war keine Absicht, so viel kann ich Ihnen versichern. Den Wettkämpfern ist jeglicher Beistand strikt untersagt. Sie muss das Feld kurz vor Ihrer Teleportation betreten haben.«

»Teleportation?«

»Ja, Wettkämpfer.« Selexin seufzte traurig. »Teleportation. Und Sie können sich äußerst glücklich schätzen, dass sie sich zu diesem Zeitpunkt vollständig innerhalb des Feldes aufgehalten hat. Wenn sie nur teilweise darin gewesen wäre, hätte sie das Feld vielleicht ...«

Vom Fenster her ertönte ein lautes Donnergrollen. Swain blickte hinaus. Dunkle Gewitterwolken wälzten sich über den Mond hinweg. Es war jetzt wirklich und wahrhaftig dunkel draußen. Regenschlieren zogen sich über die Scheibe.

Er drehte sich wieder um. »Das weiße Licht.«

»Ja«, sagte Selexin. »Das Feld. Alles innerhalb des Feldes wird teleportiert, sobald die Systeme eingeschaltet werden.«

»Wie das Telefon«, meinte Swain.

»Ja.«

»Aber nur das halbe Telefon ist mitgekommen.«

»Weil sich nur das halbe Telefon innerhalb des Feldes befunden hat«, erklärte Selexin. »Auf die einfachste Weise ausgedrückt, ist das Feld bloß ein kugelförmiges Loch in der Luft. Alles innerhalb der Kugel wird zum Zeitpunkt der Teleportation hochgehoben und woanders wieder abgesetzt, ob es irgendwo angebracht ist oder nicht.«

»Und Sie entscheiden, wohin wir gehen. Ist es so?«, fragte Swain.

»Ja. Jetzt, Wettkämpfer ...«

Swain hielt die Hand hoch. »Einen Moment noch. Warum nennen Sie mich immerzu so?«

»Nenne Sie wie?«

»›Wettkämpfer‹. Warum nennen Sie mich dauernd ›Wettkämpfer‹?«

»Weil Sie genau das sind und deswegen hergebracht wurden«, erwiderte Selexin, als wäre dies das Offensichtlichste auf der Welt. »Zum Wettkampf. Zum Wettkampf im Rahmen des Siebten Präsidian.«

»Präsidian?«

Jetzt runzelte Selexin die Stirn.

»Ja.« Seine Stimme wurde angespannt. »Hmm, das habe ich mir fast gedacht.« Er stieß einen langen Seufzer aus und blickte ungeduldig auf das metallene Armband in seiner Hand. Das grüne Licht darauf brannte noch immer, und auf der Anzeige stand nach wie vor:

UNVOLLSTÄNDIG - 2

Selexin schaute auf, sah aber niemanden direkt an. »Na ja, da wir noch etwas Zeit haben, werd ich's Ihnen erklären.«

Holly trat vor und zeigte auf das graue Armband. »Was ist das?«

Selexin warf ihr einen scharfen Blick zu. »*Bitte*. Darauf komme ich noch. Hör bloß einen Moment lang zu.«

Augenblicklich wich Holly zurück und griff nach Swains Hand.

Selexin machte schnelle, kurze Atemzüge, Ausdruck seiner Gereiztheit. Während Swain ihn beobachtete, wurde

77

ihm immer klarer, dass der kleine Mann in Weiß schlicht und einfach nicht hier sein wollte.

»Das Präsidian hat zuvor schon sechsmal stattgefunden«, begann Selexin. »Und das hier«, er schaute sich im Lesesaal um, »ist das siebte. Es wird etwa alle tausend irdische Jahre abgehalten, jedes Mal auf einer anderen Welt, und in jedem System, abgesehen von der Erde, erfährt es die allerhöchste Wertschätzung.«

»System?«, fragte Swain.

»Ja, Wettkämpfer, *System*.« Selexin redete inzwischen im Tonfall eines erschöpften Erwachsenen, der sich an einen Fünfjährigen wendet. »*Andere* Welten. *Andere* intelligente Lebensformen. Insgesamt sieben.«

Selexin hielt einen Moment inne und massierte sich mit der Hand die Stirn. Offenbar versuchte er mit aller Macht, die Ruhe zu bewahren.

Schließlich blickte er zu Swain auf. »Das haben Sie nicht gewusst, oder?«

»Den Teil über die anderen Welten und die anderen intelligenten Lebensformen? Äh, nein.«

»Ich bin tot«, flüsterte Selexin vermutlich zu sich selbst. Swain verstand ihn dennoch deutlich.

»Warum?«, fragte er unschuldig. »Warum sind Sie tot? Was ist dieses Präsidian?«

Selexin seufzte erschöpft. Er streckte die Hände mit den Handflächen nach oben vor.

»Was wird es wohl sein?«, fragte er scharf und mit kaum verhohlener Herablassung. »Es ist ein *Wettstreit*. Eine *Schlacht*. Ein *Wettkampf*. Sieben Teilnehmer betreten das Labyrinth, und nur einer verlässt es. Es ist ein Kampf auf Leben und Tod.«

Selexin sah den Unglauben, der sich über Swains Gesicht ausbreitete. Er warf die Hände in die Höhe. »Bei den Göttern, Sie verstehen nicht mal, wozu Sie hier sind! Sehen Sie's denn nicht?«

Nachdem er sich so in Fahrt geredet hatte, nahm er jetzt einen Moment lang den Fuß vom Gaspedal und versuchte verzweifelt, die Beherrschung zurückzugewinnen. Er senkte die Stimme.

»Lassen Sie mich nochmal von vorn anfangen. Also, Sie sind dazu auserwählt, Ihre Spezies im höchsten aller Wettkämpfe des Universums zu vertreten. Seine Ursprünge liegen über sechstausend Jahre zurück und beruhen auf einem Prinzip, das Lichtjahre über jegliche Assoziation mit ›Sport‹ hinausgeht, die Sie sich vorstellen können. *Das* ist das Präsidian.

Es ist eine Schlacht. Eine Schlacht zwischen Jägern, Athleten, Kriegern; Wesen, die aus allen Ecken und Winkeln des Universums kommen, die Geschick, Mut und Intelligenz besitzen und bereit sind, das eigene Leben auf ihre außergewöhnlichen Talente zu setzen – Talente in der Jagd, im Anpirschen und im Töten.«

Selexin schüttelte den Kopf.

»Ein geschlagener Kämpfer kehrt aus dem Präsidian nicht mehr zurück. Es gibt kein Rückspiel. Im Präsidian eine Niederlage zu erleiden bedeutet keinen Verlust des Stolzes, sondern den *Verlust des Lebens*. Jeder Wettkämpfer, der das Labyrinth betritt, akzeptiert, dass in diesem Wettkampf die einzige Alternative zum letztendlichen Sieg der gewisse Tod ist.

Es ist ziemlich einfach. Sieben werden eintreten. Der Beste wird gewinnen, die weniger Guten werden sterben. Bis nur einer übrig bleibt.« Der kleine Mann hielt inne. »*Falls* jemand übrig bleibt.

Im Präsidian ist kein Platz für einen gewöhnlichen Mann. Es ist ein Wettkampf zwischen den Außergewöhnlichen – zwischen denjenigen, die darauf vorbereitet sind, das Äußerste zu riskieren, um das Äußerste zu gewinnen. Auf der Erde spielen Sie Spiele, bei denen Sie im Falle der Niederlage nichts verlieren. ›Gewinnen ist nicht alles‹, sagen Sie. ›Es spielt keine Rolle, ob du gewinnst oder verlierst, sondern wie du das Spiel bestritten hast‹.« Selexin knurrte angewidert. »Wenn das so wäre, warum sollte jemand überhaupt *versuchen* zu gewinnen?

Der Gewinn wird entwertet, wenn die Niederlage keinen Verlust mit sich bringt. Menschen sind einfach außerstande, diese Idee zu begreifen. Ebenso wenig können sie einen Wettkampf wie das Präsidian verstehen, bei dem eine Niederlage genau das bedeutet – den Verlust *von allem*.«

Der kleine Mann blickte Swain direkt in die Augen. »Der Gewinn bedeutet alles, wenn man alles zu verlieren hat.«

Er lachte schwächlich. »Aber Wesen Ihrer Art werden das nie kapieren …«

Selexin hielt inne. Er ließ den Kopf hängen und zog sich in sich selbst zurück. Swain stand einfach nur überwältigt da und sah den kleinen Mann mit großen Augen an.

»Und deswegen bin ich tot.« Selexin blickte auf. »Weil *mein* Überleben von *Ihrem* abhängt. Es ist eine hohe Ehre, einen Wettkämpfer durch das Präsidian zu geleiten – eine Ehre, die meinem Volk zuteil wurde, da wir wegen unserer Körpergröße am Wettstreit nicht teilnehmen können –, aber wenn man diese Ehre akzeptiert, akzeptiert man damit auch das Schicksal seines Wettkämpfers.

Wenn Sie also sterben, sterbe ich auch. Und wie ich die Sache jetzt sehe« – er hob die Stimme –, »wissen Sie anscheinend *absolut* nichts über das Präsidian oder was es damit auf sich hat, also würde ich mit einiger Sicherheit davon ausgehen, dass unsere gemeinsamen Chancen zu überleben im Augenblick so ziemlich gegen Null gehen!«

Selexin musterte Swain von oben bis unten. Sneakers, Jeans, ein lockeres Hemd mit aufgerollten Ärmeln, das Haar noch immer feucht. Er schüttelte den Kopf.

»Sehen Sie sich doch mal an: Sie sind hergekommen, ohne überhaupt auf den Kampf *vorbereitet* zu sein!«

Verzweifelt über seine Lage, lief er gestikulierend hin und her, bis er Swains und Hollys Anwesenheit völlig vergessen zu haben schien. »Warum ich? Warum das hier? Warum den *Menschen*? Wenn man die Geschichte der menschlichen Teilnehmer am Präsidian bedenkt ...«

Swain sah dem kleinen Mann beim Hin-und-her-Gehen zu. Holly betrachtete ihn bloß mit großen Augen.

»*He!*«, sagte Swain und trat vor. Selexin brummelte weiter in sich hinein.

»*He!*«

Selexin blieb stehen, drehte sich um und starrte Swain an.

»Was ist?«, fragte er wütend. In seiner Wut zeigte der kleine Mann eine Wildheit, die seiner Größe Hohn sprach.

Swain reckte den Hals. »Haben Sie gesagt, dass zuvor schon Menschen an der Sache teilgenommen haben? An diesem Wettkampf?«

Selexin seufzte. »Ja. Zweimal. An den letzten beiden Präsidia haben Menschen teilgenommen.«

»Und was ist ihnen zugestoßen?«

Selexin lachte traurig. »Beide sind als Erste ausgeschaltet worden. Keiner hatte auch nur den Hauch einer Chance.« Er hob eine Braue. »Jetzt weiß ich, warum.«

Er blickte auf die Armbanduhr hinab. Darauf stand jetzt:

»Und wie genau sind sie für diese Sache ausgewählt worden?«, fragte Swain.

Selexins Erklärung zufolge war der Auswahlprozess bei den Menschen für das Siebte Präsidian, abgesehen von einer entscheidenden Modifikation, gegenüber den beiden vorigen nicht geändert worden. Von Lebewesen, die außerstande waren, die Tatsache zu akzeptieren, dass im Universum andere Lebensformen existieren, konnte man kaum erwarten, dass sie aus eigenen Stücken einen Wettstreiter wählten, ganz zu schweigen davon, dass sie das Konzept des Präsidian zu würdigen wüssten.

Schließlich wurden Menschen erst seit zweitausend Jahren für eine Teilnahme in Betracht gezogen – die menschliche Entwicklung verlief enttäuschend langsam.

Alle anderen sechs Systeme wählten ihre eigenen Repräsentanten für das tausendjährliche Präsidian entweder, indem sie selbst einen Wettkampf abhielten, oder indem sie ihren größten Sportler, Jäger oder Krieger aussuchten. Die Erde andererseits wurde eine gewisse Zeitlang beobachtet, und dann wurde ein würdiger Wettkämpfer ausgewählt.

»Na ja, diesmal haben sie aber nicht allzu genau hingesehen«, meinte Swain. »Ich habe nie im Leben eine Prügelei angefangen.«

»Oh, aber …«

»Ich bin *Arzt*«, erklärte Swain. »Wissen Sie, was das ist? Ich bringe keine Menschen um, ich …«

»Ich weiß, was ein Arzt ist, und ich weiß genau, was sie tun«, schoss Selexin zurück. »Aber Sie haben vergessen, was ich zuvor gesagt habe – es gab diesmal *eine entscheidende Änderung* bei der Auswahl.

Sehen Sie, bei den letzten beiden Präsidia basierte die Auswahl des menschlichen Wettstreiters allein auf Kampfgeschick, nichts weiter. Das war offensichtlich ein Fehler. Nach der schrecklichen Vorstellung dieser beiden menschlichen Wettstreiter wurde entschieden, dass andere, weniger offensichtliche Fähigkeiten beim Auswahlprozess für dieses Präsidian mit in Betracht zu ziehen waren.

Natürlich ist Kampfgeschick notwendig, aber *nicht* ausreichend. Aus unseren Beobachtungen Ihres Planeten haben wir erkannt, dass menschliche Krieger sich an den Gebrauch künstlich angetriebener Waffen gewöhnt haben – Feuerwaffen, Lenkwaffen und so etwas. Aber so etwas ist beim Präsidian verboten. Nur *selbst* angetriebene Waffen sind zugelassen – Messer, Waffen mit Klingen. Also benötigten wir als Erstes einen Menschen, der sich beim Kampf von Mann zu Mann bewiesen hat. Natürlich erfüllen mehrere Krieger Ihrer Rasse diese Voraussetzung.

Andere Fähigkeiten wurden jedoch ebenfalls als notwendig erachtet, die in Ihren Kriegertypen nicht häufig anzutreffen sind. Hohe geistige Beweglichkeit stand hoch oben auf der Prioritätenliste – insbesondere die Fähigkeit, auf eine Krisensituation zu reagieren. Hinzu kommt objektives, rationales Denken angesichts des möglicherweise Bizarren und, was am wichtigsten war, anpassungsfähige Intelligenz.«

»Anpassungsfähige Intelligenz?«

»Ja. Die Fähigkeit, ein vorgegebenes Szenario in Sekundenbruchteilen einzuschätzen, alle sofort möglichen Lösungen zu erkennen und dann zu *handeln*. So etwas nennen wir oft reaktives Denken – die Fähigkeit, unter Druck einen klaren Kopf zu behalten und *jedes* verfügbare Mittel einzusetzen, um ein Problem zu lösen. Basierend auf unseren bisherigen Erfahrungen mit Menschen gingen wir davon aus, dass der menschliche Wettstreiter möglicherweise *kein* offensiver, vorpreschender sein wird. Vielmehr würde er oder sie sich eher defensiv verhalten, auf eine von jemand anderem herbeigeführte Situation *reagieren*. Also war eine flink denkende, anpassungsfähige Persönlichkeit gefragt. Sie.«

Swain schüttelte den Kopf. Er hielt sich kaum für eine flink denkende, anpassungsfähige Persönlichkeit. Er betrachtete sich als einen guten, jedoch nicht überragenden Arzt. Er kannte zahllose andere Chirurgen und Ärzte, die ihm in puncto Wissensstand und Können haushoch überlegen waren. Er war einfach bloß gut in dem, was er tat, aber flink denkend oder anpassungsfähig?

»Begehen Sie keinen Fehler, Wettstreiter! Ihre Fähigkeiten als Arzt sind seit einiger Zeit genauestens unter die Lupe genommen worden. Klare, *reagierende* Denkfähigkeit unter starkem Druck – haben Sie das je zuvor schon erlebt?«

»Nun ja, viele Male, aber dennoch … ich meine, mein Gott, ich habe nie einen Zweikampf ausgetragen …«

»Doch, das haben Sie«, warf Selexin ein. »Die Auswahl basierte auf Ihrer Reaktion auf eine lebensbedrohliche Situation vor gar nicht allzu langer Zeit, bei der Sie es mit mehreren Feinden zu tun hatten.«

Swain überlegte. Eine lebensbedrohliche Situation mit einer Vielzahl von Feinden. Er fragte sich, ob der Football am College als lebensbedrohlich zählte. Meine Güte, so etwas würde doch besser zu jemandem in der Armee oder bei der Polizei passen.

Die Polizei …

Diese Nacht …

Swain dachte an jene Nacht im Oktober, vor einem Monat, als die fünf schwer bewaffneten Gangmitglieder die Notaufnahme am St. Luke's Hospital gestürmt hatten. Er entsann sich seines Kampfs mit den beiden Jugendlichen, die mit ihren Pistolen herumgefuchtelt hatten – erinnerte sich, wie er den ersten k. o. und anschließend dem zweiten aufs Handgelenk geschlagen hatte, sodass der die Waffe fallen ließ. Dann hatte er wieder mit dem ersten gekämpft – war auf dem Fußboden zusammengebrochen – und hatte dann gehört, wie sich aus der Waffe jener letzte tödliche Schuss gelöst hatte.

Lebensbedrohlich? Aber ganz bestimmt.

Swain merkte plötzlich, dass er sich den Schnitt auf der Unterlippe rieb.

»Da ist noch etwas«, sagte Selexin und riss ihn aus seinen Gedanken. Der kleine Mann hob die kleine weiße Hand und hielt Swain das graue Armband hin.

»Nehmen Sie es, legen Sie es an. Sie werden es brauchen. Insbesondere, wenn wir getrennt werden.«

Swain nahm das Armband, legte es aber nicht um. »Jetzt warten Sie mal 'ne Minute. Ich habe mich noch nicht einverstanden erklärt, an Ihrer kleinen Show teilzunehmen ...«

Selexin schüttelte den Kopf. »Sie haben nicht begriffen, was ich Ihnen erklärt habe. Ihre Wahl für das Präsidian ist beschlossene Sache. In dieser Angelegenheit gibt es für Sie nichts mehr zu überlegen.«

»Anscheinend hat's das noch nie gegeben.«

»Bitte, werfen Sie einfach einen Blick auf Ihr Armband.«

Swain sah auf die Anzeige unter dem brennenden grünen Lämpchen hinab. Darauf stand:

UNVOLLSTÄNDIG – 3

»Sehen Sie diese Zahl da – drei?«, sagte Selexin. »Bald wird dort eine Sieben stehen. Dann werden wir wissen, dass alle sieben Wettstreiter ins Labyrinth teleportiert wurden. Das Präsidian wird beginnen.« Er sah Swain ernst an. »Sie sind jetzt hier, und ob es Ihnen gefällt oder nicht, Sie sind ein integraler Bestandteil dieses Wettstreits geworden.«

Selexin zeigte auf das Armband. »Und sobald dort ›7‹ steht, werden Sie zum Jagdwild für sechs andere Wettkämpfer, die alle dasselbe Ziel haben wie Sie. Hinauszugelangen.«

»Was soll das heißen?«

»Denken Sie daran, was ich Ihnen gesagt habe«, erklärte Selexin. »Sieben kommen, aber nur einer geht. Das Labyrinth ist vollständig unter Strom gesetzt. Es gibt absolut keinen Weg hinaus. Außer durch Teleportation. Und die wird nur dann eingeschaltet, wenn ein Wettkämpfer übrig geblieben ist. *Das* ist der Ausgang – und nur der Gewinner geht. Falls es einen gibt.«

Wieder nahm Selexin etwas den Fuß vom Gaspedal. »Mr. Swain, den anderen Wettkämpfern ist es gleichgültig, ob Sie Ihren Status anerkennen oder nicht. Sie werden Sie so oder so umbringen. Weil sie sich alle sehr wohl der Tatsache bewusst sind, dass *niemand* das Labyrinth verlässt, wenn nicht alle Wettkämpfer bis auf einen tot sind. Der ultimative Wettkampf, Mr. Swain.«

Swain sah den kleinen Mann ungläubig an. Er stieß langsam die Luft durch die Nase aus. »Also wollen Sie mir sagen, dass wir nicht nur hier drin feststecken, sondern dass bald sechs andere Typen hier sind, deren einziger Weg hinaus darin besteht, dass ich tot bin.«

»Ja. Stimmt genau.«

»Heilige Scheiße!«

Swain stand im Treppenhaus neben der Feuerschutztür, die zum Lesesaal führte, hinter ihm Holly, die sich an
seinem Hemd festhielt.

Er warf einen Blick auf das dicke graue Armband, das
jetzt fest um sein linkes Handgelenk lag. Es sah aus wie
die Handfessel an einem elektrischen Stuhl – dick und fest,
dazu noch schwer. Das kleine grüne Lämpchen glühte, und
auf der Anzeige war nach wie vor zu lesen:

UNVOLLSTÄNDIG – 3

Swain wandte sich an Selexin. »Also sind bislang nur drei
von uns hier drin. Hab ich Recht?«

»Ja.«

»Bedeutet das, wir können jetzt völlig unbehelligt um-
herspazieren?«

»Das verstehe ich nicht.«

»Na ja, es sind noch nicht alle im Labyrinth eingetroffen«, erläuterte Swain. »Nehmen wir also an, ich wandere
herum und sehe mir den Ort hier an – was geschieht, wenn
ich über einen anderen Wettkämpfer stolpere? Er kann
mich nicht umbringen, oder? Noch nicht.«

»Nein«, erwiderte Selexin. »Das kann er nicht. Ehe *alle*
sieben das Labyrinth betreten haben, ist jeglicher Zweikampf zwischen den Wettstreitern strikt untersagt. Ich
würde Ihnen jedoch auf jeden Fall davon abraten, ›herum-
zuwandern‹.«

»Warum denn? Wenn uns niemand was anhaben kann, können wir in aller Ruhe einen Blick auf die Bibliothek werfen.«

»Das stimmt, aber wenn Sie sich zum Herumwandern entschließen, gehen Sie das Risiko einer Verfolgung ein.«

»Verfolgung?«

»Ja. Wenn Sie zufällig auf einen anderen Wettkämpfer stoßen, ehe alle sieben ins Labyrinth teleportiert worden sind, können Sie sich mit absoluter Sicherheit darauf verlassen, dass er – oder sie – Ihnen in keinster Weise etwas antun wird. Sie können sich mit anderen Wettkämpfern unterhalten, wenn Sie es möchten, oder sie völlig ignorieren.« Selexin spreizte die Hände. »Sehr einfach.«

Dann hielt er einen Finger hoch.

»Aber! Wenn Sie wirklich auf einen anderen Wettkämpfer treffen, kann ihn nichts und niemand daran hindern, Sie zu verfolgen, bis alle übrigen ins Labyrinth teleportiert wurden und das Präsidian begonnen hat. Das ist eine Verfolgung, und diese hat sich bei vorherigen Präsidia als eine durchaus übliche Taktik erwiesen.

Ein anderer Wettstreiter kann ohne weiteres einen halben Meter hinter Ihnen her laufen, und zwar die ganze Zeit über bis zum Beginn des Präsidian. Sie können ihn nicht anrühren – denn ebenso, wie er Ihnen nichts tun kann, können Sie ihm nichts tun. Sobald der letzte Wettkämpfer ins Labyrinth teleportiert worden ist und auf Ihrem Armband ›7‹ steht, nun ja …« Selexin zuckte die Schultern. »Dann halten Sie sich besser zum Kampf bereit.«

»Prächtig.« Swain blickte stirnrunzelnd auf das dicke graue Armband an seinem Handgelenk.

In diesem Augenblick flackerte die Anzeige.

Swain war kurzzeitig überrascht. »Was ist das?«

Selexin warf einen Blick darauf. Dort stand:

UNVOLLSTÄNDIG – 3

Woraufhin die Zeichen verschwanden und kurz darauf ersetzt wurden:

UNVOLLSTÄNDIG – 4

»Was hat das zu bedeuten?«, fragte Swain.

»Es bedeutet«, erklärte Selexin und verdrehte die Augen, »dass ein weiterer Wettkämpfer im Labyrinth eingetroffen ist.«

Im Atrium sass Officer Christine Parker mit offenem Mund und weit aufgerissenen Augen hinter dem Infoschalter.

Sie starrte die riesenhafte, über zwei Meter große Gestalt an, die vor ihr stand, vor den gewaltigen Glastüren der Bibliothek.

Parker fiel ein, dass Hawkins vor zwanzig Minuten weggegangen war, um nach einem verdammten weißen Licht zu suchen, das er gesehen zu haben glaubte. Sie erinnerte sich auch daran, laut gelacht zu haben, als er ihr davon erzählt hatte.

Jetzt war ihr nicht nach Lachen zumute.

Nur wenige Augenblicke zuvor war eine perfekte Kugel aus strahlend weißem Licht vor ihr aufgetaucht. Sie hatte einen Durchmesser von vollen vier Metern gehabt und den gesamten höhlenartigen Raum des Atriums wie eine gewaltige Glühlampe erleuchtet.

Dann war sie verschwunden.

In einem Nu erloschen.

Weg.

Jetzt stand an ihrer Stelle eine Gestalt, die in gewisser Hinsicht wie ein Mann aussah. Ein über zwei Meter großer, perfekt proportionierter Mann – mit breiten muskulösen Schultern und einem Oberkörper, der sich zu einer gleichermaßen muskulösen Taille verengte.

Er war völlig in Schwarz gekleidet.

Parker starrte ihn ehrfurchtsvoll an.

Die Ströme weichen blauen Lichts, die durch die großen Glastüren der Bibliothek hereinsickerten, umgaben die große Gestalt in Schwarz und schufen eine einzigartige Silhouette, während sie gleichzeitig ein besonderes Charakteristikum des Mannes unterstrichen.

Der »Mann« hatte Hörner.

Zwei lange, wunderschöne, spitz zulaufende Hörner zu beiden Seiten des Kopfes, die sich einen halben Meter nach oben schwangen und dort einander fast berührten.

Er stand völlig reglos da.

Parker hätte ihn vielleicht für eine Statue halten können, hätte sich nicht der mächtige Brustkasten langsam und rhythmisch gehoben und gesenkt. Ihre Augen suchten in dem Kopf nach einem Gesicht, aber da die Lichtquelle hinter der Gestalt lag, erkannte sie unterhalb der beiden scharf zugespitzten Hörner lediglich einen leeren Raum aus unheilvoller Schwärze.

Aber an der Silhouette stimmte etwas nicht.

Irgendetwas auf der Schulter des Mannes, das nicht schwarz war, etwas, das die perfekte Symmetrie seines Körpers durchbrach. Ein Klumpen. Ein kleiner weißer Klumpen, der ihm schlaff über der linken Schulter zu hängen schien.

Parker kniff in der Dunkelheit die Augen zusammen und versuchte zu erkennen, was es war.

Sie lehnte sich im Sitz zurück, die Augen weit geöffnet.

Es sah aus wie noch ein Mann ...

Ein sehr kleiner Mann. Völlig in Weiß gekleidet ...

Dann war es plötzlich wieder hell.

Scharfes, *gleißendes* weißes Licht erfüllte das Atrium der Nationalbibliothek. Blendende Kugeln, zwei Meter im Durchmesser – etwa halb so groß wie diejenige, die sie zuvor gesehen hatte –, erhellten die gesamte Umgebung.

Sie sah zwei kleine Lichtkugeln vor sich ... dann drei ... dann vier. Überall flogen lose Blätter umher, genau wie zuvor.

Sie versuchte, über die herumwirbelnden Blätter hinweg einen Blick auf den großen Mann in Schwarz zu erhalten. Aber inmitten der Wolken von Papier und des blendenden Lichts blieb der gehörnte Mann völlig reglos, ließ sich von nichts ablenken.

Dann sah Parker in dem gleißenden weißen Licht das Gesicht des Mannes.

Er starrte sie an.

Starrte ihr direkt ins Gesicht.

Es war Furcht erregend. Ihre Blicke trafen sich, und eine Woge Adrenalin strömte durch Parkers Körper. Sie sah nur tiefblaue Augen in einem kantigen schwarzen Gesicht. Bar jeglichen Gefühls. Sie taten nichts als starren.

Ihr direkt ins Gesicht.

Blätter flatterten wie wild um seine reglose Gestalt, und dann ...

Dann herrschte ganz plötzlich wieder Dunkelheit.

Die vier weißen Lichtkugeln waren verschwunden. Der Wind hörte abrupt auf, und im ganzen Atrium segelten Blätter leise zu Boden.

Parker fuhr zu einer Stelle herum, an der eine der Kugeln gewesen war ...

... und sah lediglich etwas Kleines hinter einem Regal in der Nähe davonhuschen. Der lange schwarze Schwanz peitschte gegen den Regalboden, dann verschwand es.

Ein unheimliches Schweigen erfüllte das Atrium.

Der gewaltige Raum war erneut in den sanften blauen Schein der Straßenlaternen draußen getaucht.

Parker löste den Blick vom Bücherregal und lenkte ihn

auf den Teppich aus losen Blättern auf dem Fußboden. In der Stille hörte sie den eigenen schweren Atem.

»*Salve, moriturum es!*«

Eine Stimme – eine tiefe Baritonstimme.

Die laut durch das Atrium schallte.

Parkers Kopf fuhr hoch. Die Stimme war von dem Mann gekommen, der nur als Silhouette zu erkennen war.

»*Salve, moriturum es!*«, wiederholte er laut. Sein Gesicht war erneut von der Schwärze bedeckt, beschattet von dem blauen Licht hinter ihm. Parker sah nicht einmal die Bewegung seiner Lippen.

Sie hörte die Worte. *Salve moriturum es.* Sie klangen irgendwie vertraut, wie etwas, das sie auf der Schule gelernt und seither längst vergessen hatte ...

Der große Mann trat einen Schritt auf sie zu. Auf seiner dunklen Brust blitzte es golden.

Jetzt erkannte sie den kleinen weißen Klumpen auf seiner Schulter ziemlich deutlich. Es war ein Mann, ja, ein kleiner Mann, den der Gehörnte Huckepack trug. Er stöhnte, als der große Mann auf den Infoschalter zutrat.

Parker hinter der Theke lehnte sich zurück und zog langsam – lautlos – ihre halbautomatische Glock-20-Pistole aus dem Holster.

Der große Mann sprach:

»Sei gegrüßt, Mitstreiter! Vor dir steht Bellos. Urenkel des Trome, des Gewinners des Fünften Präsidian. Und wie sein Urgroßvater und die beiden Malonier vor ihm soll Bellos aus dieser Schlacht als Einziger hervorgehen, besiegt von niemandem und nicht zur Strecke gebracht vom Karanadon. Wer bist du, mein edler und dennoch unseliger Gegner?«

Es folgte ein Schweigen, währenddessen der Mann auf eine Antwort wartete.

Aus den Bücherregalen links vernahm Parker ein leises, beharrliches Scharren. Es hörte sich an wie Fingernägel, die rasch auf einer Tafel hin und her fuhren. Sie wandte sich wieder ihm zu.

Der Mann – Bellos – sah sie an, musterte sie von oben bis unten, von links nach rechts.

Parker schluckte. »Ich weiß nicht ...«

»Wo ist dein Führer?«, warf die tiefe Baritonstimme plötzlich ein. Sie forderte Antwort, stellte keine Frage.

»Mein Führer?« Auf Parkers Gesicht spiegelte sich ihr Unverständnis.

»Ja«, sagte Bellos. »Dein Führer. Wie willst du ohne einen Führer einen Erfolg bestätigen?«

Parker hatte ihre Waffe unter der Theke fest im Griff. »Ich habe keinen Führer«, erwiderte sie kalt.

Der große Mann reckte den Kopf mit den Hörnern. Parker beobachtete ihn achtsam, während er einen Augenblick lang über ihre Bemerkung nachsann. Er warf einen Blick auf das große metallene Armband an seinem Handgelenk. Darauf brannte ein grünes Lämpchen ...

Das Kratzen hinter dem Regal wurde schneller, eindringlicher.

Ungeduldig.

Bellos hob den Blick von seinem Armband und richtete ihn wieder auf Parker.

»Du bist kein Wettkämpfer im Präsidian, oder?«

Er sah sich in dem großen Atrium um, auf die Regale links und rechts. Dann kehrte sein Blick zu Parker zurück, und in seinen Augen lag ein bösartiges Glitzern.

»Gut«, sagte Bellos lächelnd. »*Kataya!*«

Der Angriff erfolgte von links. Von den Bücherregalen her.

Die Kreatur sprang mit erschreckender Schnelligkeit auf

die Theke des Infoschalters. Sie schlug schwer auf, packte die Kante mit zwei hässlichen Vorderpfoten, entblößte zwei Reihen langer, rasiermesserscharfer Zähne und quietschte laut und reptilienhaft.

Parker wich voller Entsetzen zurück und starrte schockiert, benommen und ungläubig die Kreatur an.

Sie war von der Größe eines großen Hundes, hatte etwa einen Meter zwanzig Schulterhöhe, dazu eine harte, schuppige, eisenschwarze Haut, vier knochige, jedoch muskulöse Gliedmaßen sowie einen langen, schwarzen, geschuppten Schwanz, der wie wild hinter ihr hin und her zuckte.

Die Kreatur kämpfte sich über die Theke.

Ihr Kopf, gestützt von einem dünnen schwarzen Hals, war absolut bizarr. Zwei leblose schwarze Augen saßen zu beiden Seiten eines runden schwarzen Schädels, dessen einziger Zweck anscheinend darin bestand, Platz für das gewaltige Maul der Kreatur zu bieten.

Sie krallte nach Parker, schlug die spitzen Zähne vor ihr zusammen.

Parker wich vor der Kreatur zurück, hob die Waffe …

… und sah dann, in einem seltsamen, blitzartig vorüberstreichenden Augenblick, die Gliedmaßen der Kreatur auf der Theke.

Sie kämpfte sich nicht mehr herauf – *sie war bereits dort.*

Erneut krallte sie nach ihr. Verfehlte sie wiederum.

Parker war kurzzeitig überrascht.

Die Kreatur versuchte nicht einmal zu treffen. Es war, als wollte sie lediglich Parkers Aufmerksamkeit auf sich lenken …

Da traf eine zweite Kreatur sie von der Seite. Parker blieb die Luft weg, und die Pistole fiel ihr aus der Hand.

Sie geriet durch den Aufprall ins Taumeln und erhielt für den Bruchteil einer Sekunde einen flüchtigen Blick auf das, was sie getroffen hatte – eine weitere Kreatur, identisch mit der ersten.

Eine dritte jagte von hinten heran, stieß Parker nach vorn, sodass sie der Länge nach zu Boden ging. Rasch wälzte sie sich auf den Rücken, und plötzlich traf etwas Schweres sie auf die Brust.

Ein lautes reptilienhaftes Quietschen schrillte ihr in den Ohren, und vor ihren Augen öffneten sich weit zwei Reihen langer, gezackter Zähne.

Die Kreatur stand auf ihr!

Parker kreischte, als sie ihr mit der langen Vorderpfote den Bauch aufschlitzte und den Kopf senkte.

Während sie dort hilflos auf dem Fußboden lag, außerstande, sich gegen die schneidend scharfen Zähne der Kreaturen zu wehren, die sich an ihrem Bauch gütlich taten, fiel Officer Christine Parker plötzlich – und ziemlich irrationalerweise – wieder ein, was die Worte ›Salve moriturum es‹ bedeuteten.

Es war Latein – Worte ähnlich denen, die die römischen Gladiatoren gesprochen hatten, wenn sie vor dem Kampf der johlenden Menge präsentiert worden waren: »Wir Todgeweihten grüßen euch!«

Als Parker jetzt jedoch die Kraft verließ und das Gewicht der vier Kreaturen schwer auf ihr lastete, begriff sie, dass Bellos die Worte leicht verändert hatte.

»Salve moriturum es« bedeutete: »Ich grüße dich, *du* Todgeweihte.«

»ICH BIN MIR nicht sicher, ob das eine so gute Idee ist«, meinte Selexin, als er Swain und Holly durch die Feuerschutztür ins Treppenhaus folgte.

Swain ignorierte ihn und spähte den Schacht hinab. Holly jedoch wandte sich dem kleinen Mann zu.

»Wenn du von einem anderen Planeten bist«, fragte sie, »wie kommt es dann, dass du so gut Englisch sprichst?«

»Meine Muttersprache basiert auf einem Alphabet, das aus siebenhundertundzweiundsechzig verschiedenen Symbolen besteht«, erwiderte Selexin. »Da eure Sprache bloß sechsundzwanzig Buchstaben zur Auswahl hat, ist sie überaus einfach zu erlernen. Abgesehen von den fürchterlichen Idiomen.«

»Oh.«

Swain starrte weiter in den Schacht hinab.

»Ich habe gerade gesagt, dass ich nicht sicher bin, ob das eine sehr gute Idee ist«, wiederholte Selexin. »Die Chancen einer Verfolgung steigen, wenn weitere Wettkämpfer das Labyrinth betreten.«

Einen langen Augenblick sagte Swain kein Wort.

»Vielleicht haben Sie Recht«, meinte er dann, während er weiterhin in den dunklen Schacht hinabsah. Anschließend wandte er sich Selexin zu. »Wenn ich hier allerdings schon um mein Leben laufen werde, so möchte ich das nicht in Räumen und Korridoren tun, die ich nicht kenne. Wenn wir uns etwas umsehen, werden wir wenigstens so ungefähr wissen, wohin wir im Falle einer Verfolgung laufen können und wohin nicht. Ich möchte keinesfalls in eine Sackgasse rennen, während mir ein halb verrückter Killer auf den Fersen ist. Und abgesehen davon könnten wir sogar eine Stelle finden, wo wir uns im Notfall verkriechen können«, setzte er schulterzuckend hinzu.

»Verkriechen?«

»Ja, verkriechen. Verstecken«, erwiderte Swain. »Sie wissen schon, fliehen. Vielleicht sogar einfach dort bleiben, bis alle anderen sich gegenseitig um die Ecke gebracht haben.«

»Das ist unwahrscheinlich«, meinte Selexin.

»Warum? Besser können wir diese verdammte Sache bestimmt nicht überleben. Wir verstecken uns einfach irgendwo, überlassen den anderen den Kampf, und vielleicht werden sie ...«

Selexin hörte nicht zu. Er stand einfach nur da, starrte Swain an und wartete darauf, dass er aufhörte zu reden.

»Hm?«, fragte Swain. »Was ist?«

Selexin reckte den Hals. »Wenn Sie sich bitte daran erinnern wollen, was ich Ihnen zuvor gesagt habe, werden Sie es verstehen.«

»Was? Was haben Sie mir zuvor gesagt?«

»Ich habe von Anfang an gesagt, dass nur ein einziger Wettkämpfer das Labyrinth verlässt. Und falls nicht, keiner.«

Swain nickte. »Ich erinnere mich. Aber wie ist das möglich? Wenn nur ein einziger Wettkämpfer im Labyrinth übrig ist, kann er doch unbehelligt den Ausgang suchen, weil niemand mehr übrig ist, der ihn töten könnte ...«

Selexin gab keine Antwort.

Swain seufzte. »... es sei denn, hier drin ist noch was.«

Selexin nickte. »Stimmt genau«, sagte er. »Das dritte Element des Präsidian.«

»Das *dritte* Element?«

Selexin trat in den Lesesaal zurück und ließ sich an einem der L-förmigen Tische nieder. Swain und Holly folgten ihm.

»Ja, ein Außenstehender. Eine Variable. Etwas, das die Bedingungen des Wettkampfs augenblicklich auf den Kopf stellen kann, sodass der Sieg zur Niederlage wird und Leben zum Tod. Im Präsidian ist das dritte Element ein Untier, das in der gesamten Galaxis als Karanadon bekannt ist.«

Swain sagte kein Wort.

»Es ist ein äußerst mächtiges Ungetüm, wie es kein zweites gibt«, erklärte Selexin. »So hoch wie die Decke, so breit wie drei Männer und so stark wie zwanzig – und seiner beträchtlichen Stärke entspricht nur seine ungezügelte Aggressivität ...«

»Schon gut, schon gut«, sagte Swain. »Ich kann's mir vorstellen. Das Ding ist auch hier drin, ja? Wie wir anderen hier gefangen?«

»Ja.«

»Was tut es also? Wandert es einfach herum und tötet nach Gutdünken?«

»Nun ja«, erwiderte Selexin, »zum einen wandert es nicht einfach herum ...«

Swain stieß erleichtert den Atem aus.

»... zumindest nicht die ganze Zeit über.«

Swain stöhnte.

»Aber wenn Sie nur mal kurz einen Blick auf Ihr Armband werfen, werde ich Ihnen alles erklären ...«

Swain blickte auf das schwere graue Band an seinem Handgelenk. Dort stand nach wie vor:

UNVOLLSTÄNDIG – 4

»Sie werden sich erinnern, dass ich Ihnen bei der Übergabe des Armbands gesagt habe, es sei lebenswichtig für Sie«, sagte Selexin. »Na ja, es ist mehr als das. Ohne das Band werden Sie das Präsidian nicht überleben.

Ihr Armband dient vielen Zwecken. Zum einen identifiziert es Sie als Wettkämpfer. Beispielsweise können Sie das Präsidian nicht gewinnen, wenn Sie Ihr Armband nicht tragen – Ihnen wird einfach der Zutritt zum Ausgangs-Teleporter verwehrt, wenn er geöffnet wird. Gleichermaßen werden andere Wettkämpfer wissen, dass Sie Teilnehmer sind, weil sie Ihr Armband sehen. Das wird Sie vor dem Beginn des Präsidian schützen – aber es wird anderen auch sagen, dass Sie nach wie vor ein Wettstreiter sind, der beseitigt werden muss.

Darüber hinaus stellt Ihnen jedoch das Armband mehrere weitere, wichtigere Funktionen zur Verfügung. Zuallererst ist da, wie Sie zweifelsohne bereits bemerkt haben werden, ein grünes Lämpchen. Es beantwortet Ihre Frage von eben: Nein – der Karanadon ›wandert‹ nicht einfach herum. Das grüne Licht dort zeigt an, dass das Untier gegenwärtig untätig ist, irgendwo innerhalb des Labyrinths ruht. Einfacher ausgedrückt, es schläft. Weswegen Sie zumindest im Augenblick unbehelligt vom Karanadon das Labyrinth durchwandern können. Daher das grüne Licht.«

»Das Band kann mitteilen, ob er schläft?«, fragte Swain zweifelnd.

»Das geschieht mithilfe eines Apparats, der dem Untier chirurgisch in den Kehlkopf implantiert wurde. Er misst dessen Atemfrequenz. Eine Frequenz unterhalb einer gewissen Rate bedeutet Schlaf, darüber bedeutet Wachzustand. Dieser Apparat stellt jedoch gleichfalls einen gewissen Grad an Kontrolle über die Bestie dar. Er kann auf offiziellen Befehl entweder ein Mittel absondern, das sie in Schlaf versetzt, oder ein Hormon injizieren, das sie sofort weckt.«

»Wann würde das geschehen?«, fragte Swain. »Wann würde man dieses ... Ungetüm wecken *wollen?*«

»Nun ja, natürlich, wenn nur noch ein Kämpfer übrig ist«, erwiderte Selexin. »Vielleicht kann ich es Ihnen anders erklären. Es hat bisher sechs Präsidia gegeben. Drei sind von Maloniern, einer von einem Konda und einer von einem Criseaner gewonnen worden.«

»Ja, gut.«

Selexin starrte Swain an. »Na, das ist's. Das ist der springende Punkt.«

»Was denn?«

»Es hat sechs Präsidia gegeben, jedoch nur fünf Gewinner«, entgegnete Selexin.

Der kleine Mann seufzte. »Ich versuche Ihnen Folgendes zu sagen: Es kann durchaus *keinen* Gewinner des Präsidian geben – sofern nicht einer wert ist zu siegen, ist es keiner. Im letzten Präsidian gab es keinen Sieger, weil der Karanadon die letzten drei Wettkämpfer getötet hat, als sie zufällig während der Auseinandersetzung über sein Ruheplätzchen gestolpert sind. Innerhalb von zwei Minuten war das Präsidian vorüber, einzig und allein dank des Untiers.«

»Oh.«

»Und der Karanadon wird immer, verstehen Sie, *immer* geweckt«, fuhr Selexin fort, »wenn nur ein Wettkämpfer übrig geblieben ist und der Ausgangs-Teleporter des Labyrinths geöffnet wurde. Dann kann man entweder versuchen, ihn zu meiden, und das Labyrinth nach dem Ausgang durchforsten. Oder man versucht, ihn zu töten, wenn man sich traut.«

»Hat das schon mal jemand gemacht?«, fragte Swain. »Einen Karanadon getötet?«

Selexin blickte Swain an, als hätte er die dümmste Frage der Welt gestellt.

»Während eines Präsidian? Nein. Nie. Niemals.« Es folgte ein kurzes Schweigen, dann fuhr Selexin fort: »Aber, wie dem auch sei … wie Sie hoffentlich später noch erkennen werden – sollten Sie bis dahin überleben –, wenn das Untier erwacht, wird das rote Lämpchen an Ihrem Armband aufleuchten.«

»Ah, ja. Und dieses Untier, dieser Karanadon, der wurde gleichzeitig mit mir in die Bibliothek teleportiert?«

»Nein«, entgegnete Selexin. »Der Karanadon wird traditionell mindestens einen Tag vor Beginn des Präsidian ins Labyrinth teleportiert. Aber das spielt wirklich keine Rolle, weil er sowieso die ganze Zeit über schläft. Es sei denn, jemand hätte ihn geweckt. Aber das ist unwahrscheinlich.«

»Ich habe noch eine Frage«, sagte Swain.

»Ja?«

»Was ist, wenn jemand aus Ihrem Labyrinth entkommt? Ja, ich weiß, Sie halten das für unmöglich, aber was ist, falls doch? Was geschieht dann?«

»Sie unterstellen mir da eine Zuversicht, die ich nicht habe. Nein, ich finde Ihre Frage durchaus berechtigt, weil es nämlich vorkommen kann. Eigentlich *ist* es auch schon vorgekommen. Man weiß von Wettkämpfern, die aus dem Labyrinth gestoßen worden sind, vorsätzlich oder einfach durch einen Unfall.«

»Was passiert also?«

»Erneut ist es Ihr Armband, das diese Situation beherrscht«, erwiderte Selexin. »Wie Sie wissen, wird dieses Labyrinth durch ein elektrisches Feld abgeschottet. Ihr

Armband funktioniert im Einklang damit. Wenn es aus irgendeinem Grund entdeckt, dass es nicht mehr von dem elektrischen Feld umgeben ist, schaltet es automatisch den Countdown zur Selbstzerstörung ein.«

»Ein Countdown zur Selbstzerstörung«, wiederholte Swain. »Sie meinen, es explodiert?«

»Nicht sofort. Erst nach einer Zeitverzögerung. Ihnen bleiben fünfzehn Min ...«

»Mein Gott! Sie haben mir eine gottverdammte Bombe ums Handgelenk geschlungen! Warum haben Sie mir das nicht vorher gesagt?«

Swain konnte es nicht fassen. Es war unglaublich. Eilig fummelte er an dem Armband herum und versuchte, es herunterzubekommen.

»Das geht nicht«, meinte Selexin ruhig. »Es *kann* nicht abgemacht werden. Sie verschwenden nur Ihre Zeit.«

»Scheiße«, brummte Swain, der nach wie vor an dem festsitzenden Metallband herumfummelte.

»Pass auf, was du sagst!«, sagte Holly und streckte ihrem Vater einen mahnenden Finger entgegen.

»Wie ich eben schon zu erklären versucht habe«, meinte Selexin, »wenn Sie aus irgendeinem Zufall aus dem Labyrinth geworfen werden, haben Sie fünfzehn Minuten Zeit, es wieder zu betreten. Ansonsten wird es detonieren.«

Er blickte traurig auf Swain, der nach wie vor an dem Armband herumwerkelte.

Schließlich gab Swain auf.

»Sie brauchen sich keine Sorgen zu machen«, sagte Selexin. »Es wird nur detonieren, wenn man aus dem Labyrinth geworfen wird. Okay, ich habe zwar zugegeben, dass so was schon passiert ist, aber ich füge auch hinzu, dass es sich um große Ausnahmen handelte. Niemand kommt hier raus. Mr. Swain, Sie müssen jetzt einsehen, dass es nur eine Antwort auf alle Fragen gibt, ganz gleich, was Sie unternehmen: Sie verlassen diesen Wettkampf entweder als Sieger – oder überhaupt nicht.«

HAWKINS STAND AUF dem untersten Treppenabsatz. Die einzige Beleuchtung war der Strahl seiner Taschenlampe. Von hier aus führten keine weiteren Stufen mehr hinab. Es gab nur noch Betonwände und eine große Feuerschutztür mit der Aufschrift: TIEFGESCHOSS – 2.

Muss wohl ganz unten angekommen sein.

Vorsichtig ging Hawkins zu der Tür hinüber. Der Knauf ließ sich leicht drehen. Er zog sie einen Spaltbreit auf und lugte um den Türrahmen. Augenblicklich drehte sich ihm der Magen um. Er wandte sich zum Treppenhaus zurück und übergab sich.

Einige Augenblicke später wischte sich Hawkins den Mund, hustete, um den Hals freizubekommen, und spähte wieder durch die Tür.

Regalreihen erstreckten sich endlos von ihm weg und verschwanden in der Dunkelheit. Aber es war der Gang unmittelbar vor ihm, der seine Aufmerksamkeit erregte.

Das Regal links – vier Meter hoch und sieben lang – war aus seiner Deckenverankerung herausgedreht worden und lehnte jetzt an dem Regal in der Reihe dahinter. Wie zwei gewaltige Dominosteine: Einer stand aufrecht und stützte seinen umgestürzten Nachbarn.

Das gegenüberliegende Regal – rechts von Hawkins – war stehen geblieben. In seiner Mitte zeigte sich lediglich ein klaffendes Loch, gesäumt von zersplittertem Holz. Aus irgendeinem Grund war der Gang dahinter mit Büchern übersät. *Als wäre etwas – na ja – etwas direkt durch das Regal geschleudert worden ...*

Dann war da noch der Gang dazwischen.

Die flache Blutlache war während der letzten vierundzwanzig Stunden etwas getrocknet, aber der Gestank hatte nicht nachgelassen.

Natürlich war die Leiche weggebracht worden. Aber allein diese riesige Menge Blut haute einen um, wie Hawkins zu spüren bekommen hatte. Überall war Blut – auf dem Fußboden, an der Decke, auf der Tür zum Treppenhaus. Die auf den Regalen verbliebenen Bücher waren mit Blut bespritzt. Die zu Boden gefallenen hatten schlicht und einfach die Farbe gewechselt und waren jetzt kastanienbraun.

Beim Anblick der Spur verschmierten Blutes musste Hawkins schlucken. Es sah aus, als wäre jemand *um* das Regal mit dem Loch in den ursprünglichen Gang zurückgezogen worden.

Gemessen an den Standards der New Yorker Polizei war Paul Hawkins jung. Vierundzwanzig. Seine Jugend sowie seine relative Unerfahrenheit hatten ihn zur offensichtlichen Wahl für einen Bewachungsauftrag wie diesen gemacht. Personen- und Objektschutz, so etwas in der Art, darin hatten seine bisherigen Aufgaben bestanden. Er hatte zusammengeschlagene Ehefrauen gesehen und verprügelte Jugendliche, aber während seiner sechzehnmonatigen Dienstzeit hatte Paul Hawkins noch nie den Schauplatz eines Mords zu Gesicht bekommen.

Es war ein seltsames Gefühl, aber das Erste, was ihn hier verblüffte, war die Erkenntnis, dass alle Filme die Sache falsch darstellten. Selbst der gewalttätigste Reißer vermittelte niemals die schiere *Hässlichkeit* eines Mordschauplatzes. *Daran liegt es*, dachte er beim Anblick der großen Lache aus getrocknetem Blut.

Es war hässlich. Schmutzig, grausam und brutal. Am liebsten hätte sich Hawkins erneut übergeben.

Stattdessen blickte er auf die endlosen Reihen von Bücherregalen, die sich durchs zweite Untergeschoss erstreckten.

Jemand – etwas – ist hier unten.

Er hob die Taschenlampe. Und wagte sich dann langsam, vorsichtig, in die Gänge hinein.

»Dad«, sagte Holly und folgte ihrem Vater ins Treppenhaus.

»Eine Sekunde, Schatz.« Swain wandte sich an Selexin. »Müssen Sie mir ganz bestimmt nicht noch was sagen, ehe wir weitergehen? Keine weiteren Erfindungen, die explodieren?«

»Dad.«

»Na ja, da ist eine Sache ...«

»Daaad!«

Swain unterbrach sich. »Was ist, Schatz?«

Holly hielt den Telefonhörer hoch und lächelte ihr gewinnendstes Lächeln. »Ist für dich.«

Swain beugte sich herab und nahm den toten Apparat. Er sprach hinein, während er Holly im Blick behielt. »Hallo? Oh, ja, wie geht's dir? ... Ja? ... Wirklich? ... Na ja, im Augenblick habe ich viel zu tun. Kann ich dich zurückrufen? Wunderbar. Bis dann!« Er reichte Holly den Hörer zurück. Zufrieden fasste sie Swain an der Hand und ging wieder neben ihm und dem Eierschalen-Mann her.

»Ihre Tochter ist wirklich entzückend«, sagte Selexin.

»Danke«, erwiderte Swain.

»Aber sie stellt ein weitaus größeres Sicherheitsrisiko für Sie dar, als Sie in Kauf nehmen sollten.«

»Was?«

»Ich wollte lediglich sagen, dass Sie sich besser ohne sie auf den Weg machen«, sagte Selexin. »Es könnte eine weise Entscheidung sein, dass sie sich ›verkriecht‹, wie Sie es ausgedrückt haben. Sich für die Dauer des Präsidian versteckt. Wenn Sie überleben, können Sie sie wiederholen. Wenn Ihnen natürlich so viel an ihr liegt.«

»Allerdings.«

»Außerdem wird sie dann im Falle Ihrer Niederlage nicht auch getötet. Abgesehen davon: Wie effizient können Sie vorgehen, wenn Sie ihr Leben ebenso verteidigen müssen wie das eigene? Etwas unternehmen, um sie vor Schaden zu bewahren, könnte …«

»Könnte mein eigenes Leben gefährden«, beendete Swain für ihn den Satz. »Und damit ebenso das Ihre. Das ist meine Tochter. Wohin ich gehe, dahin geht auch sie. *Basta.*«

Selexin trat behutsam einen Schritt zurück.

»Und noch etwas«, sagte Swain. »Wenn wir aus irgendwelchen Gründen getrennt werden, erwarte ich von *Ihnen,* dass Sie auf sie aufpassen. Nicht sie verstecken und darauf hoffen, dass niemand über sie stolpert, sondern sicherstellen, dass ihr nichts – *absolut nichts* – zustößt. Haben Sie verstanden?«

Selexin verneigte sich. »Ich habe mich geirrt und entschuldige mich von ganzem Herzen. Mir war Ihre Verbundenheit mit Ihrem Kind nicht bewusst. Im Rahmen meiner Möglichkeiten werde ich mein Äußerstes tun, Ihren Wünschen zu entsprechen, sollte sich eine solche Gelegenheit ergeben.«

»Vielen Dank. Das weiß ich zu schätzen«, erwiderte Swain mit einem Nicken. »Also, Sie haben gerade gesagt, ich sollte noch etwas wissen.«

»Ja.« Selexin sammelte sich wieder. »Es betrifft den

Zweikampf, oder vielmehr das Ende jeden Kampfes. Jedes Mal, wenn ein Wettkämpfer einen anderen tötet – entweder im Zweikampf oder aus dem Hinterhalt oder sonst wie –, muss der Sieg bestätigt werden.«

»Na gut.«

»Und dafür bin ich da«, sagte Selexin.

»Sie bestätigten einen Tod? Wie ein Zeuge?«, fragte Swain.

»Nicht ganz. Ich bin nicht der Zeuge. Aber ich stelle das Sichtfenster *für* den Zeugen dar.«

»Sichtfenster?«

Selexin blieb an den Stufen stehen und wandte sich Swain zu. »Ja. Und nur auf Ihren Befehl hin kann das Fenster eingeschaltet werden. Wären Sie bitte so freundlich und sprechen das Wort ›einschalten‹ aus?«

Swain reckte den Hals. »Einschalten? Warum ...«

Da geschah es. Eine kleine Kugel aus strahlend weißem Licht – von vielleicht dreißig Zentimetern Durchmesser – flammte über Selexins weißer Kappe auf und erleuchtete das gesamte Treppenhaus.

»Was ist das?«, fragte Swain.

»Es kommt aus dem Ei ...«, staunte Holly.

Selexin sah Holly leicht überrascht an. »Ja. Da hast du Recht. Mein ziemlich seltsam aussehender Hut ist die Quelle dieses Teleporters, so klein er auch sein mag. Wenn Sie, Mr. Swain, bitte ›abschalten‹ sagen würden, damit meine Vorgesetzten nicht glauben, dass Sie tatsächlich jemanden getötet haben.«

»Oh, ja. Äh ... ›abschalten‹.«

Augenblicklich verschwand das Licht.

»Sie sagen, es ist ein Teleporter. Wie der zuvor?«, fragte Swain.

»Ja«, erwiderte Selexin, »genau der gleiche wie zuvor –

einfach ein Loch in der Luft. Nur natürlich sehr, sehr viel kleiner. Am anderen Ende sitzt ein weiterer Offizieller wie ich. Er ist Ihr Zeuge.«

Swain betrachtete die weiße Kappe auf Selexins Kopf. »Und es kommt von dem da?«

»Ja.«

»Aha.« Swain ging weiter die Treppe hinab.

Selexin folgte ihm schweigend. Schließlich meinte er: »Wenn ich so kühn sein darf nachzufragen: Wohin gehen wir eigentlich?«

»Nach unten«, erwiderte Holly kopfschüttelnd. »*Daaaa hin.*«

Selexin runzelte verwirrt die Stirn.

Swain zuckte die Schultern. »Wie die junge Dame gesagt hat. Nach unten.«

Er blinzelte Holly rasch zu – wodurch er seine eigene sehr reale Furcht überspielte –, und sie erwiderte sein Grinsen, von der fast verschwörerischen Natur der Geste beruhigt.

Anschließend gingen sie weiter die Treppe hinunter.

DIE FRAU VOM KUNDENDIENST starrte die Schalttafel vor sich ungläubig an.

Hört das denn niemals auf?, dachte sie.

Zwei Reihen ununterbrochen blinkender Lämpchen zeigten an, dass eine verteufelte Zahl von Anrufen zu beantworten war.

Sie holte tief Luft, drückte das blinkende Rechteck mit der Aufschrift »9« und legte los:

»Guten Abend. Hier ist der Kundendienst von Con Edison, mein Name ist Sandy. Was kann ich für Sie tun?«

In ihrem Headset rasselte die dünne Stimme eines weiteren verärgerten New Yorkers. Als er schließlich zum Ende kam, drückte sie den Code – 401 – in ihre Computerkonsole.

Das machten in der letzten Stunde allein bei ihr vierzehn Anrufe, allesamt aus dem Planquadrat zwei-zwölf – dem zentralen Manhattan.

Code 401 hieß Stromausfall wegen eines vermutlichen Kurzschlusses in der Hauptstromleitung. Die Kundenberaterin las die Worte von ihrem Monitor ab: »Wahrscheinlich Kurzschluss in der Hauptstromleitung.« Sie wusste weder, was ein solcher Kurzschluss technisch gesehen zu bedeuten hatte, noch, was ihn verursachte. Sie kannte lediglich alle Symptome von Stromausfällen und Defekten, und ungefähr so, wie ein Arzt eine Krankheit diagnostizierte, brachte sie die entsprechenden Symptome miteinander in Verbindung und identifizierte das Problem. Zu wissen, wo die Ursachen lagen, war der Job eines anderen.

Sie zuckte die Schultern, beugte sich vor, drückte das nächste blinkende Rechteck und bereitete sich auf die nächste Beschwerde vor.

DIE UNTERSTE ETAGE der New York State Library heißt
»Magazin«. Dort gibt es keine Toiletten, keine Büros,
keine Schreibtische und keine Computer. Stattdessen
enthält das Magazin nur Unmengen von Büchern.

Wie andere große Bibliotheken ist die Nationalbibliothek in New York weniger zum Ausleihen von Büchern als
zum Beschaffen von Informationen gedacht – über Computer, Internet, Mikrofilm und CD-ROM.

Von zeitgenössischen Büchern werden nur die neuesten
und populärsten im Erdgeschoss ausgestellt. Wenn Benutzer andere Bücher suchen, sind diese – nur vom Personal –
im Magazin im Tiefgeschoss Zwei zu finden.

Weswegen das Magazin lediglich als Aufbewahrungsort
für mehrere Millionen Bücher dient.

Viele Bücher. In *vielen* Regalen, die zu einem gewaltigen
rechteckigen Gitternetz angeordnet sind.

Zweiundzwanzig lange Regalreihen werden in Abständen von sieben Metern von Durchgängen unterbrochen –
und bilden dadurch ein gewaltiges Labyrinth mit Kehren
und Kurven, Sackgassen und langen geraden Gängen, die
sich ins Unendliche erstrecken.

Ein gewaltiger Irrgarten, dachte Officer Paul Hawkins
beim Durchstreifen des Magazins. *Na klasse.*

Hawkins war bereits mehrere Minuten durch die staubigen Gänge gewandert und hatte bislang nichts weiter gefunden. *Verdammt,* dachte er und wollte zum Treppenhaus umke...

Ein leises Geräusch.

Von irgendwo rechts.

Hawkins Hand fuhr zu der Automatikpistole an seiner Seite. Er horchte genau hin.

Da, da war es wieder.

Ein leises Schnarren.

Kein Atmen, dachte er. Nein. Eher ein … *Gleiten.* Wie ein Besen, der langsam über einen rauen Holzfußboden gleitet. Wie etwas, das über den staubigen Fußboden des zweiten Tiefgeschosses *rutscht.*

Hawkins zog die Waffe und horchte erneut. Es kam ganz bestimmt von rechts, von irgendwo innerhalb des Irrgartens aus Regalen. Er schluckte.

Hier drin ist jemand.

Er ergriff das Funkgerät an seinem Gürtel.

»Parker!«, zischte er. »Parker! Hörst du mich?«

Keine Antwort.

Mein Gott!

»Parker, wo bist du?«

Hawkins schaltete das Funkgerät ab, drehte sich um und schaute wieder auf die Regalreihen. Einen Moment lang schürzte er die Lippen.

Dann hob er die Waffe und wagte sich in das Labyrinth hinein.

Im Zickzack und mit der Pistole in der Hand, durchkreuzte Hawkins auf der Suche nach der Quelle des Geräuschs leise, rasch und leichtfüßig die Regalreihen.

Am Ende eines Regals voller verstaubter Bücher blieb er stehen. Einen Moment lang hielt er den Atem an. Wartete …

Dort.

Sein Blick schoss nach links.

Da war es wieder. Das Gleitgeräusch.

Es wurde lauter – er kam wohl näher.

Hawkins eilte nach links, dann nach rechts, dann wieder nach links – glitt geschmeidig in den einen Gang, verließ ihn wieder, betrat den nächsten und blieb alle paar Meter am Kopfende der Regale stehen. Man verliert die Orientierung, dachte er. Das eine Regal sah genauso aus wie das vorherige.

Erneut blieb er stehen.

Horchte.

Erneut vernahm er das leise Scharren. Wie ein Besen über einen staubigen Holzboden.

Nur lauter jetzt.

Nah.

Sehr, sehr nah.

Hawkins eilte einen Durchgang zwischen den langen senkrechten Reihen des Magazins entlang, bis er plötzlich eine Mauer aus Regalen vor sich hatte – eine feste Wand, die sich in beide Richtungen in die Dunkelheit erstreckte.

Eine Wand?, überlegte Hawkins. Er musste sich an einem Ende des Raums befinden – an einer der langen Seiten des gewaltigen Rechtecks.

Das Geräusch ertönte erneut.

Nur dass es dieses Mal ... von hinten kam.

Hawkins fuhr herum und hob die Waffe.

Was zum Teufel ...? Hatte es kehrtgemacht?

Vorsichtig schob er sich die Straße aus Büchern entlang.

Er geriet in eine Sackgasse. Der nächste Durchgang zweigte in etwa sieben Metern Entfernung rechts ab und lag in tiefem Schatten. Links war lediglich die ungebrochene Wand aus Regalen.

Langsam trat Hawkins vor. Der gesamte Durchgang war nun in seinem Blickfeld.

Er war anders.

Keine T-Mündung wie die anderen. Eher eine L-Form.

Hawkins runzelte die Stirn, dann ging ihm ein Licht auf. Es war eine Ecke – die äußerste Ecke des Raums. Ihm war nicht klar gewesen, dass er sich so weit vom Treppenhaus im Zentrum entfernt hatte.

Er horchte.

Nichts.

Er erreichte die Ecke und horchte erneut. Kein Geräusch. Was es auch sein mochte, es war verschwunden.

Hawkins überlegte. Er war einem Geräusch gefolgt, dessen Urheber seine Anwesenheit vermutlich nicht bemerkt hatte. Doch seine letzten paar Züge waren merkwürdig gewesen.

Es war, als hätte der Betreffende die Orientierung verloren und würde jetzt im Kreis gehen …

Im Kreis, dachte Hawkins.

Niemand würde absichtlich im Kreis gehen, nicht wahr? Es sei denn, er hatte sich verlaufen oder … *er wusste, dass ihn jemand verfolgte.*

Hawkins gefror das Blut in den Adern. Was es auch sein mochte, es ging nicht einfach nur im Kreis.

Es vollführte eine Kehrtwendung.

Es wusste von seiner Anwesenheit.

Hawkins fuhr herum, sah in den langen Gang hinter sich und drückte sich mit dem Rücken in die Ecke.

Nichts.

»Verdammt!« Er spürte die eiskalten Schweißperlen, die sich auf seiner Stirn bildeten. »Verdammte Scheiße!«

Er konnte es nicht fassen. Er war direkt in eine Ecke gelaufen. Eine gottverdammte Ecke! Zwei Möglichkeiten – geradeaus oder links. Scheiße, dachte er, zwischen den Regalen hätte er wenigstens vier gehabt. Jetzt saß er in der Falle.

Dann sah er es plötzlich.

Von links schob es sich langsam und vorsichtig in den Durchgang.

Hawkins bekam große Augen.

»Heilige Scheiße!«

So etwas hatte er noch nie zuvor gesehen.

Groß und lang, aber dicht am Boden wie ein Alligator. Die Kreatur sah fast dinosaurierhaft aus – mit schwarzgrün gesprenkelter Haut, vier mächtigen stämmigen Gliedmaßen und einem langen, dicken Schwanz als Gegengewicht.

Ihr Kopf war wirklich und wahrhaftig seltsam. Keine Augen und – scheinbar – kein Maul. Das einzige Charakteristikum: zwei lange, spindeldürre Fühler an der Stirn, die rhythmisch von einer Seite zur anderen pendelten.

Es war keine zehn Meter von Hawkins entfernt, als die Schwanzspitze schließlich auftauchte. Der Schwanz selbst musste über zwei Meter lang sein. Er glitt in langsamen Bögen über den Boden und erzeugte dabei dieses Schleifgeräusch. Er lief zu einer scharfen Spitze aus. Das ganze Tier maß wenigstens fünf Meter.

Hawkins blinzelte. Einen Moment lang glaubte er, hinter dem Schwanz flüchtig einen kleinen, völlig in Weiß gekleideten Mann gesehen zu haben ...

Da hob die Kreatur langsam den Kopf – die Hautfalten glitten zurück und enthüllten ein grässliches viereckiges Maul, das sich unter einem leisen, tödlichen Zischen öffnete. Vier Reihen schrecklicher spitzer, speichelbedeckter Zähne tauchten auf.

»Mein Gott!« Hawkins starrte die Kreatur an.

Sie kam näher.

Auf ihn zu.

Eines ihrer Vorderbeine zog seine Aufmerksamkeit auf

sich. Auf einem dicken grauen Band schimmerte ein grünes Licht.

Mit weit aufgerissenem Maul stand dieses Wesen jetzt dicht vor ihm. Der Speichel floss in Strömen und bedeckte den ganzen Boden mit Schleim. Hawkins' Blick war auf die pendelnden Fühler gerichtet, die wie zwei Metronome hin und her schwangen.

Es war einen Meter entfernt ...

Einen halben Meter ...

Hawkins wollte wegrennen, aber aus irgendeinem schrecklichen Grund verweigerten seine Beine jegliche Bewegung. Er versuchte, die Waffe zu heben, konnte es jedoch nicht – es war, als wäre jeder einzelne Muskel in seinem Körper von gleich auf jetzt vollkommen erschlafft. Er sah hilflos und entsetzt zu, wie ihm die Pistole aus der Hand glitt, ohne dass er etwas dagegen tun konnte, und laut klappernd zu Boden fiel.

Die Fühler schwangen weiter hin und her.

Dreißig Zentimeter ...

Hawkins brach der Schweiß aus sämtlichen Poren. Er atmete in kurzen, raschen Zügen und konnte einfach den Blick nicht von ihnen abwenden. Von diesen Fühlern. Sie bewegten sich in einem vollkommenen Rhythmus, schwangen in glatten, hypnotisierenden Kreisen herum ...

Vollkommen hilflos sah Hawkins zu, wie der bösartige Kopf der Kreatur sich langsam an sein Knie heranschob.

O Scheiße. O Scheiße. O Scheiße.

Dann hob sich plötzlich, wie bei einer Kobra, die vom Boden hochschießt, der spitze, zweieinhalb Meter lange Schwanz der Kreatur über den reptilhaften Körper hinweg. Er bog sich nach *vorn*, wie der Stachel eines Skorpions, bis seine Spitze *direkt auf Paul Hawkins' Nasenrücken* zeigte.

Hawkins' Entsetzen erreichte seinen Höhepunkt. Verzweifelt wollte er die Augen schließen, damit er nicht mit ansehen musste, wie es geschah, aber nicht einmal das wollte ihm gelingen …

»*He!*«

Der Kopf der Kreatur fuhr nach links.

In einem Augenblick war der Bann gebrochen, und Hawkins konnte sich wieder rühren. Er blickte auf und sah …

… *einen Mann.*

Einen Mann, der nicht weit entfernt den Gang hinunter stand. Hawkins hatte ihn nicht einmal kommen sehen. Hatte ihn nicht einmal gehört. Er betrachtete ihn von oben bis unten. Der Mann hatte feuchtes Haar, trug Jeans und Sneakers sowie ein weißes Hemd, das ihm am Bund heraushing.

Er sagte zu Hawkins: »Kommen Sie hier rüber. Sofort.«

Hawkins warf einen vorsichtigen Blick auf die große, alligatorähnliche Kreatur zu seinen Füßen. Sie beachtete ihn gar nicht, sondern sah einfach nur völlig reglos zu dem Mann in Jeans hinüber.

Wenn sie Augen hatte, dachte Hawkins, funkelte sie ihn bestimmt an. Ein leises Poltern stieg ihr bedrohlich aus der Kehle.

Hawkins warf einen fragenden Blick zurück auf den Mann, der lediglich stetigen Blickkontakt mit ihm hielt.

»Kommen Sie«, sagte der Mann ruhig, ohne die Augen zu bewegen. »Lassen Sie die Waffe einfach da liegen und kommen Sie sehr langsam zu mir herüber.«

Zögernd machte Hawkins einen Schritt vorwärts.

Die Kreatur an seinem Knie rührte sich nicht. Sie blieb stur auf den Mann in Jeans konzentriert.

Der Mann schob Hawkins hinter sich und wich langsam zurück.

Hawkins blickte den Gang hinter ihnen hinab und sah in vielleicht fünfzehn Metern Entfernung zwei Gestalten – eine kleine in Weiß sowie eine andere, ähnlich große, die aussah wie … er kniff die Augen zusammen … wie ein kleines Mädchen.

»Bleiben Sie in Bewegung«, sagte Swain und stieß Hawkins vor sich her den Gang entlang.

Swain richtete den Blick nach oben auf die Regale, weg von den hin und her pendelnden Fühlern der Kreatur, die er lediglich aus dem Augenwinkel beobachtete.

Die beiden Männer gingen langsam den Gang hinab und entfernten sich immer weiter von der wie versteinert dastehenden Kreatur.

Da nahm sie plötzlich die Verfolgung auf. Mit einer krabbenhaften Flinkheit, die ihrer Größe Hohn sprach, schoss sie um die Ecke und blieb anschließend stehen.

Swain schob Hawkins weiter den Gang entlang. »In Bewegung bleiben. Einfach in Bewegung bleiben.«

»Was zum …«

»Einfach in Bewegung bleiben!«

Swain ging rückwärts, das Gesicht nach wie vor der Kreatur zugewandt. Erneut schoss sie drei Meter voran und blieb daraufhin wieder unweit von Hawkins und ihm stehen.

Sie ist vorsichtig, dachte er.

Dann griff sie an.

»O Scheiße!«

Das große Tier jagte den schmalen Gang hinab.

Swain blickte sich verzweifelt nach einer Fluchtmöglichkeit um. Aber er war immer noch mehr als drei Meter vom nächsten Durchgang in den Irrgarten aus Regalen entfernt.

Er konnte nirgendwohin!

Der Boden erbebte unter den stampfenden Schritten der

rasch herankommenden Kreatur. Swain nahm allen Mut zusammen. *Mein Gott, sie wiegt bestimmt fast vier Zentner!*

Hawkins drehte sich um und sah sie über Swains Schulter. »*Meine Güte!*«

Swain stand breitbeinig da und versperrte den Gang.

Die Kreatur kam weiter auf ihn zu. Sie hielt nicht inne.

»Sie bleibt nicht stehen!«, schrie Hawkins.

»*Sie muss stehen bleiben!*«, rief Swain. »*Sie muss!*«

Wie ein vom Zaum gelassener Güterzug stürmte die Kreatur weiter auf Swain zu, bis sie sich einen knappen Meter vor ihm abrupt auf die Hinterbeine stellte und die Regale zu beiden Seiten mit den Klauen der Vorderbeine umfasste, wodurch sie urplötzlich zum Stehen kam.

Das viereckige Maul hing nur Zentimeter vor Swains reglosem Gesicht.

Die Kreatur zischte herausfordernd. Ihr Speichel tropfte auf den Fußboden vor seinen Schuhen.

Swain wandte den Blick ab. Er richtete ihn auf ein Regal in der Nähe, hielt ihn von den oszillierenden Fühlern fern. Die schreckliche, einem Alligator ähnliche Kreatur, die jetzt auf den Hinterbeinen stand, überragte ihn bedrohlich wie ein böser Geist.

Swain zeigte dem aufgebrachten Tier ermahnend einen Finger. »Nein-nein-nein. Nicht anfassen!«

Erneut setzte er sich rückwärts in Bewegung, wobei er Hawkins zurückschob.

Hawkins stolperte den Gang hinab und schaute alle paar Sekunden über die Schulter. Diesmal folgte ihnen die Kreatur nicht, zumindest nicht sofort.

Sie erreichten den kleinen Mann und das Mädchen und waren gut und gern zehn Meter von der Kreatur entfernt, als sie sich erneut in ihre Richtung in Bewegung setzte.

»Sie kommt näher!«, sagte der kleine Mann. »Sie kommt näher!«

Der Mann mit dem lockeren Hemd und der Jeans sah Hawkins an, der in seiner glatt gebügelten Polizeiuniform vor ihm stand.

»Wir haben jetzt keine Zeit zum Reden, aber mein Name ist Stephen Swain, und zur Zeit stecken wir tief in der Tinte. Sie sind bereit zum Loslaufen?«

Ohne zu überlegen, erwiderte Hawkins: »Hm, ja.«

Swain blickte den Gang zu der großen dinosaurierähnlichen Kreatur hinab. Knapp zehn Meter. Er hob Holly hoch.

»Sie kennen den Weg zurück zum Treppenhaus?«, fragte er Hawkins.

Der junge Officer nickte.

»Dann gehen Sie voran. Einfach im Zickzack. Wir bleiben hinter Ihnen.« Er wandte sich an die anderen. »Ihr beiden seid bereit?« Sie nickten. »Also gut, setzen wir uns in Bewegung.«

Hawkins lief los, die anderen ihm dicht auf den Fersen.

Die Kreatur vollführte einen mächtigen Satz und folgte ihnen.

Swain, der Holly auf der Hüfte trug, bildete die Nachhut. Hinter sich hörte er ihre schweren stampfenden Schritte.

Die Treppe. Die Treppe. Wir müssen die Treppe erreichen.

Links, rechts, links, rechts.

Der Polizist schlängelte sich durch die Gänge, dann tauchte vor ihnen das zentrale Treppenhaus auf. Den Eingang sah Swain allerdings nicht.

Sie kamen von der falschen Seite.

»Dad! *Sie holt auf!*«, schrie Holly an seiner Schulter.

Er schaute sich um.

Die Kreatur holte in der Tat auf – ein riesiges schwarz-grünes Ungeheuer, das mit weit aufgerissenem Maul, aus dem der Speichel floss, den schmalen Gang herabgaloppierte.

Um sich selbst machte sich Swain keine Sorgen. Darin hatte Selexin Recht gehabt. Was es auch sein mochte, es war ein weiterer Wettkämpfer und konnte ihn nicht anrühren. Noch nicht. Erst wenn die Sieben auf seiner »Armbanduhr« stand.

Aber wenn es Holly in die Klauen bekäme ...

Der Polizist umrundete das Treppenhaus, gefolgt von Selexin. Als Letzter rannte Swain heftig keuchend um den Betonblock.

Die Tür!

Er sah Selexin hineinspringen, und dann erschien der Polizist mit ausgestreckter Hand im Türrahmen.

»Kommen Sie!«, schrie er.

Swain hörte die Kreatur hinter sich um die Ecke rutschen.

Er rannte weiter, hielt Holly weiterhin an seiner Brust. Inzwischen keuchte er heftig. Bestimmt war er zu langsam. Dicht hinter sich hörte er die Kreatur heftig prusten und schnauben. Jede Sekunde würde sie über ihn herfallen und ihm die Tochter – das einzige Familienmitglied, das ihm noch geblieben war – aus dem Arm reißen ...

»*Kommen Sie!*«, rief Hawkins wieder.

Swain hörte den Schwanz der Kreatur gegen ein Regal hinter ihm knallen. Bücher klatschten auf den Boden. Dann hatte er plötzlich die Tür erreicht und griff nach Hawkins' ausgestreckten Armen. Hawkins packte ihn bei der Hand und zog ihn und Holly ins Treppenhaus. Im gleichen Augenblick warf Selexin die Tür mit einem lauten Knall hinter ihnen zu.

Er drehte sich atemlos und aufgeregt um. »Wir haben's geschafft …«

Bamm!

Die Tür zitterte heftig.

Schwer nach Atem ringend, erhob sich Swain vom Boden. »Kommt!«

Eine ganze Etage waren sie das Treppenhaus hinaufgestiegen, da hörten sie die Tür zum zweiten Untergeschoss mit einem lauten, erschütternden *Rumms!* aufspringen.

Swain sah stirnrunzelnd auf das Armband. Die Ankunft der letzten beiden Wettkämpfer war ihm entgangen. Jetzt konnte jeden Augenblick der nächste – und letzte – die Bibliothek betreten.

Jeden Augenblick konnte das Präsidian beginnen.

Die Gruppe hatte das Treppenhaus verlassen und verbarg sich nun in einem Büro im ersten Untergeschoss. Wie alle anderen war auch dieses durch Trennwände unterteilt, die bis auf Hüfthöhe aus Holz, darüber aus Glas bestanden. Alle achteten sorgfältig darauf, so tief gebückt zu bleiben, dass sie durch die Scheiben oben nicht zu sehen waren.

Swain hatte im Treppenhaus einen Wegweiser durch die Bibliothek gefunden und ihn abmontiert. Er betrachtete ihn jetzt, während Selexin sich hinter den Schreibtisch setzte und Hawkins ruhig die Lage erklärte. Holly saß auf dem Fußboden und hatte sich an Swain gekuschelt. Sie hielt ihn ganz fest und lutschte am Daumen, noch immer zutiefst erschüttert von ihrer Begegnung mit der großen Kreatur dort unten.

Der Wegweiser zeigte einen Querschnitt durch die Bibliothek.

Sechs Etagen – vier über der Erde, zwei darunter –, jede in einer anderen Farbe. Die beiden Untergeschosse waren grau schattiert und mit der Bemerkungen versehen: KEIN

ZUTRITT FÜR BENUTZER. Die anderen waren in leuchtenden Farben gekennzeichnet:

```
DRITTE ETAGE  - LESESAAL
ZWEITE ETAGE  - LESERÄUME
                MEHRZWECKRÄUME
                COMPUTERSERVICE
ERSTE ETAGE   - ON-LINE-SERVICE
                CD-ROM, KOPIERGERÄTE;
                MIKROFILM
ERDGESCHOSS   - KATALOGE
                CD-ROM, HANDBIBLIOTHEK
```

Swain erinnerte sich an den Lesesaal mit seinen seltsamen Tischen im obersten Stockwerk. Er versuchte, sich alles Übrige einzuprägen. Kleine blaue Quadrate mit dem Piktogramm eines Mannes beziehungsweise einer Frau zeigten die Toiletten auf jeder Etage an. Ein weiteres blaues Quadrat mit einem Auto darauf war an das eine Ende des ersten Untergeschosses geheftet. Die Tiefgarage.

Erneut warf er einen Blick auf sein Armband.

```
UNVOLLSTÄNDIG - 6
```

Nach wie vor »6«. Gut.

Er sah zu Selexin und dem Polizisten hinüber und schüttelte verwundert den Kopf.

Dieser junge Cop hatte Glück gehabt, dass er überlebt hatte. Lediglich blinder Zufall hatte Swain zu seiner Rettung geführt – der Augenblick, als er, Holly und Selexin die Treppe hinabgestiegen waren und einen langen Schatten auf dem Treppenabsatz unter ihnen bemerkt hatten.

Aus der Dunkelheit oben hatten sie die Kreatur – Selexin

hatte gesagt, ihr Name sei Reese –, begleitet von ihrem Führer, auftauchen sehen. Sie war am Treppenabsatz stehen geblieben, hatte anscheinend den Fußboden mit ihrer knubbeligen Dinosaurierschnauze untersucht und anschließend das Treppenhaus hinabgeblickt.

Dann war sie rasch nach unten geglitten.

Etwas hatte ihre Aufmerksamkeit erregt.

Neugierig waren sie ihr ins Magazin gefolgt und hatten ihr zugeschaut, wie sie sich mehrere Minuten lang zielstrebig zwischen den Regalen entlangschlängelte. Sie war dabei gewesen, sich an jemanden heranzuschleichen, ihn an der Nase herumzuführen. Erst im allerletzten Augenblick hatte Swain sich in den entferntesten Gang hinausgewagt und Reeses Jagdwild tatsächlich zu Gesicht bekommen – einen einzelnen, in einer Ecke festsitzenden Polizisten.

Er war sofort losgerannt – nachdem ihm Selexin noch einen allerletzten Ratschlag mit auf den Weg gegeben hatte: jeglichen Blickkontakt mit Reeses Fühlern meiden!

So hatten sie Hawkins getroffen.

Swain wandte sich an Selexin. »Erzählen Sie mir mehr von Reese.«

»Reese?«, fragte Selexin. »Na ja, zum einen ist Reese, in menschlichen Begriffen, weiblich. Ihr Schwanz, ihre wichtigste Waffe, ist scharf zugespitzt wie ein Speer. Männliche Exemplare ihrer Spezies besitzen lediglich abgestumpfte Schwänze. Das ist so, weil in ihren Klans das Weibchen auf die Jagd geht.

Als Reese sich auf Ihren neuen Freund hier stürzen wollte«, Selexin nickte zu Hawkins hinüber, »haben Sie da mitbekommen, wie ihr Schwanz sich in einem großen Bogen hoch über ihren Körper gehoben und dabei *nach vorn* gezeigt hat? Und *er* konnte nicht mal mehr den kleinen Finger rühren.

Deswegen habe ich Sie angewiesen, jeglichen längeren Blickkontakt mit ihren Fühlern zu meiden. Das würde zu einer sofortigen Lähmung führen. Genau wie bei ihm.« Selexin warf Hawkins einen Blick zu. »So jagen Reese und ihre Gefährtinnen. Schauen Sie zu lange auf ihre Fühler, erfahren Sie eine hypnotische Lähmung, und – *bamm! –*, ehe Sie sich's versehen, hat sie Sie mit diesem Schwanz erwischt. Genau zwischen die Augen.«

Der kleine Mann lächelte. »Ich würde sagen, sie ist den Frauen Ihrer Spezies ziemlich ähnlich, nicht wahr? Aggressiv *und* instinktiv.«

»*He!*«, sagte Holly.

Swain überhörte den Einwurf. »Berichten Sie mir mehr von ihren Jagdmethoden. Wie sie sich an ihre Beute heranpirscht.«

Selexin holte Atem. »Nun ja, wie Sie zweifelsohne bemerkt haben werden, besitzt Reese keine Augen. Und zwar einfach deshalb, weil sie keine benötigt. Sie stammt von einem Planeten, der von einer undurchsichtigen Hülle inaktiver Gase umgeben ist. Das Licht kann die Atmosphäre nicht durchdringen, und die Gase sind jeder chemischen Veränderung gegenüber unempfindlich. Ihre Rasse hat sich einfach im Lauf der Zeit angepasst und die übrigen Sinne benutzt und verstärkt: geschärftes Hörvermögen, sensible Gefäßenden zum Aufspüren des unruhigen Herzschlags des erschrockenen oder verwundeten Opfers, vor allem aber ein hoch entwickelter Mechanismus zum Aufspüren von Gerüchen. Ich würde sagen, dass ihr Geruchssinn in der Tat ihr höchst entwickeltes Jagdwerkzeug ist.«

»Warten Sie einen Moment«, sagte Swain aufgeschreckt. »Sie kann uns *riechen?*«

»Jetzt nicht. Reeses Geruchssinn hat nur eine sehr geringe Reichweite. Vielleicht etwas über einen Meter.«

Swain stieß erleichtert den Atem aus. Hawkins tat es ihm nach.

»Aber *innerhalb* dieses Bereichs«, fuhr Selexin fort, »ist ihr Geruchssinn unglaublich scharf.«

»Was wollen Sie damit sagen?«

»Ich will damit sagen, dass sie *ihn*« – Selexin zeigte in Hawkins' Richtung – »über seinen Geruch aufgespürt hat.«

»Aber Sie hatten doch gesagt, dass die Reichweite ihres Geruchssinns nicht so groß ist. Wie konnte sie dann …«

Swain brach ab. Selexin warf ihm wieder einmal diesen Sind-Sie-endlich-fertig?-Blick zu.

»Das ist richtig«, sagte Selexin, »zumindest in gewisser Hinsicht. Sehen Sie, Reese hat nicht *ihn* gerochen. Was sie gerochen hat, war der *Duft,* den er hinterließ. Erinnern Sie sich, wie es war, als wir Reese das erste Mal im Treppenhaus zu sehen bekamen? Sie hat sich tief hinabgebeugt und den Fußboden beschnüffelt.«

Swain runzelte die Stirn. »Ja …«

»Fußabdrücke«, sagte Selexin. »Eine nicht erkaltete Spur. Steht ihr eine frische Spur wie diese zur Verfügung, *braucht* Reese nicht weiter als einen halben Meter zu riechen, weil sie einfach der Spur als solcher folgt.«

»Oh«, meinte Swain.

Dann traf es ihn wie ein Schlag.

»O *Scheiße!*«

Er schoss hoch, blickte durch den gläsernen Abschnitt über sich …

Und entdeckte, dass er in Reeses bedrohliches viereckiges Maul starrte – das sie weit aufgerissen hatte und aus dem fauliger Speichel tropfte. Es drückte sich nur Zentimeter entfernt gegen die andere Seite der Scheibe.

Swain prallte zurück und geriet ins Stolpern.

Hawkins sprang mit offenem Mund auf.

Reese hämmerte gegen die Abtrennung und verschmierte dabei überall Speichel.

»Augen runter!«, schrie Swain und schnappte sich Holly. Reese schlug erneut auf die Abtrennung ein – so hart, dass das ganze Büro erbebte. »Nicht auf die Fühler sehen! Ab zur Tür!«

In diesem viereckigen Büro gab es drei Glastüren – eine im Westen, eine im Süden und eine im Osten. Reese hämmerte auf die westliche Wand des Raumes ein.

Swain lief zur östlichen Tür, warf sie auf und jagte in das nächste Büro, Selexin und Hawkins ihm dicht auf den Fersen.

Mit Holly in der Armbeuge rutschte er über einen Schreibtisch in der Mitte des Büros und öffnete die nächste Tür.

»Schließt die Türen hinter euch!«, schrie er zurück.

»Ist bereits erledigt!«, rief Hawkins nach vorn.

Da ertönte von hinten ein lautes Krachen – Glas, das zersplitterte.

Swain lief weiter. Über Tische, durch Eingänge, unter Aktenschränken hindurch. Überall wirbelte er Papier auf. Dann kam er aus dem letzten Büro und sah sich plötzlich etwas völlig anderem gegenüber.

Einer schweren blauen Tür in einer festen Betonmauer.

Hawkins schrie: »Sie kommt! Und ist anscheinend wirklich fuchsteufelswild!«

Swain begutachtete die schwere blaue Tür. Sie sah stark aus und besaß einen hydraulischen Öffnungsmechanismus. Am Ende des kurzen Korridors rechts erblickte er eine weitere Möglichkeit – ein glasumschlossener Aufzugsbereich. Er warf einen Blick zurück auf Hawkins, der durch die Büros heranjagte.

Ich sollte wohl besser was tun ...

Swain, der Holly nach wie vor in den Armen hielt, drehte den Knauf an der hydraulischen Tür. Sie öffnete sich.

Drei Betonstufen. Abwärts.

Er übertrat die Schwelle, zog Selexin mit und wartete auf Hawkins. Der Officer lief, so schnell er konnte, durch das letzte von Glaswänden umgebene Büro.

Hinter Hawkins sah Swain lediglich weitere, ähnlich unterteilte Büros.

Da entdeckte er ihn. Den langen spitzen Schwanz, der hoch über der hüfthohen Holzvertäfelung aufblitzte. Er durchbrach alles, was ihm im Weg stand – wie die Finne eines prächtigen weißen Hais, die das Wasser zerteilte – und katapultierte dabei Schreibtische, Aktenschränke und Drehstühle hoch in die Luft.

Sie war zwei Büros entfernt und kam direkt auf sie zu.

Rasch.

Immer näher.

Hawkins rannte an Swain vorüber, und Swain zog die große Hydrauliktür hinter sich zu. Sie fiel mit einem dumpfen Knall ins Schloss.

Eine feste Tür. Gut, das würde ihnen etwas Zeit verschaffen.

Swain, der Holly festhielt, übernahm erneut die Führung. Es ging die drei Betonstufen hinab. Weißes Neonlicht erhellte einen modernen, grau gestrichenen Korridor. Schwarze Röhren schlängelten sich an der Decke entlang.

Die vier folgten dem gewundenen Korridor etwa zwanzig Meter weit, ehe sie plötzlich ins Freie traten.

Swain blieb stehen und schaute sich um.

Eine Tiefgarage.

Sie sah neu aus – fast brandneu. Schimmernder, frisch

131

gegossener Beton, weiße Bodenmarkierungen, leuchtend gelbe Radkrallen, nagelneue weiße Neonlichter. Es war schon ein ziemlicher Kontrast zu der alten verstaubten Bibliothek, die sie bislang erlebt hatten.

Swain ließ den Blick durch die Tiefgarage schweifen.

Keine Autos.

Verdammt.

Im Zentrum des Parkdecks, etwa zwanzig Meter von ihnen entfernt, führte eine Fahrbahn abwärts. Swain vermutete, dass die Ausfahrt zur Straße dieser Fahrbahn gegenüber liegen musste.

Irgendwo hinter ihnen ertönte ein lauter Knall.

Swain fuhr herum.

Reese hatte die Tür aufgebrochen.

Rasch führte Swain die anderen zu dieser Fahrbahn nach unten. Sie war breit – breit genug, dass zwei Wagen aneinander vorbeikommen konnten. Sie hatten sie gerade erreicht, da hörte er hinter sich ein Zischen.

Langsam drehte er sich um.

Reese stand am Eingang zum Parkdeck, ihr Führer schweigend dahinter.

Swain schluckte ...

... und vernahm dann plötzlich ein anderes Geräusch.

Tapp ...

Tapp ...

Tapp ...

Schritte. Langsame Schritte. Die laut über das verlassene Parkdeck schallten.

Swain, Holly, Selexin und Hawkins fuhren gleichzeitig herum und sahen ihn sofort.

Er kam die Fahrbahn hoch.

Er ging langsam und zielstrebig.

Ein zwei Meter großer, breitschultriger, bärtiger Mann

132

in Tierfelljacke, dunkler Hose und kniehohen schwarzen Stiefeln, die laut auf den Beton der Fahrbahn klopften.

Hinter ihm kam ein weiterer, völlig in Weiß gekleideter Führer.

Als der große bärtige Mann auf dem ebenen Deck stehen blieb, schob Swain Holly instinktiv hinter sich.

Beim Anblick des neuen Wettkämpfers wurde Reese sichtlich aufgeregt. Sie zischte noch lauter.

Alle standen sie da – die drei Gruppen bildeten ein instabiles Dreieck des Schweigens.

In diesem Moment blickte Swain auf sein Armband hinab. Dort war jetzt zu lesen:

INITIALISIERT - 7

Sieben.
Langsam hob Swain den Blick.

Das Präsidian hatte begonnen.

DRITTER ZUG

30. November, 18.39 Uhr

Auf dem Parkplatz herrschte Stille.

Irgendwo links hörte Swain das Rauschen des New Yorker Verkehrs, das Hupen der Autos. Die Geräusche der Welt draußen – der gewöhnlichen Welt.

Selexin trat neben ihn.

»Einfach nur nach vorn schauen.« Selexin blickte gespannt den großen bärtigen Mann an.

»Es ist Balthasar. Der Criseaner. Meister der Klinge: Messer, Stilette, so was in der Art. Technologisch gesehen sind die Criseaner nicht sonderlich weit entwickelt, aber dank ihres Jagdgeschicks benötigen sie keine Tech ...«

Selexin brach ab.

Der bärtige Mann starrte direkt zu ihnen hinüber. Direkt auf Swain.

Swain hielt den Blick auf Balthasar gerichtet.

In diesem Moment wandte sich der große Mann leicht ab und zeigte dadurch etwas, das ihm vom Gürtel herabhing. Es glitzerte unter dem harten elektrischen Licht des Parkplatzes.

Eine Klinge.

Eine gekrümmte, geschmeidige, übel aussehende Klinge. Eine außerirdische Machete.

Swain hob den Blick. Ein dickes Wehrgehenk aus einem lederähnlichen Material lag Balthasar über der Schulter. Es war an dem Gürtel um seine Taille befestigt. Daran hingen an einem Lederstreifen verschiedenartige Scheiden – mit einer ganzen Ansammlung tödlicher Wurfmesser.

»Sehen Sie das?«, fragte Selexin flüsternd.

»Allerdings.«

»Criseaner«, bemerkte Selexin respektvoll. »Sehr beeindruckende Meister der Klinge. Auch sehr rasch. Schnell. Lassen Sie ihn einen Moment lang aus den Augen, und Sie haben im Handumdrehen ein Messer im Herzen stecken.«

Swain gab keine Antwort. Selexin wandte sich ihm zu.

»Tut mir Leid«, flüsterte er. »Das hätte ich nicht sagen sollen.«

»Dad ...«, fragte Holly. »Was geht hier vor?«

»Wir warten einfach ab, Schatz.«

Ein halbes Auge auf Balthasar gerichtet, ließ Swain den Blick über das Parkdeck schweifen. Er suchte nach etwas ... nach einem Weg hinaus ...

Da.

In der südwestlichen Ecke des Decks, vielleicht zwanzig Meter entfernt – zwei Aufzüge innerhalb eines hell erleuchteten, von Glaswänden umgebenen Foyers. Es war derselbe Aufzug, den er zuvor schon gesehen hatte, nur dass er sich hier auf das Parkdeck öffnete.

Swain reichte Holly an Hawkins weiter und zog gleichzeitig dem Polizisten die schwere Taschenlampe aus dem Pistolengurt.

»Was hier auch geschieht«, sagte Swain, »laufen Sie, so rasch Sie können, zu diesen Aufzügen da hinüber, ja?«

»In Ordnung.«

»Sobald Sie drin und die Türen geschlossen sind, fahren Sie eine halbe Etage hoch und drücken dann den Nothalt. Okay?«

Hawkins nickte.

»Da drin sollten Sie in Sicherheit sein«, sagte Swain, während er die große Taschenlampe in der Hand hin und her rollte. »Meiner Ansicht nach haben die da noch nicht rausgekriegt, wie man die Aufzüge benutzt.«

Selexin beobachtete wachsam die beiden anderen Wettstreiter. »Was passiert jetzt?«, fragte ihn Swain.

Zunächst erfolgte keine Antwort. Der kleine Mann blickte bloß angespannt auf das leere Parkdeck. Dann meinte Selexin, ohne dabei den Kopf zu wenden: »Alles.«

Reese setzte sich als Erste in Bewegung. Sie schoss auf Swain zu. Schwere, hüpfende Schritte.

Swain verspürte einen Adrenalinstoß. Er schluckte und packte die Taschenlampe fester.

Reese kam weiter auf ihn zu.

Mein Gott, dachte Swain, *wie zum Teufel kämpft man gegen so etwas?*

Er spannte sich an, um davonlaufen zu können, doch Selexin packte ihn plötzlich am Arm. »*Nicht!*«, flüsterte er. »Noch nicht.«

»Wa ...?« Swain beobachtete Reese, die weiterhin auf ihn zujagte.

»Vertrauen Sie mir.« Selexins Stimme war wie Eis.

Reese *hüpfte* jetzt heran. Swain wollte nichts lieber als davonlaufen. Aus dem Augenwinkel sah er, wie Balthasar langsam zwei Wurfmesser aus den Scheiden zog ...

Da drehte Reese ab.

Scharf und unerwartet. *Weg* von Swain und der Gruppe. Stattdessen stürmte sie auf Balthasar zu.

»Da! Das musste passieren!«, flüsterte Selexin stolz. »Musste. Klassisches Verhalten des Jägers ...«

Dann sah Swain, wie Balthasar in einer einzigen verschwommenen Bewegung rasend schnell den rechten Arm hob und warf – und plötzlich zischten zwei silberne Blitze von seiner Hand durch die Luft.

Wamm!

Ein glitzerndes stählernes Messer grub sich in die *Beton-säule* zwischen Swain und Hawkins und verfehlte sie beide nur um Zentimeter!

Das zweite futuristisch wirkende Messer war für Resse bestimmt, aber anders als Swain war sie darauf vorbereitet. Sie hielt sich dicht am Boden und wälzte sich nach rechts, als sie die Klinge auf sich zufliegen sah, und – *krack!* – das abwärts sausende Wurfmesser grub sich unter ihr in den Boden des Parkdecks. Der glänzende frische Beton zersplitterte. Das Messer stand nahezu aufrecht.

Selexin pries nach wie vor seine taktische Anweisung. »Ich sag's Ihnen, klassisches Verhalten des Jägers. Sie erledigen zunächst das gefährlichere Opfer, erwischen es unvorbereitet ...«

»Erzählen Sie mir das später«, unterbrach ihn Swain, der bei einem Blick über die Schulter sah, wie Reese sich – wild kreischend – auf Balthasar warf, sodass er hintüber stürzte.

Swain schob Hawkins zum Aufzug hinüber. »Los!«

Holly eng an die Brust gedrückt, rannte Hawkins direkt zu den Aufzügen.

Swain wollte ihm folgen, drehte sich jedoch noch einmal für einen letzten Blick auf den Kampf um.

Reese hatte Balthasar unter sich am Boden festgenagelt. Seine Hände steckten unter ihren kraftvollen, stämmigen Vorderbeinen. Er streckte verzweifelt eine Hand nach der Machete aus, die nur Zentimeter außerhalb seiner Reichweite auf dem Boden lag.

Aber Reeses Gliedmaßen waren zu schwer.

Aus ihrem Maul tropfte wild der Speichel und ergoss sich in mächtigen Strömen Balthasar über das Gesicht. Dann schlug Reese bösartig mit den Vorderklauen zu – hin und her schwingende Streiche, die ihm ganze Brocken Fleisch aus der Brust rissen.

Es war widerwärtig, dachte Swain. Widerwärtig und brutal.

Voller Entsetzen beobachtete er, wie Balthasar vor Schmerzen kreischend den Kopf hin und her warf – ein Versuch, den Blickkontakt mit Reeses pendelnden Fühlern zu meiden und nicht von dem blendenden Speichel überschüttet zu werden –, während er sich gleichzeitig schwach gegen ihre wilden Hiebe verteidigte. Es war die reine *Verzweiflung*. Die völlige und äußerste Verzweiflung eines Mannes, der um sein Leben kämpfte.

Und Stephen Swain verspürte Zorn, Empörung und Wut über die Szene, die sich vor ihm abspielte.

Rasch fuhr er herum. Hawkins und Holly hatten das Glasfoyer erreicht und betraten es gerade. Sofort drückte Hawkins den Aufwärts-Knopf an der Wand. Keine der beiden Lifttüren öffnete sich sofort; die Aufzüge waren unterwegs.

Bald wären sie in Sicherheit.

Swain wandte sich wieder dem Kampf zu, und erneut wallte Zorn in ihm auf. Balthasar kämpfte nach wie vor, schwang den Kopf von einer Seite zur anderen. Seine Schmerzensschreie wurden von dem Speichel ertränkt, der sich ihm in den offenen Mund ergoss. Reese hielt ihn nach wie vor fest am Boden, schlug mit aller Gewalt zu und quietschte dabei wie eine Wahnsinnige.

Dann hob sich ihr Schwanz. Langsam und lautlos, wie bei einem gewaltigen Skorpion. Balthasar konnte es nicht sehen.

Da wusste Swain, was er zu tun hatte.

Er lief los.

Direkt auf sie zu.

Reeses gekrümmter Schwanz verharrte jetzt hoch über ihrem Kopf ... bereit zum Zuschlagen ... und dann sah es Balthasar ebenfalls und kreischte auf ...

Swain hielt Hawkins' schwere Taschenlampe vor sich, als er in Reese hineinkrachte, sie von Balthasar herunterwarf und sie alle drei der Länge nach auf dem Betonboden landeten.

Reese lag auf dem Rücken, als Swain auf sie fiel. Sie stieß ein ohrenbetäubendes Gekreisch aus, während sie sich auf dem Beton drehte und wand, bockte und um sich trat – ein verzweifelter Versuch, ihn abzuschütteln.

Sie entglitt Swain, und auf einmal befand er sich in der Luft und sah lediglich noch ein Kaleidoskop grauer Mauern, weißer Neonlichter und Beton vor Augen. Mit der Brust schlug er hart auf dem Boden auf, wälzte sich auf den Rücken ...

... und sah Reeses scharf zugespitztes Schwanzende auf sein Gesicht zufliegen!

Er riss den Kopf nach links, und der Schwanz krachte lautstark auf den Beton.

Rasch warf Swain einen Blick auf die Stelle, wo sich sein Kopf befunden hatte. Zersplitterte Zementteile umgaben einen kleinen Krater von der Größe eines Tennisballs.

Herr des Himmels!

Nach wie vor lag er auf dem Boden und wälzte sich rasch hierhin und dorthin. Reese bewegte sich in einem krabbenartigen Seitwärtsgang ebenso rasch wie er und hieb den Schwanz wie eine Ramme auf den Boden.

Erneut krachte der Schwanz herab, *unmittelbar neben Swains Kopf.*

In den Nanosekunden, in denen das Gehirn arbeitet, versuchte Swain, seine Möglichkeiten abzuwägen. Weglaufen war nicht drin. Keine Chance, rechtzeitig aufzustehen und loszurennen. Bekämpfen konnte er Reese auch nicht. Wenn ein Krieger wie Balthasar sie nicht schlagen konnte, wie zum Teufel sollte ihm das gelingen?

Nein, irgendwie musste er das Weite suchen. Aber dazu musste er etwas unternehmen, was ihm ausreichend Zeit zum Davonrennen ließe.

Also tat Swain das Erste, was ihm in den Sinn kam.

Mit aller Kraft hieb er mit Hawkins' schwerer Taschenlampe wie mit einem Baseballschläger auf Reeses Schwanz ein, der im Beton feststeckte.

Von der Seite her zielte er auf die Schwanzspitze, den dünnsten Teil.

Die Taschenlampe traf das zugespitzte Schwanzende. Hart. Mit einem lauten Geräusch, das Blut zum Gerinnen brachte, brachen Knochen. Der Schwanz hatte nun einen Knick. Reese brüllte vor Schmerz und wich zurück.

Swain nutzte die Chance.

Er sprang auf und blickte zu den beiden Aufzügen im Glasfoyer hinüber. Die Türen des linken öffneten sich gerade, und Hawkins, der Holly trug, trat ein, wobei er sich bei jedem Schritt fragend zu Swain umschaute.

»Los! Los!«, schrie Swain. »Ich komm gleich nach!«

Hawkins drückte sich in den Aufzug, schlug auf einen Knopf, und die Türen schlossen sich. Swain wandte sich wieder dem Kampf zu.

Reese war mehrere Schritte zurückgewichen und immer noch mit ihrem gebrochenen Schwanz beschäftigt. Balthasar kam jetzt unsicher auf die Beine. Er hielt den Kopf gesenkt und versuchte sich den Speichel aus den Augen zu wischen.

Swain stolperte zu Balthasar hinüber. Die Augen des großen Mannes waren nach wie vor mit einer zähen Masse bedeckt, die freiliegende Haut auf der Brust war entsetzlich zerfetzt und blutüberströmt, das Gesicht zu einer wahnsinnigen Grimasse des Schmerzes erstarrt.

Swain fasste ihn beim Arm und sagte einfach: »Komm mit!«

Balthasar gab keine Antwort. Er ließ es zu, dass ihn Swain beim Arm nahm und mit sich zog. Swain schlang sich den Arm des großen Mannes über die Schulter und half ihm zu den Aufzügen hinüber.

Selexin stand da und starrte Swain mit offenem Mund an.

»Kommen Sie?«, fragte Swain, während er Balthasar an dem kleinen Mann vorüberschleifte.

Wie betäubt blickte Selexin von Swain zu Balthasars Führer – der einfach verständnislos die Schultern zuckte –, dann zu Reese und dann schließlich zu den Aufzügen. Dann endlich eilte er Swain nach.

Swain stürmte in den glasumschlossenen Aufzugsbereich und schlug auf den Aufwärts-Knopf. Balthasar hatte er nach wie vor über der Schulter hängen. Swain fuhr herum. Reese schlug mit dem Schwanz auf den Betonfußboden ein. Den beiden lauten Schlägen folgte ein dritter, der ein Übelkeit erregendes Knacken nach sich zog.

Reese brüllte wild, und Swain wusste augenblicklich, was dieses Gebrüll zu bedeuten hatte. Sie hatte den Bruch gerichtet. Sobald sie den unmittelbaren Schmerz überwunden hätte, würde sie erneut loslaufen …

Reese hatte sich wieder in Bewegung gesetzt. Sie kam auf den Aufzug zu.

Swain trommelte mit dem Finger auf den Aufwärts-Knopf. »Komm schon! Komm schon!«

Reese schoss nach links, nach rechts, huschte wie eine Krabbe im Seitwärtsgang über das weite Parkdeck, kam immer näher …

144

Und blieb stehen. Fünfzehn Meter vom Aufzug entfernt.

Swain fiel auf, dass ihr Schwanz dieses Mal nicht bedrohlich hin und her sauste. Er hing einfach nur reglos und schlaff auf dem Boden.

Durch das schweigende Parkdeck tönte Reeses leises Zischen, und ihre Fühler pendelten hypnotisierend über ihrem Kopf. Swain beobachtete sie wie bezaubert durch die Glaswände des Aufzugbereichs.

Selexin schob ihn heftig zur Seite. »*Nicht* auf die Fühler sehen!«

Blinzelnd kehrte Swain in die Gegenwart zurück. Er konnte sich nicht einmal daran *erinnern,* die Fühler angesehen zu haben …

Hinter ihm ertönte ein lautes *Bing!* Swain fuhr herum. Knirschend öffneten sich die Türen des zweiten Aufzugs.

»Alle rein!«, befahl er plötzlich wieder putzmunter und schleuderte Balthasar in den Lift. Einmal im Innern, drückte er rasch auf »1« und dann auf »TÜREN SCHLIESSEN«.

Nichts geschah.

Swain blickte hinaus. Reese stürmte auf die Glastüren des Aufzugbereichs zu.

Wiederholt drückte er auf »TÜREN SCHLIESSEN«.

Die Türen blieben offen.

Reese jagte heran, kam immer näher.

Plötzlich ertönte ein Klicken, und die Lifttüren schlossen sich langsam.

Wamm!

Reese stürmte durch die geschlossenen Glastüren, und überall regnete es Splitter. Unbeholfen landete sie in dem kleinen Foyer und rutschte auf allen vieren auf einem Teppich aus winzigen Glassplittern über den Boden.

Die Türen schlossen sich weiter.

Da endete Reeses Rutschpartie zu Swains Entsetzen *direkt vor dem Aufzug,* und sie kam langsam hoch.

Die Türen schlossen sich weiterhin. Reese stand wieder auf den Beinen. Die Türen waren fast zu. Reese spannte sich zum Sprung an ...

Und die Türen schlossen sich endgültig.

Der Aufzug fuhr in die Höhe.

Swain stieß einen Seufzer der Erleichterung aus.

Da warf sich Reese mit ihrem ganzen Gewicht gegen die äußeren Türen.

Heftig und lautstark. Die Türen beulten sich nach innen und rissen in der Mitte auseinander. Der ganze Lift zitterte und bebte und blieb torkelnd stehen.

Einen halben Meter über dem Boden.

Der Aufzug schwankte. Selexin klammerte sich an Swains Bein, um das Gleichgewicht zu wahren. Balthasar saß schlaff in der rückwärtigen Ecke und hielt den Kopf gesenkt. Zusammen mit dem Lift pendelte er hin und her.

Swain fand sein Gleichgewicht wieder und sah die nach innen gedrückten Türen. Ein großes Loch von fast einem halben Meter klaffte in der Mitte.

Zu schmal, dachte er. *Sie kann nicht rein.*

Erneut rammte Reese die Türen.

Der Aufzug zitterte. Das Loch wurde breiter.

Swain drückte den Aufwärts-Knopf, doch der Lift rührte sich nicht. Die große, nach innen weisende Beule hinderte die Türen daran, sich zu schließen, und der Aufzug würde sich erst dann wieder in Bewegung setzen, wenn sie geschlossen wären.

Reese hatte jetzt die Schnauze und die Fühler in die Kabine gesteckt. Wütend schnappte sie mit dem Maul und schleuderte Speichel in alle Richtungen. Es war der verzweifelte Versuch, die Türen gewaltsam zu öffnen. Ihre Fühler pfiffen wie Zwillingspeitschen durch die Luft.

Swain packte Hawkins Taschenlampe fester und trat auf Reese zu.

Plötzlich vollführte sie einen Satz nach vorn, wodurch der Aufzug erneut ins Schwanken geriet. Swain stürzte, rutschte auf dem feuchten Boden aus, fiel zurück, und die Taschenlampe flog in die Ecke. Reese schnappte wild nach seinen Füßen und wurde lediglich durch die Türen zurückgehalten. Swain sah das erregt zitternde, speichelbedeckte Maul, die vier Reihen gebleckter, gezackter Zähne nur Zentimeter von seinen Füßen entfernt. Sie waren im Begriff …

Er wandte den Blick ab, holte tief Luft und dachte einen flüchtigen Augenblick lang, *ich kann's nicht glauben, dass ich das wirklich tun will!* Anschließend trat er hart zu. Mit der Schuhsohle traf er Reeses vordere Zahnreihe, und dabei brachen sogleich drei Zähne ab.

Mit wütendem Kreischen wich sie zurück und fiel rücklings zu Boden.

Swain trat erneut zu. Diesmal in dem – allerdings vergeblichen – Versuch, die nach innen weisenden Beulen in den Türen zu glätten. Dreimal hämmerte er mit den Füßen darauf ein, was jedoch kaum eine Spur hinterließ. *Doppelt verstärkter Stahl, viel zu dick.*

Da krachte plötzlich – *Wamm!* – ein riesiger Lederstiefel auf die beschädigten Türen, und die Beulen glätteten sich merklich.

Balthasar!

Er war neben Swain gerutscht und hatte trotz seiner Verletzungen den Türen einen kraftvollen Tritt versetzt.

Wamm! Wamm!

Zwei weitere donnernd dröhnende Tritte, und die Beulen waren vollständig geglättet. Die Türen schlossen sich, und Balthasar fiel erschöpft zu Boden. Der Aufzug fuhr in die Höhe, dann endlich herrschte Stille.

»Netzbezirk Zwei-Zwölf«, las der Assistent von seinem Klemmbrett ab. »Auf der Nord-Süd-Achse von Jefferson und West 91st begrenzt. Zone mit mittelhoher Bebauung: der übliche Wohn- und Geschäftsbereich, eine Anzahl Gebäude im Nationalregister, ein paar Parks. Nichts Besonderes.«

Robert K. Charlton lehnte sich in seinen Stuhl zurück.

»Nichts Besonderes«, meinte er. »Nichts Besonderes, außer dass wir während der letzten paar Stunden über *einhundertachtzig* Beschwerden aus einem Bereich erhalten haben, der sonst keinen Mucks von sich gibt.«

Er reichte seinem Assistenten ein Blatt Papier über den Schreibtisch.

»Sehen Sie sich das mal an. Ist vom Kundenzentrum. Allein eines der Mädchen da unten hatte – wie viel inzwischen? – einundfünfzig, nein, zweiundfünfzig mögliche Vierhunderteinser. Alle aus Zwei-Zwölf.«

Bob Charlton, ein vierundfünfzig Jahre alter Mann mit etwas Übergewicht, der *viel* zu viel Zeit im gleichen Job verbracht hatte, war an diesem Abend Chef vom Dienst bei Consolidated Edison, dem Hauptenergieversorger der Stadt. Sein Büro lag eine Etage über dem Kundenzentrum von Con Ed und war alles andere als üppig eingerichtet. Es enthielt einen Ikea-Schreibtisch – mit einem Computer darauf –, der von jenen beigefarbenen Regalen umgeben war, wie sie auf der ganzen Welt für das mittlere Management üblich sind.

»Und wissen Sie, was das zu bedeuten hat?«, fragte Charlton.

»Was?«, fragte sein Assistent. Sein Name war Rudy.

»Es bedeutet, dass sich jemand an der Hauptversorgungsleitung zu schaffen gemacht hat«, erklärte Charlton. »Gekappt. Den Hahn abgedreht. Vielleicht sogar überlastet. Scheiße. Laufen Sie mal zur Wartung und sehen Sie nach, ob einer von unseren Burschen heute in diesem Versorgungsnetz war. Ich ruf bei der Polizei an und erkundige mich, ob irgendwelche Rowdys eingebuchtet worden sind, die vielleicht Kabel durchgesäbelt haben.«

»Jawohl, Sir.«

Rudy verließ den Raum.

Charlton schwang in seinem Drehstuhl zu einer Karte von Manhattan herum, die er hinter seinem Schreibtisch an die Wand geheftet hatte.

Auf ihn wirkte Manhattan wie ein verzerrter Diamant – drei völlig gerade Kanten und eine, die nordöstliche Seite, gezackt und verdreht.

Er fand das Rechteck, das Netzbezirk Zwei-Zwölf darstellte. Es lag unten nahe des südlichen Endes der Insel, wenige Kilometer nördlich des World Trade Centers.

Er sann über den Bericht nach.

Zone mit mittelhoher Bebauung: der übliche Wohn- und Geschäftsbereich, einige Gebäude im Nationalregister, ein paar Parks.

Das Nationalregister.

Das nationale Register historischer Orte.

Ihm fiel etwas ein. Vor kurzem war Con Ed vom Büro des Bürgermeisters dazu gedrängt worden, einige der älteren Gebäude der Stadt an die neuen Hauptstromleitungen anzuschließen. Wie zu erwarten gewesen war, hatte es eine Wagenladung an Problemen gegeben. Einige der älteren Gebäude hatten Stromanschlüsse, die aus der Zeit vor dem Ersten Weltkrieg datierten, andere gar keine. Sie ans Netz zu bringen hatte sich als außerordentlich schwierig erwiesen, und es war nicht ungewöhnlich, dass die Überlastung eines einzigen Gebäudes die Stromversorgung eines ganzen städtischen Netzbezirks zum Erliegen brachte.

Charlton schaltete seinen Computer ein und rief die Datei mit dem Nationalregister auf. Es zeigte nicht *alle* historischen und unter Denkmalschutz stehenden Gebäude der Stadt, nur diejenigen, an denen Con Ed gearbeitet hatte. Das wäre allerdings ausreichend.

Er rief Netzbezirk Zwei-Zwölf auf und erhielt fünf Treffer. Er drückte auf ANZEIGEN.

Eine detailliertere Liste von Namen scrollte über den Bildschirm, und Charlton beugte sich vor, um sie zu lesen. In dem Moment klingelte das Telefon.

»Charlton.«

»Sir, ich bin's.« Es war Rudy.

»Ja?«

»Ich bin hier unten in der Wartung, und die sagen, dass seit fast drei Wochen keiner ihrer Leute in Zwei-Zwölf gewesen ist.«

Charlton runzelte die Stirn. »Ganz bestimmt?«

»Sie haben die Aufzeichnungen auf Diskette, wenn Sie sie haben wollen.«

»Nein, ist schon in Ordnung. Gut gemacht, Rudy.«

»Vielen Dank, Si ...«

Charlton legte auf.

»Verdammt!«

Er hatte gehofft, es wäre jemand von der Wartung gewesen. Dann wäre es zumindest nachvollziehbar. Anhand der Aufzeichnung hätte man erkennen können, wo die Unterbrechung – oder Abschaltung oder Überlastung – in der Hauptversorgungsleitung zu finden sein würde oder zumindest, wo die Arbeit erledigt worden war.

Jetzt aber ließ sich die Fehlerquelle unmöglich orten. Andere Kurzschlüsse konnten mit Con Eds Computer aufgespürt werden, indem jede Leitung durchgecheckt wurde. Aber dazu brauchte man die Hauptversorgungsleitung.

Da jedoch die Hauptversorgungsleitung in einem bestimmten Netzbezirk nicht mehr funktionierte, wurde dieser zu einem schwarzen Loch, zumindest für eine Überprüfung durch den Computer. Und die Fehlerquelle lag irgendwo innerhalb dieses schwarzen Lochs.

Jetzt lief es auf Rätselraten hinaus.

Charlton fluchte. Als Erstes müsste er die Polizei anrufen. Nachhören, ob die während der letzten vierundzwanzig Stunden jemanden eingelocht hatte, der irgendwo an den Kabeln herumgesäbelt hatte. Etwas dergleichen.

Er seufzte. Es würde eine lange Nacht werden. Er nahm erneut den Hörer ab und wählte.

»Guten Abend, Bob Charlton hier. Ich bin Chef vom Dienst bei Consolidated Edison und würde gern Lieutenant Peters sprechen, bitte. Ja, ich bleibe dran.«

Während er wartete, blickte Charlton müßig auf die Karte von Manhattan Island. Sein Anruf war bald durchgestellt, und er wandte sich von der Karte ab.

Die ganze Zeit über blieb der Bildschirm des Computers auf seinem Schreibtisch eingeschaltet.

Und während des gesamten Telefonats nahm Bob Charlton keinerlei Notiz von der letzten Eintragung auf der Liste historischer Gebäude:

Nach wenigen Augenblicken sagte Charlton aufgeregt: »Sie *haben* – wann? Ich bin in zwanzig Minuten unten.« Daraufhin legte er auf, schnappte sich seinen Mantel und verließ eilig das Büro.

Wenige Sekunden später kehrte er zurück und beugte sich über seinen Schreibtisch.

Er schaltete seinen Computer ab.

Swain drückte den roten Notknopf, und der Aufzug hielt laut quietschend an. Er griff hoch zur Luke in der Decke.

Balthasar hatte seine Energien mit der Reparatur der Aufzugtüren völlig erschöpft. Er saß in einer Ecke und nur die Wände des Lifts hielten ihn aufrecht. Er hatte den Kopf gesenkt und stöhnte. Sein Führer stand ohne Mitgefühl neben ihm und sah Selexin mit funkelndem Blick an.

Swain machte sich gerade an der Luke in der Kabinendecke zu schaffen, als der andere Führer sagte: »Komm schon, Selexin, macht weiter.« Er nickte zu Balthasar hinüber. »Bringt es zu Ende.«

Swain hielt inne und wandte sich den Übrigen zu.

»Diese Entscheidung liegt nicht bei mir«, erwiderte Selexin. »Gerade du müsstest das wissen.«

Der andere Führer fuhr zu Swain herum. »*Na?* Sehen Sie sich ihn an …« Er zeigte mit einer Kopfbewegung zu Balthasar. »… er kann nicht mehr kämpfen. Er kann sich nicht einmal verteidigen. Bringen Sie es zu Ende! Bringen Sie es gleich zu Ende! Unser Kampf ist vorüber.«

Swain schluckte. Der kleine Führer zeigte in seinem Trotz eine ungewöhnliche Stärke – es war die Stärke eines Mannes, der weiß, dass er sterben wird.

»Ja«, sagte Swain bedächtig zu sich. »Ja.«

Erneut sah er zu Balthasar hinüber. Erst da ging ihm auf, wie groß der bärtige Mann wirklich war. Deutlich über zwei Meter. Doch das spielte jetzt anscheinend keine Rolle mehr.

Balthasar hob den Kopf und sah zu Swain auf. Seine

Augen waren stark blutunterlaufen und rot gerändert; sein Brustkasten war völlig zerfetzt.

Swain trat einen Schritt vor und blickte auf ihn hinab.

Selexin hatte sein Zögern wohl bemerkt. »Sie müssen es tun«, sagte er leise. »Sie haben keine Wahl.«

Balthasar ließ Swain nicht aus den Augen. Der große bärtige Mann holte tief Luft, als Swain sich herabbeugte und langsam – sehr langsam – einen der langen Dolche aus einer Scheide am Waffengehenk hervorzog, das ihm über der Brust hing.

Balthasar schloss die Augen. Er hatte sich seinem Schicksal ergeben und war außerstande, sich zu wehren.

Mit dem Messer in der Hand schoss Swain einen letzten fragenden Blick zu Selexin hinüber. Der kleine Mann nickte feierlich.

Swain wandte sich wieder Balthasar zu, senkte das Messer und richtete dessen Spitze auf das Herz des großen Mannes. Dann tat er es.

Er schob die Klinge sanft in die Scheide zurück.

Daraufhin trat er zu der Luke in der Decke des Aufzugs und widmete sich wieder seiner Tätigkeit.

Balthasar öffnete verwirrt die Augen.

Selexin verdrehte die Augen.

Der andere Führer war schlicht und einfach wie vom Donner gerührt. »Das kann er nicht tun«, sagte er zu Selexin, daraufhin zu Swain, der wieder unter der Decke stand: »Das können Sie nicht tun.«

»Ich hab's getan, ganz einfach«, erwiderte Swain und drückte die Luke nach oben. Mit einem lauten Poltern schwang sie auf.

Er drehte sich um, sah aber nicht den anderen Führer an, sondern Selexin. »Weil ich so etwas nicht tue.«

Mit diesen Worten packte Swain Hawkins' Taschenlampe und steckte den Kopf durch die offene Luke. Er hatte etwas anderes im Sinn.

Er schaltete die Taschenlampe ein und spähte in die Dunkelheit des Aufzugschachts hinauf. Er hoffte, dass Hawkins getan hatte, was er tun sollte.

Der Polizist hatte es getan.

Der andere Aufzug hing gleich neben Swains Lift auf halber Strecke zwischen dieser Etage und der darüber. Swain richtete den Strahl der Taschenlampe in den Schacht hinauf. Schmierige Kabel liefen in der Düsternis nach oben. Die Türen des nächsten Stockwerks befanden sich etwa zweieinhalb Meter über ihm. Auf einer davon stand in schwarzen Buchstaben: ERDGESCHOSS.

Im Schacht herrschte Stille.

Der andere Aufzug hing vielleicht einen knappen halben Meter über Swain ruhig da, und ein kleiner Zacken gelben Lichts verriet einen Riss in der Seite.

»Holly? Hawkins?«, flüsterte Swain.

Er vernahm Hollys Stimme – »Dad?« – und verspürte eine Woge der Erleichterung.

»Wir sind hier, Sir«, meinte Hawkins' Stimme. »Sind Sie in Ordnung?«

»Uns geht's gut hier. Wie steht's mit euch beiden?«

»Wir sind wohlauf. Sollen wir rüberkommen?«

»Nein. Ihr bleibt, wo ihr seid«, erwiderte Swain. »Unser Aufzug hat ein paar Schläge abbekommen, die Türen sind beschädigt. Vielleicht öffnen sie sich nicht mehr, also kommen besser wir rüber. Sehen Sie mal, ob Sie die Luke in der Decke aufkriegen.«

»In Ordnung.«

Swain fiel in seinen Aufzug zurück und ließ den Blick prüfend über die Gruppe schweifen – Balthasar und die beiden Führer. Na ja.

»Also gut, ihr alle, hört mal her. Wir gehen rüber in den anderen Aufzug. Ihr beiden kleinen Burschen zuerst. Ich kümmere mich um den Großen hier. Kapiert?«

Selexin nickte. Der andere Führer stand einfach bloß da und hatte trotzig die Arme verschränkt.

Swain hob Selexin hoch und hielt ihn unter die Luke. Der kleine Mann verschwand in der Dunkelheit.

Swain steckte den Kopf durch die Luke und sah Selexin auf das Dach des anderen Aufzugs steigen. Ein schwacher Schleier gelben Lichts erschien über dem anderen Lift. Hawkins musste die Luke geöffnet haben.

Swain wandte sich an den anderen Führer. »Sie sind dran.«

Der Führer warf einen vorsichtigen Blick auf Balthasar und sagte daraufhin etwas in einer knurrenden, gutturalen Sprache.

Balthasar antwortete mit einem abschätzigen Wedeln der Hand und einem Knurren seinerseits.

Was zur Folge hatte, dass der Führer widerstrebend Swain die Arme entgegenstreckte, der ihn pflichtschuldig zur Luke hinaufhob. Der Führer verschwand im Schacht.

Swain wandte sich Balthasar zu.

Der große Mann saß nach wie vor in sich zusammengesunken in der Ecke. Langsam hob er die Augen.

Wer er auch sein mochte, dachte Swain, er war auf jeden Fall schwer verwundet. Die Augen waren rot, die Hände blutig und zerschrammt. Ein wenig von Reeses Speichel brodelte noch immer in seinem Bart.

»Ich möchte dich nicht töten«, sagte Swain sanft. »Ich möchte dir helfen.«

Balthasar, der kein Wort verstand, hob den Kopf.

»Helfen.« Swain streckte die Hände aus, die Handflächen nach oben – eine Geste der Hilfe, nicht des Angriffs.

Balthasar sagte – leise – etwas in seiner seltsamen gutturalen Sprache.

Swain verstand nichts. Erneut bot er seine Hände an.

»Helfen«, wiederholte er.

Balthasars Reaktion auf den fehlgeschlagenen Versuch einer Verständigung bestand in einem Stirnrunzeln. Er griff nach dem langen Dolch, den Swain zuvor in der Hand gehalten hatte und der jetzt wieder in der Scheide über seiner Brust steckte.

Er zog ihn hervor.

Swain stand völlig reglos da – ohne zusammenzuzucken – und blickte Balthasar direkt ins Auge.

Das kann er nicht tun. Das kann er einfach nicht tun.

Der bärtige Mann drehte das Messer in der Hand und legte den Griff Swain auf die Handfläche. Swain spürte die Wärme von Balthasars Hand, als sie beide das Messer fassten – dessen Spitze auf Balthasars Brust gerichtet war.

Daraufhin zog Balthasar ihre beiden Hände auf seine Brust zu. Swain wusste nicht, was er tun sollte, außer zuzulassen, dass Balthasar die blitzende Klinge immer näher an seinen Körper brachte …

Dann lenkte Balthasar ihre Hände zur Seite und ließ die Klinge in ihre Scheide zurückgleiten.

Wie Swain es zuvor getan hatte.

Mit hervorquellenden geröteten Augen blickte er auf und nickte.

Nun sprach Balthasar erneut – langsam, tief in der Kehle. Es war der Versuch, den Mund zu dem Wort zu formen, das Swain zuvor benutzt hatte.

»Helfen.«

Rumpelnd öffneten sich die Aufzugtüren, und Stephen Swain spähte hinaus in die erste Etage.

Dunkel und still.

Leer.

Als Erstes fiel Swain die besondere Anlage des ersten Stockwerks auf: Ein gewaltiges, U-förmiges Rund mit einem weiten, klaffenden Loch in der Mitte, sodass man hinab ins Atrium des Erdgeschosses blicken konnte.

Hier hatte man offensichtlich den Fußboden zugunsten eines eindrucksvolleren Erdgeschosses mit einer sehr hohen Decke geopfert – was aus der ersten Etage der State Library wenig mehr als einen besseren Balkon machte. Quasi einen ersten Rang.

Die Aufzüge selbst lagen in der südöstlichen Ecke des Stockwerks, rechts von der geschwungenen Basis des U-förmigen Runds. Ihnen gegenüber – am offenen Ende des U – befanden sich die gewaltigen Glastüren des Haupteingangs.

Zu seiner Linken erblickte Swain einen Raum voller Fotokopiergeräte. Auf einer Tür am gegenüberliegenden Ende stand »INTERNETRAUM«. Die übrige Etage war verlassen und dunkel, abgesehen von den blauen Strömen reflektierten Lichts aus der Stadt, die durch die gewaltigen Glastüren und Fenster drüben am anderen Ende flossen.

Swain schleifte Balthasar aus dem Lift zu dem Geländer hinüber, von dem aus man das Erdgeschoss überblickte, und lehnte den großen Mann dagegen. Die anderen traten zu ihnen.

»Was machen wir damit?«, fragte Hawkins leise in der Düsternis und zeigte auf den offenen Aufzug hinter ihnen.

»Knipsen Sie das Licht aus«, flüsterte Swain. »Wenn Sie keinen Schalter finden, drehen Sie einfach die Neonröhre raus. Ansonsten weiß ich auch nicht weiter«, fuhr er schulterzuckend fort. »Lassen Sie ihn da. Solange er hier ist, kann ihn kein anderer benutzen.«

Während Hawkins zum Aufzug hinüberging, trat Selexin neben Swain. Der kleine Mann schaute vorsichtig zur Decke hinauf.

»Was tun Sie da?«, fragte Swain.

Selexin seufzte melodramatisch. »Nicht alle Kreaturen in diesem Universum gehen auf *Fußböden*, Mr. Swain.«

»Oh.«

»Ich suche nach einem als Rachnid bekannten Wettkämpfer. Er gehört einer Spezies an, die Fallen legt – ist groß und spindeldürr, jedoch nicht besonders athletisch gebaut –, und man weiß, dass er eine lange Zeit in hoch liegenden Höhlen und Löchern auf seine Beute wartet. Kommt sie unter ihm vorüber, lässt er sich lautlos hinter seinem Opfer herab, umklammert es mit seinen acht Gliedmaßen und erwürgt es.«

»Erwürgt es«, meinte Swain und warf einen nervösen Blick zu der unebenen, schattigen Decke hinauf. »Hübsch. Sehr hübsch.«

»Dad?«, flüsterte Holly.

»Ja, Schatz?«

»Ich habe Angst.«

»Ich auch«, entgegnete Swain leise.

Holly berührte seine linke Wange. »Bist du in Ordnung, Dad?«

Swain blickte auf ihre Finger. Es war Blut darauf.

Er betupfte sich die Wange. Es fühlte sich wie ein Schnitt an, ein großer Schnitt, der über den gesamten Wangenknochen verlief. Auf seinem Kragen entdeckte er einen großen roten Flecken – offenbar war ihm viel Blut das Gesicht hinabgelaufen.

Aber wann? Er hatte es nicht gespürt. Und er konnte sich an keinen schmerzhaften Schnitt erinnern. Vielleicht war es geschehen, als er von Reese hinabgeschleudert worden war, nachdem er sie umgeworfen hatte. Oder als sie wie ein wild gewordenes Pferd um sich getreten hatte. Swain runzelte die Stirn. Alles lag ihm nur nebelhaft im Gedächtnis. Grau in Grau.

»Ja, ich bin in Ordnung«, sagte er.

Holly nickte zu Balthasar hinüber, der gegen das stählerne Geländer gelehnt dasaß. »Was ist mit ihm?«

»Eigentlich wollte ich gerade nachsehen«, meinte Swain und kam auf die Knie. »Könntest du das bitte für mich halten?« Er reichte ihr die schwere Taschenlampe.

Holly schaltete sie ein und hielt sie so über Swains Schulter, dass der Lichtstrahl auf Balthasars Gesicht fiel.

Der große Mann zuckte zusammen. Swain beugte sich vor. »Nein, nein, nicht die Augen schließen«, sagte er leise. Er hielt Balthasars linkes Auge offen. Es war heftig gerötet, eine schlimme Reaktion auf Reeses Speichel.

»Könntest du die Lampe bitte etwas näher halten …«

Holly trat vor, und als der Schein herankam, öffneten sich Balthasars Pupillen.

Swain beugte sich zurück. Da stimmte doch etwas nicht …

Er ließ den Blick über Balthasars Körper schweifen. Alles an ihm deutete darauf hin, dass er menschlich war – Gliedmaßen, Finger, Gesichtszüge. Er hatte sogar braune Augen.

Die Augen, dachte Swain.

An den Augen stimmte etwas nicht. An ihrer Reaktion auf das Licht.

Menschliche Augen zogen sich zusammen, wenn sie direkt vom Licht getroffen wurden. Sie öffneten sich in der Dunkelheit oder bei schlechter Beleuchtung, damit so viel Licht wie möglich auf die Retina treffen konnte. Diese Augen öffneten sich jedoch bei hellerem Schein.

Es waren keine menschlichen Augen.

Swain wandte sich an Selexin. »Er sieht menschlich aus und handelt auch so. Aber er ist es überhaupt nicht, stimmt's?«

Selexin nickte beeindruckt. »Stimmt. Obwohl beinahe – eigentlich so nah wie möglich. Aber nein, Balthasar ist definitiv nicht menschlich.«

»Was ist er dann?«

»Ich hab's Ihnen zuvor schon gesagt. Balthasar ist ein Criseaner. Ein hervorragender Meister der Klinge.«

»Aber warum sieht er menschlich aus?«, fragte Swain. »Die Chancen, dass die Evolution es zulassen würde, dass ein Alien aus einer anderen Welt genau wie ein Mensch aussieht, lägen bei einer Million zu eins.«

»Einer Milliarde zu eins«, korrigierte ihn Selexin. »Und benutzen Sie doch bitte den Ausdruck ›Alien‹ nicht allzu großzügig. Es ist ein so hartes Wort. Abgesehen davon bilden in Ihrer gegenwärtigen Situation die Aliens die Mehrheit.«

»Entschuldigung.«

»Nichtsdestoweniger haben Sie Recht«, fuhr Selexin fort. »Balthasar ist nicht menschlich, auch nicht von Gestalt. Er ist ebenso wie ein anderer Wettkämpfer namens Bellos amorph. Imstande, die Gestalt zu wechseln.«

»Seine Gestalt zu wechseln?«

»Ja. Sie haben richtig gehört. Genauso, wie Ihr Chamäleon die Färbung seiner Haut ändern kann, um sich seiner Umgebung anzupassen, können Balthasar und Bellos so etwas tun, nur dass sie nicht ihre Färbung wechseln: Sie verändern ihre gesamte äußere Gestalt. Das ist durchaus sinnvoll. Man macht sich menschlich, wenn man in einem menschlichen Labyrinth kämpft, weil alle Türen oder Klinken oder möglichen Waffen für die menschliche Gestalt geschaffen sind.«

»Ah, ja«, meinte Swain und wandte sich wieder Balthasar zu.

Hawkins kehrte vom Aufzug zurück.

»Es hat ein bisschen gebraucht«, sagte er, »aber mir ist es schließlich gelungen, die Röhre aus ihrer ...«

Swain hielt Balthasars anderes Auge offen und spähte unter dem Licht der Taschenlampe hinein.

»Aus ihrer ... was?«, fragte er, ohne sich umzudrehen.

Der Officer gab keine Antwort.

Swain blickte auf. »Was ist los ...« Er brach ab.

Hawkins starrte über das Geländer hinweg auf das Atrium im Erdgeschoss. Swain fuhr herum und folgte seinem Blick hinab.

»*O mein Gott!*«, sagte er langsam. Dann wandte er sich rasch an Holly und streckte die Hand nach der Taschenlampe aus. »Schnell, schalte sie ab!«

Die Taschenlampe erlosch. Erneut hüllte blaues Mondlicht sie ein. Stephen Swain spähte über das Geländer.

Der Mann stand einfach da. Groß und schwarz. Zwei spitz zulaufende Hörner ragten ihm hoch über den Kopf. Das sanfte Mondlicht blitzte auf dem üppigen Gold an seiner Brust.

Er stand neben einer Glasvitrine unten im Atrium. Einfach so. Angespannt blickte er in einen der Gänge vor ihm, auf etwas, das Swain nicht sehen konnte.

Es überlief ihn kalt.

Er starrt nicht, dachte er. *Er pirscht.*

Selexin trat neben ihn.

»Bellos«, flüsterte er, ohne den gehörnten Mann im Atrium unten aus den Augen zu lassen. Eine Spur Ehrfurcht lag in seiner Stimme, eine unmissverständliche Verehrung. »Der Wettkämpfer der Malonier. Das sind die tödlichsten Jäger der Galaxis. Trophäensammler. Sie haben mehr Präsidia gewonnen als alle anderen Arten. Na ja, sie führen sogar eine sechsfache interne Jagd durch, um zu entscheiden, wer von ihnen am Präsidian teilnehmen wird.«

Swain beobachtete den Malonier, während er Selexin zuhörte. Der Gehörnte – Bellos – war ein prächtiges Exemplar von Mann. Groß und breitschultrig, ein Kleiderschrank und, abgesehen von dem Gold auf seiner Brust, völlig in Schwarz gekleidet. Eine imposante Erscheinung.

»Denken Sie daran. Amorph«, warnte Selexin. »Es ist sinnvoll, menschliche Gestalt anzunehmen. Viel sinnvoller noch, eine *hoch entwickelte* menschliche Gestalt anzunehmen.«

Swain wollte schon etwas erwidern, da hörte er Hawkins hinter sich flüstern: »*O mein Gott,* wo ist Parker?«

Er zog die Brauen zusammen. Davon hatte der Cop zuvor schon etwas verlauten lassen. Parker war seine Partnerin. Mit ihm für die Nacht im Gebäude stationiert. Vielleicht war sie noch immer hier irgendwo drin …

»*Salve moriturum es!*«

Die Stimme dröhnte durch das Atrium. Swain fuhr hoch, und ihm erstarrte das Blut in den Adern.

Er hat uns gesehen!

»Sei gegrüßt, Mitkämpfer. Vor dir steht Bellos ...«

Swains Gedanken rasten. Wohin konnten sie sich wenden? Sie hatten einen guten Vorsprung. Sie waren nach wie vor eine ganze Etage über ihm.

»... Urenkel von Trome, dem Gewinner des Fünften Präsidian. Und wie sein Urgroßvater und die beiden Malonier vor ihm soll Bellos aus diesem Wettkampf allein hervorgehen, von niemandem besiegt und nicht vernichtet vom Karanadon. Wer bist du, mein würdiger und dennoch unglücklicher Gegner?«

Swain schluckte. Er holte tief Atem und wollte schon aufstehen und Antwort geben, da hörte er ein weiteres Geräusch – ein seltsames Klicken und Zischen.

Es kam von unten.

Von irgendwo anders im Atrium.

Wie ein Stein ließ sich Swain fallen. Bellos hatte nicht *sie* gesehen.

Er forderte jemand anderen heraus.

Da tauchte langsam ein weiterer Wettkämpfer auf. Von links. Ein dunkler, skelettartiger Schatten, der langsam zwischen den Regalen hervorkam.

Still und heimlich kroch er auf Bellos zu.

Wer er auch sein mochte, er war groß – wenigstens zwei Meter lang –, jedoch dünn und erinnerte an ein Insekt. Er hatte lange gewinkelte Gliedmaßen – denjenigen eines Grashüpfers nicht unähnlich –, mit denen er sich an eines der Bücherregale klammerte. Obgleich Swain sein Gesicht nicht gut erkennen konnte, sah er, dass sein finster wirkender Kopf zum Teil von einem stählernen Ding verdeckt war, das wie eine Maske aussah. Seine Bewegungen wurden von einem seltsamen mechanischen Atemgeräusch begleitet.

»Wer ist das?«, flüsterte er.

»Es ist der Konda«, erwiderte Selexin. »*Sehr* bösartige Kriegerspezies aus den äußeren Regionen; bemerkenswert entwickelte Insektenphysis. Nach Aussage derjenigen, die auf das Präsidian wetten, rangiert er auf der Liste der möglichen Sieger ziemlich weit oben. Halten Sie Ihr Auge auf die beiden vorderen Klauen gerichtet – die Spitzen der Daumennägel sondern eine höchst giftige Flüssigkeit ab. Wenn der Konda Ihre Haut durchbohrt und dann seinen Daumennagel in die Wunde drückt, werden Sie vor Schmerzen schreien, während Sie sterben, glauben Sie mir. Seine einzige Schwäche: Seine Lungen kommen mit Ihrer toxischen Atmosphäre nicht zurecht, daher der Atemapparat.«

Der Konda näherte sich weiterhin Bellos, ein bedrohlicher Schatten, der sich stetig entlang eines der Bücherregale bewegte.

Bellos rührte sich nicht. Er stand bloß wie versteinert neben der Vitrine.

Swain verspürte ein merkwürdiges Gefühl, während er ins Atrium hinabschaute. Eine Art von voyeuristischem Nervenkitzel, dass er Zuschauer bei etwas sein sollte, das sonst niemand zu Gesicht bekäme. Das niemand je zu Gesicht bekommen wollte.

Der Konda kroch vorsichtig auf Bellos zu. Je näher er kam, desto schneller wurde er …

Plötzlich hielt Bellos die Hand hoch.

Sogleich blieb der einem Grashüpfer ähnliche Konda stehen.

Swain zog die Brauen zusammen.

Weshalb war er …?

Da fing etwas anderes seinen Blick ein.

Etwas im Vordergrund, *zwischen* Swain und dem Konda.

Es war klein und schwarz – ein der Dunkelheit überge-
stülpter Schatten – und schlängelte sich rasch und lautlos
über die hölzerne Oberseite der Bücherregale. Es näherte
sich dem Konda von hinten.

Von hinten.

Voller Erstaunen beobachtete Swain eine weitere, iden-
tische Kreatur, die aus der anderen Richtung über die Bücherregale kroch. Ihre Bewegungen ähnelten der einer
Katze, und sie wirkte ebenso bedrohlich in ihrem überragenden Geschick beim Anschleichen.

Selexin sah sie ebenfalls.

»Oh, ihr Götter«, keuchte er, »*Hoodaya.*«

Swain drehte sich zu dem kleinen Mann um. Mit großen
Augen und bleich vor Furcht starrte Selexin ins Leere.

Swain fuhr wieder herum.

Zwei weitere der kleinen Kreaturen – jede etwa so groß
wie ein Hund – krochen auf allen vieren oben auf den Regalen und setzten leichtfüßig über die Gänge hinweg. Sie
hatten pechschwarze Köpfe – lange, nadelspitze Zähne
und knochige, jedoch muskulöse Gliedmaßen –, und ihre
dünnen Schwänze peitschten bedrohlich hin und her.

»Das kann er nicht tun«, flüsterte Selexin in sich hinein.
»Er *kann's* nicht. Mein Gott, *Hoodaya.*«

Die vier kleineren Kreaturen – Hoodaya, vermutete
Swain – bildeten jetzt einen weiten Kreis um den Gang, in
dem der insektenhafte Konda stand.

Er hatte sich keinen Millimeter gerührt. Er hatte sie
nicht bemerkt.

Noch nicht.

Bellos senkte die Hand. Dann wandte er sich ab.

Sogleich verlagerte der Konda sein Gewicht.

Er hat keine Ahnung, dachte Swain, das Geländer um-
klammernd. *Er hat nicht die geringste Chance …*

In diesem Moment sprangen die vier Hoodaya von ihren Regalen herab.

In den Gang unten.

Grässliches, schrilles *Alien*-Gekreisch erfüllte das Atrium. Die Regale zu beiden Seiten des Gangs zitterten, als sich der Konda bei dem jähen Angriff heftig hin und her warf.

Hawkins stand das Entsetzen ins Gesicht geschrieben. Selexin war wie betäubt. Swain zog Holly eng an sich heran und drehte ihr Gesicht von der Szenerie weg. »Nicht hinsehen, Schatz.«

Das scheußliche Gekreisch ertönte in einem fort.

Da stürzte ohne Vorwarnung das Regal um, das bislang die Sicht versperrt hatte, und Swain hatte auf einmal die ganze grässliche Szene voll im Blick – den wie wahnsinnig kreischenden Konda, der gänzlich unter den vier Hoodaya verschwunden war. Seine beiden giftgetränkten vorderen Gliedmaßen wurden weit gespreizt von zweien der Hoodaya am Boden festgehalten, während die anderen beiden Kreaturen wild an seinem Gesicht und Bauch zerrten. Innerhalb von Sekunden hatten sie dem Konda die stählerne Maske vom Kopf gerissen, und augenblicklich wurde das Gekreisch der unseligen Kreatur zu einem verzweifelten heiseren Keuchen.

Dann brach das schmerzvolle Stöhnen abrupt ab, und der Körper des Konda fiel schlaff zu Boden.

Aber die Hoodaya ließen nicht ab. Sie rissen die langen, nadelspitzen Zähne weit auseinander und senkten sie in die Haut des Konda. Blut spritzte in alle Richtungen, als ein Hoodaya einen großen Brocken Fleisch aus dem Kadaver des Konda herausriss und ihn triumphierend in die Höhe hielt.

Swains Kopf fuhr nach links, weil er ein weiteres Geräusch vernahm.

Schritte.

Eilige Schritte. Leise, kaum vernehmlich, wurden sie immer leiser. Sie entfernten sich.

Einer der Hoodaya hörte sie gleichfalls – und hob den Kopf von seiner Mahlzeit. Er sprang vom Leichnam des Konda herab und rannte in den nächsten Gang davon, in Richtung auf das Treppenhaus.

Swain wusste nicht, was vor sich ging, bis er etwas stolpern hörte, als wäre jemand zu Boden gestoßen worden.

Da vernahm er weiteres Geschrei – ein verzweifeltes, Mitleid erregendes Aufjaulen –, das abbrach, kaum dass es angefangen hatte.

Swain hörte Selexin neben sich schlucken, und ihm wurde klar, was das zu bedeuten gehabt hatte.

Es war der Führer gewesen. Der Führer des Konda. Swain sah den Ausdruck auf Selexins Gesicht. Der andere Führer hatte nicht den Hauch einer Chance gehabt.

»Selexin.«

Keine Antwort.

Selexin starrte lediglich schockiert ins Leere.

»*Selexin!*«, flüsterte er und stieß den kleinen Mann an.

»W ... was?« Allmählich kam Selexin wieder zu sich.

»Schnell«, sagte Swain hart. Er musste den Führer irgendwie aus seinem benommenen Zustand herausholen. »Erzählen Sie mir was über sie. Diese Hoodaya, oder wie zum Teufel Sie sie nennen.«

Selexin schluckte. »Hoodaya sind Jagdtiere. Bellos ist ein Jäger. Bellos benutzt Hoodaya zur Jagd. Einfach.«

»Hey«, meinte Swain. »Erzählen Sie weiter.«

»Weshalb? Es spielt keine Rolle. Jetzt nicht mehr.«

»Warum nicht?«

»Mr. Swain, ich muss Ihnen meine Anerkennung aussprechen. Ihre bisherigen Anstrengungen hatten mir bis jetzt einige Hoffnung eingeflößt, dass Sie überleben könnten. Sie haben bereits jede bisherige menschliche Bemühung im Präsidian übertroffen. Nun aber«, sagte Selexin ebenso eilig und verzweifelt, »nun habe ich die traurige Pflicht, Ihnen mitzuteilen, dass Sie gerade Zeuge der Unterzeichnung Ihres eigenen Todesurteils geworden sind.«

»Was?«

»Sie können nicht gewinnen. Das Präsidian ist vorüber. Bellos hat die Regeln geschändet. Falls er entdeckt wird – aber dazu wird es nicht kommen, weil er zu gerissen ist –, wird er disqualifiziert – getötet. Falls aber nicht, *wird er gewinnen.* Niemand kann Bellos entrinnen, wenn er Hoodaya dabei hat. Sie sind das effektivste Werkzeug des Jägers. Gnadenlos und bösartig. Hat er sie an seiner Seite, kann niemand Bellos den Sieg nehmen.«

Selexin schüttelte den Kopf.

»Erinnern Sie sich an den Karanadon?«, fragte er und zeigte auf das grüne Lämpchen an Swains Armband.

»Ja.« In Wahrheit hatte Swain ihn völlig vergessen, aber das sagte er Selexin nicht.

»Nur eine Person hat jemals erfolgreich einen Karanadon in der Wildnis getötet. Und wissen Sie, wer das war?«

»Sagen Sie's mir.«

»Bellos. *Mit seinen Hoodaya.*«

»Prächtig.«

Es folgte ein verlegenes Schweigen.

Dann fragte Swain: »Also gut. Wie hat er sie hier reingekriegt? Wenn er ebenso hergebracht wurde wie ich – hätte man dann nicht darauf geachtet, dass er nichts mitnimmt?«

»Stimmt genau, aber es muss einen Weg gegeben haben … etwas, an das niemand gedacht hat … einen Weg, sie hierher zu teleportieren …«

»He.« Hawkins tippte Swain auf die Schulter. »Er unternimmt was.«

Bellos hatte sich über den Leichnam des Konda gebeugt und tat etwas, das Swain nicht sehen konnte. Als er sich schließlich aufrichtete, hielt Bellos die Atemmaske des Konda in der Hand. Eine Trophäe.

Er befestigte sie an seinem Gürtel und brüllte dann den drei Hoodaya, die sich noch immer am Rumpf des Konda labten, einen scharfen Befehl zu. Sofort sprangen sie von dem toten Wettkämpfer herunter und stellten sich hinter Bellos. Zur gleichen Zeit kehrte der vierte Hoodaya vom Treppenhaus zurück. Große Fetzen von blutbesudeltem Stoff hingen ihm an Zähnen und Klauen.

Daraufhin ging Bellos zu einem halbkreisförmigen Schreibtisch in der Mitte des Atriums hinüber. Swain erkannte so gerade eben die Worte auf dem darüber hängenden Schild: INFORMATION.

Hawkins hinter ihm schnappte eilig nach Luft.

Bellos beugte sich über den Informationsschalter, hob etwas mit einer seiner großen schwarzen Hände hoch und trug es zum Leichnam des Konda hinüber.

Sobald er es sah, wusste Swain, was es war. Es war klein, weiß und schlaff. Bellos' eigener Führer.

Bellos sprach einige eilige Worte, und die Hoodaya schossen hinter den Informationsschalter. Daraufhin legte er sich den leblosen Körper des Führers über die Schulter und richtete ihn auf den toten Wettkämpfer.

»*Einschalten!*«, befahl Bellos laut.

Im selben Augenblick erschien eine kleine Kugel aus gleißendem weißem Licht über dem Kopf des leblosen Führers, die den weiten offenen Raum des Atriums erhellte. Instinktiv duckte sich Swain tiefer hinter das Geländer, um nicht von dem Schein getroffen zu werden. Die weiße Kugel glühte etwa fünf Sekunden lang, bis sie abrupt verschwand und das Atrium wieder in Dunkelheit lag.

Feierlich wandte sich Selexin an Swain. »Das, Mr. Swain, war Bellos Bestätigung seines ersten Sieges.«

Swain wandte sich an die um ihn versammelte Gruppe. »Meiner Ansicht nach ist es an der Zeit, von der Bildfläche zu verschwinden.«

»Da haben Sie wohl Recht.« Hawkins entfernte sich bereits vom Geländer.

Swain hievte sich Balthasar auf die Schulter. »Holly, schnell, den Aufzug«, flüsterte er.

»In Ordnung.«

Er wandte sich an Hawkins. »Wir kehren zum Aufzug zurück. Halten Sie ihn erneut zwischen den Stockwerken an. Das war bislang der sicherste Ort zum Verstecken.«

»Von mir aus gern«, erwiderte Hawkins.

Swain zog Balthasar vom Geländer weg. Holly hielt sich an seiner Seite, und Hawkins, Selexin und Balthasars Führer gingen voraus. Alle strebten zum abgedunkelten Aufzug hinüber, dessen Türen offen standen.

Da geschah es.

Die Lifttüren schlossen sich langsam.

Swain schoss Hawkins einen Blick zu. Der rannte sofort los, kam aber zu spät. Genau in dem Augenblick, als er dort eintraf, hatten sich die Türen geschlossen.

»Verdammt!«, fluchte er.

Swain trat neben ihn und sah zu den Zahlen oberhalb der Lifttüren auf. Die erleuchteten Ziffern bewegten sich abwärts, von ›1‹ über ›E‹ bis schließlich zu ›UG-1‹.

»Der Aufzug …«, flüsterte er.

»Meine Güte«, sagte Hawkins, dem es dämmerte, »*sie*

haben rausgekriegt, wie man die gottverdammten Aufzü-
ge benutzt.«

»Sie sind intelligent …«, begann Selexin.

»Sie sind *Tiere,* um Gottes willen«, meinte Hawkins, vielleicht eine Spur zu laut.

»Aliens, ja. Tiere, nein«, flüsterte Selexin. »Ich würde doch meinen, um einen so komischen Apparat wie Ihren Aufzug zu verstehen, bedarf es schon einer bemerkenswerten Intelligenz.«

Hawkins wollte gerade etwas erwidern, als sich Swain einmischte. »Na schön. Spielt keine Rolle. Wir finden anderswo ein Ver …«

»He, Dad, sei nicht dumm«, sagte Holly, die gleich neben dem Rufknopf stand. »Ich kann den Aufzug doch zurückholen.«

Swain bekam vor Entsetzen große Augen.

»Holly, nein!« Er sprang zu ihr und wollte sie daran hindern, aber es war zu spät.

Sie hatte bereits den AUFWÄRTS-Knopf gedrückt.

Swain schloss die Augen und senkte den Kopf. Der runde Knopf glühte hell in der Dunkelheit des ersten Stockwerks.

Er konnte es nicht fassen. Jetzt müsste derjenige, der den Lift benutzte, nicht einmal *raten,* auf welcher Etage sie sich befanden. Auch müsste er sich nicht überlegen, wie er den Aufzug benutzen musste. Weil Holly den Rufknopf gedrückt hatte, würde die Kabine gleich nach dem Einsteigen seines Passagiers *automatisch* hier auf der ersten Etage anhalten.

»Was habe ich getan?«, fragte Holly. »Hab ich was falsch gemacht, Dad?«

Swain seufzte. »Nein. Vielen Dank, Schatz. Du hast nichts falsch gemacht.« Er reichte Balthasar an Hawkins weiter und kehrte leise zum Balkon zurück, der das Atrium überblickte.

Bellos stand nach wie vor hinter dem Infoschalter und legte gerade seinen Führer ab. Er wusste offenbar nichts von ihrer Anwesenheit.

Wenigstens das. Mit nachdenklich gesenktem Kopf kehrte Swain zum Aufzug zurück. Sie mussten verschwinden. Sehr bald käme etwas in diesem Lift herauf, und bis dahin wollte er gern über alle Berge sein.

Schließlich blickte er zum Aufzug hinüber.

Holly starrte ihm direkt ins Gesicht.

Selexin und der andere Führer standen mit weit geöffnetem Mund da.

Hawkins, der Balthasar aufrecht hielt, stand ebenfalls einfach da und sah starren Blicks auf Swain.

Aber es war Balthasar, der Swains Aufmerksamkeit erregte.

Der große bärtige Mann hatte den linken Arm um Hawkins' Schulter gelegt, um sich zu stützen. Den rechten hielt er hoch in der Luft, und in seiner Hand glitzerte eine böse aussehende Klinge.

In der Schwebe.

Zum Wurf bereit.

Swain wusste nicht, was er tun sollte. Was war geschehen? Balthasar war dabei, ein Messer auf ihn zu schleudern, und die anderen unternahmen nichts ...

Balthasar warf das Messer.

Swain wartete auf den Aufprall. Wartete, dass es ihm in die Brust drang und er den sengenden Schmerz spürte, wenn sich ihm das Messer tief ins Herz grub ...

Das Messer pfiff mit erstaunlicher Geschwindigkeit durch die Luft.

Haarscharf an ihm vorüber.

Swain hörte das Aufschlaggeräusch, mit dem sich das hässlich aussehende Messer hinter ihm ins Geländer bohrte. Ins *Stahl*geländer.

Daraufhin vernahm er das Gekreisch.

Ein durchdringendes Jaulen nackter Qual.

Swain fuhr herum. Balthasars Messer hatte die linke vordere Klaue des Hoodaya am Stahlgeländer festgenagelt. Das Messer war mit so viel Kraft geschleudert worden, dass es sich mehrere Zentimeter tief in den Stahl gebohrt hatte. Es hatte den Hoodaya beim Versuch erwischt, vom Erdgeschoss unten über das Geländer zu klettern – *unmittelbar hinter Swain.*

Der Hoodaya kreischte, und einen Moment lang sah ihn Swain ganz aus der Nähe. Vier muskulöse schwarze Gliedmaßen, alle mit langen, dolchähnlichen Klauen bewaffnet; einen langen peitschenden Schwanz. Das Merkwürdigste war allerdings der Kopf: Anscheinend bestand der Kopf dieses hundegroßen Tiers lediglich aus zwei riesigen Kieferknochen. Irgendwo gab es auch Augen, aber Swain sah lediglich die nadelspitzen gebleckten Zähne im weit aufgerissenen Maul.

Hinter dem Hoodaya erhaschte Swain – nur für den Bruchteil einer Sekunde – einen Blick auf Bellos, der neben dem Infoschalter stand.

Und zu ihm hochschaute.

Lächelnd.

Er hatte es die ganze Zeit über gewusst …

Swain wich stolpernd vom Geländer zurück. Der Hoodaya zerrte an seiner Klaue. Offenbar bewahrte ihn einzig und allein das Messer, das sie am Geländer festnagelte, vor dem Absturz.

In diesem Augenblick ertönte erneut ein Pfeifgeräusch in der Luft, und plötzlich bohrte sich ein *zweites* Messer in die Vorderpfote des Hoodaya und trennte den dünnen Knochen gerade oberhalb der festgenagelten Klaue sauber ab!

Sogleich stürzte der Hoodaya aufkreischend in die Tiefe, ins Atrium weit unten – und ließ an seiner Stelle eine knochige, fünfgliedrige Klaue zurück, die das erste Wurfmesser auf das Geländer gespießt hatte.

Hawkins schrie Swain zu: »Hier! Hier rüber!«

Swain sah das zusammengewürfelte Grüppchen auf den Fotokopierraum rechts zulaufen. Er rannte hinter ihnen her, und als er die Tür erreichte, warf er einen Blick über die Schulter: Der erste der verbliebenen Hoodaya schlich gerade langsam und bedrohlich über das Geländer.

Swain schloss die Tür und schaute sich im Kopiererraum um.

Hawkins ging, Balthasar über der Schulter, voraus. Er warf die andere Tür am entgegengesetzten Ende des Raums mit der Aufschrift »INTERNETRAUM« auf. Außer dieser Tür trennte eine feste Betonwand die beiden Räume voneinander. Holly und die anderen eilten hinter Hawkins her, und Swain folgte ihnen.

Auf der Schwelle hielt er inne. Er stand auf einem staubigen, handgeschriebenen Schild, das vor einiger Zeit von der Wand gefallen sein musste. Darauf stand:

```
STATE LIBRARY OF NEW YORK
INTERNET-/ONLINE-DIENST WEGEN REPARATUR
GESCHLOSSEN.
WIR BEDAUERN, WENN ES ZU UNANNEHMLICHKEI-
TEN KOMMT.
```

»Ich weiß nicht, ob das eine so gute Idee ist.« Er trat ein, zog die Tür hinter sich zu und verschloss sie.

Plötzlich ertönte ein lautes *Bamm!* von irgendwo hinter ihm. Swain fuhr herum. Er lugte durch ein kleines, in die Tür eingelassenes rechteckiges Fenster – die Hoodaya warfen sich gegen die *äußere* Tür des Kopiererraums!

Er wandte sich dem Internetraum zu.

»Entschuldigung«, sagte Hawkins und ließ den erschöpften Balthasar zu Boden gleiten.

Der Internetraum der State Library of New York – ein vergleichsweise neuer Anbau an ein vergleichsweise altes Gebäude – war wenig mehr als ein weiter, leerer Raum mit Kabeln, die von einer ungestrichenen Decke herabhingen, sowie elektrischen Anschlüssen in den Wänden. Keine Computer. Keine Modems. Sogar der Lichtschalter neben der Tür war lediglich ein plumpes Metallgehäuse mit einer Vielzahl ausgefranster Drähte. Ein Eckraum. Zwei Wände hatten Fenster, aber es gab keine weiteren Türen.

Es gab nur den einen Zugang.

Es war eine Sackgasse.

Na wunderbar, dachte Swain.

Das Hämmern draußen ging unermüdlich weiter. Swain blickte durch das kleine rechteckige Fenster in der Tür hinaus. Die äußere Tür zum Fotokopiererraum rührte sich nicht, abgesehen von einem plötzlichen Beben alle paar Sekunden, wenn sich die Hoodaya von der anderen Seite dagegen warfen.

Hawkins und Holly standen an den Fenstern und sahen hilflos über den Park draußen hinweg.

Swain zog Holly beschützend zurück. »Geh nicht zu nah ran«, sagte er und zeigte auf den Fensterrahmen, auf die winzigen blauen elektrischen Krallen, die um dessen Kanten schnellten.

»Ehm, entschuldigen Sie bitte, aber wir haben wohl dringlichere Probleme als die *Fenster*«, sagte Selexin ungeduldig.

Das Hämmern der Hoodaya an der Außentür ging weiter.

»Genau.« Swains Blicke durchsuchten den Raum nach etwas, das er benutzen konnte. Er hätte alles gebrauchen können. Aber hier gab es nichts. Absolut nichts. Der Raum war völlig kahl.

Da brach laut krachend die Außentür zum Fotokopierraum nach innen.

»Sie sind drinnen.« Hawkins rannte zur Tür und lugte durch das kleine Fenster.

»Mein Gott«, sagte Swain.

Sogleich warf sich der erste Hoodaya gegen die Tür. Sie erzitterte, und Hawkins trat eilig zurück.

»Zurück!«, sagte Swain. »Sie werden sich das Fenster vornehmen!«

Wie auf Kommando sprang der zweite Hoodaya das in der Tür eingelassene Fenster an.

Es brach explosionsartig nach innen und im nächsten Moment war die Luft voller Glassplitter. Der Hoodaya klammerte sich an den Rahmen und griff ziellos mit einer Klaue in den Raum hinein.

Die anderen Hoodaya warfen sich immer wieder gegen die Tür.

»Was jetzt?«, schrie Hawkins. »Sie wird nicht lange halten. Wie die andere Tür!«

»Ich weiß! Ich weiß!« Swain versuchte nachzudenken.

Die Hoodaya hämmerten weiterhin lautstark gegen die Tür. Die Scharniere quietschten bedrohlich. Der Hoodaya, der den Arm durch das zerbrochene rechteckige Fenster gesteckt hatte, versuchte es jetzt mit dem Kopf, aber die Öffnung war zu klein. Er zischte und knurrte wie wahnsinnig.

Swain fuhr herum. »Alle in diese Ecke da!« Er zeigte auf die entfernteste Ecke. »Ich möchte ...«

Er hielt inne – horchte auf das Geräusch des leichten Regens, der gegen die Fenster schlug. Etwas war anders geworden. Etwas, das ihm beinahe entgangen wäre. Er lauschte in das Schweigen hinaus.

Das Schweigen.

Das war's.

Das Hämmern hatte aufgehört.

Was taten sie jetzt?

Da sah Swain zur Tür.

Langsam, kaum wahrnehmbar, begann der Türknauf sich zu drehen.

Hawkins sah es ebenfalls. »*Heilige Scheiße ...*«, keuchte er.

Swain sprang zur Tür.

Zu spät.

Der Knauf drehte sich weiter, und dann ...

... Klick!

Schloss er sich. Swain atmete wieder.

Erneut drehte sich der Knauf. Klickte wiederum.

Drehte sich. Klickte.

Sie prüfen ihn. Immer und immer wieder, dachte er voller Entsetzen.

In diesem Augenblick – Swain schaute gerade zur Tür hoch – glitt eine lange schwarze Klaue langsam und lautlos durch das zerbrochene Fenster.

Der knochige schwarze Arm griff nach unten und spannte dabei langsam die gezackten, rasiermesserscharfen Fingernägel. Die tödliche schwarze Klaue tastete suchend umher, und da ging Swain plötzlich auf, was sie tat.

Er fuhr zu Balthasar herum – nachsehen, ob der große Mann ein weiteres Messer auf die Klaue schleudern konnte. Aber nach den beiden Messerwürfen von eben war Balthasar völlig erschöpft. Er saß einfach mit gesenktem Kopf auf dem Boden. Swain sah die Messer in seinem Wehrgehenk, dachte kurz daran, selbst eines zu benutzen, kam dann aber zu dem Entschluss, sich besser von der bösartig aussehenden Klaue des Hoodaya fern zu halten.

»Schnell«, sagte er zu Hawkins. »Handschellen.«

Verwirrt griff Hawkins in seinen Pistolengürtel und zog ein Paar Handschellen hervor. Swain schnappte sie sich.

Die Klauenhand schob sich langsam nach unten und kam dem Türknauf immer näher.

»*Er versucht, die Tür aufzuschließen* …«, keuchte Hawkins ehrfürchtig. Sobald er den Knauf von der Innenseite aus gedreht hätte, würde sich die Tür öffnen. *Öffnen* …

Swain hob die Hand zur Tür und versuchte gleichzeitig, die Handschellen aufzubekommen. Aber sie wollten sich nicht öffnen lassen.

Erneut klapperte der Knauf, und Swain vollführte einen Satz. Er hielt sich bereit, sollte die Tür aufspringen.

Sie blieb geschlossen.

Das Geräusch war von außen gekommen. Einer der Hoodaya draußen versuchte erneut, den Knauf zu drehen. Die Tür war nach wie vor verschlossen. Aber die Klauenhand näherte sich weiter dem Knauf von der *Innenseite*.

»Sie sind verschlossen! Die Schellen sind verschlossen!«, rief Swain ungläubig, während er an ihnen herumfummelte.

»Scheiße, natürlich.« Hawkins zog einige Schlüssel aus seiner Tasche. »Hier. Der kleinste.«

Swain nahm die Schlüssel mit zittrigen Händen entgegen und versuchte, den kleinsten in das Schloss der Handschellen zu stecken.

»*Beeilung!*«, rief Selexin.

Die Klaue war jetzt am Knauf. Tastete.

Swain zitterten die Hände dermaßen, dass der Schlüssel aus dem Schlüsselloch der Handschelle rutschte.

»*Beeilen Sie sich!*«, schrie Selexin.

Erneut steckte Swain den Schlüssel hinein und drehte ihn. Die Handschellen sprangen auf.

»Da!«, sagte er und glitt unter den Türknauf.

Die Klauenhand versuchte jetzt, den Knauf zu packen.

Swain streckte die Hand nach dem Lichtschalter gleich neben der Tür aus. Dessen Überreste waren mit einem festen, plumpen Metallgehäuse verdrahtet. Swain steckte die Handschellen durch einen Spalt in dem Gehäuse.

Die Klauenhand drehte langsam den Knauf.

Swain schob die zweite Schelle hinter der Klauenhand um den schmalsten Teil des Knaufs – dem Teil dicht an der Tür selbst.

Daraufhin verschloss er die Handschellen um den Türknauf, *gerade als* die Klauenhand ihn vollständig herumgedreht hatte. Es folgte ein lautes *Klick!*, und die Tür öffnete sich. Sie schwang leicht etwa zwei Zentimeter nach innen.

Dann wurde die Tür plötzlich und heftig von außen gerammt.

Im gleichen Moment strafften sich die Handschellen. Das Gehäuse an der Wand hielt.

Die Tür stand jetzt vielleicht zehn Zentimeter weit auf. Swain ließ sich zurückfallen, weil einer der Hoodaya bösartig durch den schmalen Spalt zwischen Tür und Rahmen nach ihm schlug.

Die Hoodaya knurrten jetzt laut, kratzten am Türrahmen herum und warfen sich gegen die Tür.

Aber die Handschellen hielten.

Der Spalt war zu schmal.

Die Hoodaya, so groß wie Hunde, passten nicht hindurch.

»Gut gemacht«, meinte Hawkins.

Swain zeigte sich nicht beeindruckt. »Wenn sie sie nicht öffnen können, werden sie die Tür bald aufgebrochen haben. Wir müssen hier raus!«

Das Hämmern der Hoodaya ging weiter.

Swain drehte sich um – auf der Suche nach einem weiteren Ausgang –, da fiel sein Blick plötzlich auf Holly drüben an einem der Fenster. Sie beugte sich über das Fensterbrett, als hätte sie sich wehgetan.

»Holly? Bist du in Ordnung?« Er eilte zu ihr.

»Ja …«, erwiderte sie versunken.

Über das Hämmern hinweg erfüllte das Knurren und Zischen der Hoodaya den Raum.

»Was tust du da?«, fragte er rasch.

»Spiele mit dem Strom.«

Swain warf einen verstohlenen Blick zur Tür. Dann trat er neben sie und schaute ihr über die Schulter. Holly hielt den Telefonhörer etwa vier Zentimeter vom Fensterbrett weg. Sie schob ihn näher heran, und da schienen sich die kleinen Äste blauen Blitzlichts in einem weiten Umkreis *zurückzuziehen* – sie wichen vom Hörer zurück.

Swain hatte völlig vergessen, dass Holly den Hörer noch bei sich hatte. Er zog die Brauen zusammen. Er wusste nicht, weshalb die Elektrizität zurückweichen sollte. Schließlich war der Hörer tot …

Das Hämmern und Knurren der Hoodaya ging weiter.

Noch hielt die Tür stand.

»Kann ich das mal haben?«, fragte Swain rasch. Holly reichte ihm den Hörer, und er warf einen Blick zurück zur Tür.

Da brach das Hämmern und Knurren ganz plötzlich ab. Stille.

Swain hörte die Hoodaya aus dem Fotokopierraum rennen.

»Was geht da vor?«, fragte Hawkins.

»Weiß ich nicht.« Swain ging zur Tür und blickte durch den Spalt hinaus.

»Kommen sie zurück?«, wollte Selexin wissen.

»Ich sehe sie nicht«, erwiderte Swain. »Warum sind sie verschwunden?«

Durch den Türspalt sah er, dass die Hoodaya bei ihrem Verschwinden die äußere Tür des Fotokopierraums weit offen gelassen hatten. In einiger Entfernung dahinter und eingehüllt in Dunkelheit, befand sich der Lift.

Da verstand er, weshalb die Hoodaya so plötzlich verschwunden waren.

Mit einem leisen *Ping!* öffneten sich langsam die Aufzugtüren.

Welch *himmlische Ruhe,* dachte Bob Charlton sarkastisch, als er die Räumlichkeiten des 14. Bezirks des New
York Police Department betrat, in denen geschäftiges Trei-
ben herrschte.

Er war schon häufiger hier gewesen, aber dieses Mal
war das Hauptfoyer wesentlich weniger bevölkert –
höchstens achtzig Leute trieben sich am heutigen Abend
hier herum. Er trat an den Empfangsschalter und rief
über das Getöse hinweg: »Bob Charlton, zu Captain
Dickson, bitte!«

»Mr. Charlton? Henry Dickson«, sagte Dickson und
streckte die Hand aus, als Charlton sein vergleichsweise
ruhiges Büro betrat. »Neil Peters hat gesagt, Sie würden
runterkommen. Was kann ich für Sie tun?«

»Ich habe ein Problem in der Innenstadt, und man hat
mir gesagt, Sie könnten mir dabei behilflich sein.«

»Jaaa ...«

»Irgendwann während der letzten vierundzwanzig Stunden«, sagte Charlton, »haben wir eine Hauptstromleitung
im südlich-zentralen Netzbezirk verloren. Lieutenant Peters hat gesagt, Sie hätten früher am Tag in diesem Gebiet
einen Burschen aufgesammelt.«

»Wo liegt Ihr Netz?«, fragte Dickson.

»Die Grenzen sind Jefferson und West 91st auf der Nord-
Süd-Achse.«

Dickson schaute auf eine Karte an der Wand neben ihm.

»Ja, stimmt. Wir haben einen Burschen in diesem Gebiet aufgesammelt. Heute früh«, sagte Dickson. »Aber meiner Ansicht nach wird er Ihnen nicht viel von Nutzen sein. Wir haben ihn in der alten Bibliothek erwischt.«

»Was hat er denn da gemacht?«

»Computerklau. Ein Schmalspurdieb. Offensichtlich haben sie gerade ein paar neue Pentiums da installiert. Aber dieses arme Schwein muss über was viel Größeres gestolpert sein.«

»Etwas Größeres?«, fragte Charlton.

»Wir haben ihn blutbeschmiert aufgefunden.«

Charlton sah verständnislos drein.

»Nur dass es nicht sein Blut war. Es war das des Wachmanns.«

»Oh, mein Gott!«

»Verdammt richtig.«

Charlton beugte sich ernst vor. »Wie ist er reingekommen? In die Bibliothek, meine ich.«

»Wissen wir noch nicht. Ich habe jetzt ein paar Babysitter da unten. Wie Sie sehen, haben wir ganz schön zu tun. Das hiesige SID-Kommando wird morgen hingehen und die Stelle suchen, wo er reingekommen ist.«

»Dieser Dieb, ist er noch da?«, fragte Charlton.

»Ja. Wir haben ihn unten eingesperrt.«

»Kann ich mit ihm sprechen?«

Dickson zuckte die Schultern. »Sicher. Aber ich würde mir nicht allzu viel Hoffnung machen. Seitdem wir ihn hergebracht haben, hat er bloß dummes Zeug geschwafelt.«

»Schon in Ordnung. Ich versuch's trotzdem. Einige dieser alten Gebäude haben Umspanner an den komischsten Stellen. Ich könnte mir denken, dass er vielleicht beim Eindringen etwas kaputtgemacht hat. Können wir?«

»Natürlich.«

Beide Männer standen auf und gingen zur Tür. Dickson blieb stehen.

»Oh, eine kleine Warnung, Mr. Charlton«, meinte er. »Passen Sie auf, dass Ihnen nicht der Mageninhalt hochkommt. Das ist kein netter Anblick.«

Charlton zuckte zusammen, als er erneut einen Blick auf den Schwarzen in der kleinen Zelle warf.

Ziemlich offensichtlich war man außerstande gewesen, ihm alles Blut aus dem Gesicht zu wischen. Vielleicht hatten diejenigen, die ihn waschen sollten, sich gleichfalls übergeben, dachte Charlton. Wie dem auch sein mochte, sie hatten den Job nicht beenden können. Mike Fraser liefen nach wie vor breite Streifen eingetrockneten Bluts über das ganze Gesicht. Es sah aus wie eine bizarre Kriegsbemalung.

Fraser saß auf der anderen Seite der Zelle, starrte die Betonmauer an, führte hastig klingende Selbstgespräche und zuckte immer wieder mit der Hand nach einem imaginären Freund.

»Das ist er«, meinte Dickson.

»Mein Gott«, keuchte Charlton.

»Er hat nicht aufgehört, auf diese Mauer einzureden, seit wir ihn hier reingesetzt haben. Das Blut auf seinem Gesicht ist eingetrocknet. Er wird's später abwaschen müssen, wenn er wieder genügend bei Verstand ist, um eine Dusche zu benutzen.«

»Sie haben gesagt, sein Name ist Fraser ...«, erwiderte Charlton.

»Stimmt. Michael Thomas Fraser.«

Charlton trat vor.

»Michael?«, fragte er sanft.

Keine Reaktion. Fraser sprach weiter auf die Mauer ein.

»Michael? Können Sie mich verstehen?«

Keine Reaktion.

Charlton kehrte der Zelle den Rücken zu und sah Dickson an. »Sie haben nicht rausgefunden, wie er in diese Bibliothek gekommen ist, stimmt's?«

»Wie ich schon gesagt habe, morgen geht ein Kommando rein.«

»Stimmt ...«

»Sie werden nichts aus ihm rauskriegen«, sagte Dickson. »Er hat den ganzen Tag lang zu niemandem ein Wort gesprochen. Vielleicht hört er nicht mal Ihre Stimme.«

»Hm«, überlegte Charlton. »Armes Schwein ...«

Es hört Ihre Stimme«, flüsterte Mike Fraser Bob Charlton ins Ohr.

Charlton sprang von der Zelle weg.

Fraser stand dicht am Gitter, nur Zentimeter von seinem Kopf entfernt. Charlton hatte ihn nicht einmal die Zelle durchqueren hören.

Fraser sprach weiter in einem aufgeregten Flüsterton. *»Was es auch ist, es hört Ihre Stimme! Und wenn Sie weiter reden ...«*

Der Schwarze drückte das blutbeschmierte Gesicht gegen das Gitter und versuchte, so dicht wie möglich an Charlton heranzukommen. Die Blutstreifen quer über seinem Gesicht ließen ihn wie das Böse an sich erscheinen.

»Was es auch ist, es hört Ihre Stimme! Und wenn Sie weiter reden ...«, zischte Fraser wie wahnsinnig. Er begann zu jammern.

»Und wenn Sie weiter reden! Reden! Reden! Aaaah!«
Fraser blickte zur Decke auf, zu einer imaginären Kreatur, die ihn drohend überragte. Er hielt die Hände hoch, um den unsichtbaren bösen Geist abzuwehren. *»Oh, mein*

Gott! Es ist hinter mir her! Es ist hier! Oh, Gott, hilf mir!
Jemand soll mir helfen!«

Verzweifelt rüttelte er an den Eisenstangen der Zelle. Schließlich sackte er schlaff in sich zusammen. Die Arme hingen zwischen den Gitterstäben hindurch. Dann schaute Fraser zu Charlton auf.

»Gehen Sie nicht da hin!«, zischte er.

Charlton beugte sich näher heran und fragte sanft: »Warum? Was ist dort?«

Verstohlen und bösartig lächelte ihn Fraser durch die Blutmaske an. »Wenn Sie hingehen, na gut. Aber Sie kommen nicht lebend zurück.«

»Er ist verrückt. Alles vergessen, mehr nicht«, meinte Dickson, als sie zum Haupteingang der Station zurückkehrten.

»Sie meinen, er hat den Wachmann umgebracht?«, fragte Charlton.

»Er? Niemals. Obwohl er vielleicht über die Typen gestolpert ist, die's getan haben.«

»Und Sie glauben, die haben ihn aufgemischt? Ihn zu Tode erschreckt, indem sie ihn mit dem Blut des Wachmanns bemalt haben?«

»So was in der Art.«

Charlton strich sich beim Gehen das Kinn. »Ich weiß nicht. Ich überprüfe wohl besser unsere Verbindungen zu dieser Bibliothek. Einen Versuch ist's wert. Vielleicht haben diejenigen, die Michael Fraser in die Finger bekommen haben, auch meine Leitung gekappt. Und wenn sie die Verbindung zum Umspanner ruiniert haben, kann ich verdammt nochmal nicht ausschließen, dass die gesamte Hauptstromleitung lahm gelegt wird.«

Sie erreichten den Ausgang.

»Sergeant«, sagte Charlton, als sich die beiden Männer die Hände schüttelten, »vielen Dank für Ihre Zeit und Hilfe. Es war, na ja, interessant, um es vorsichtig auszudrücken.«

STEPHEN SWAIN SPÄHTE durch die mit den Handschellen gesicherte Tür des ziemlich großspurig als Internetabteilung bezeichneten Raums der New York State Library.

Die Türen des abgedunkelten Aufzugs hatten sich jetzt vollständig geöffnet, aber nichts geschah.

Der Lift stand einfach nur da.

Offen und ruhig.

Die Hoodaya waren nirgendwo zu entdecken. Nachdem sie aus dem Fotokopierraum gehuscht waren, mussten sie jetzt irgendwo draußen auf dem Balkon sein. Sich verbergen …

Swain schaute lange hin und wartete darauf, dass etwas aus der Kabine käme.

»Könnte leer sein«, flüsterte Hawkins.

»Könnte«, erwiderte Swain. »Vielleicht ist derjenige, der den Knopf gedrückt hat, gar nicht reingegangen.«

»Pscht!«, zischte Selexin. »Jemand kommt raus.«

Sie wandten sich wieder dem Aufzug zu.

»Auweia!«, meinte Hawkins.

»O je«, seufzte Swain. »Gibt dieser Bursche denn niemals auf?«

Der Schwanz kam als Erstes. Er war nach vorn gerichtet und schwebte einen Meter über dem Boden. Swain erkannte deutlich den leichten Knick wenige Zentimeter von der Spitze entfernt, wo der Knochen gebrochen war. Als Nächstes folgten die Fühler, daraufhin schob sich vorsichtig die Schnauze aus dem Aufzug.

»Sie ist kein *Bursche*«, sagte Selexin. »Ich *hab's* Ihnen schon früher gesagt. Reese ist weiblich.«

»Wie hat sie die Funktionsweise des Aufzugs herausbekommen?«, fragte Hawkins, während Reese drüben die Schnauze senkte und den Boden beschnüffelte.

»Ich könnte mir vorstellen, dass sie Mr. Swains Geruch an einem der Knöpfe gewittert hat«, antwortete Selexin.

Abrupt fuhr Reeses Schnauze hoch und zeigte direkt auf sie. Sogleich duckten sich Swain und Hawkins hinter die Tür. Selexin rührte sich nicht.

»Was tun Sie da? Sie kann Sie nicht *sehen*«, flüsterte er. »Sie kann Sie lediglich riechen. Sich hinter der Tür zu verstecken, löscht Ihre Geruchsspur nicht aus. Abgesehen davon, weiß sie wahrscheinlich längst, dass wir hier sind«, fügte er säuerlich hinzu.

Swain und Hawkins stellten sich wieder an die Tür.

»Warum verfolgt sie uns dann nicht?«, fragte Hawkins.

Selexin seufzte. »Ehrlich gesagt, grenzt es an ein Wunder, dass ich mir überhaupt die Mühe mache, Ihnen etwas zu erklären. Der Grund, weshalb Reese uns nicht direkt verfolgt, liegt doch wohl auf der Hand.«

»Und der wäre?«, wollte Hawkins wissen.

»Weil sie etwas anderes riecht«, erwiderte Selexin. »Eine andere Kreatur, die ihr, wie ich mit absoluter Sicherheit annehme, bei weitem mehr Sorgen bereitet als Sie.«

»Die Hoodaya«, meinte Swain, der Reese nicht aus den Augen ließ. Nach wie vor stand sie vollkommen reglos im offenen Aufzug.

»Genau. Und da sie erst vor ganz kurzer Zeit dort draußen waren, ist ihr Geruch wahrscheinlich sehr stark«, sagte Selexin. »Daher würde ich im Augenblick davon ausgehen, dass Reese äußerst besorgt ist.«

Eine lange Minute beobachteten sie Reese schweigend.

Ihr langer, dinosaurierähnlicher Körper rührte sich keinen Zentimeter. Ihr Schwanz war hoch aufgerichtet, bereit zum Zuschlagen.

»Was tun wir also?«, fragte Hawkins schließlich.

Swain runzelte die Stirn.

»Wir gehen raus«, erwiderte er nach kurzem Überlegen.

»*Was!*«, riefen Selexin und Hawkins gleichzeitig.

Swain streckte bereits die Hand nach den Handschellen aus und löste sie.

»Zum einen können wir hier nicht bleiben«, sagte er. »Früher oder später wird einer dieser Hunde da draußen diese Tür einschlagen. Spätestens dann sitzen wir in der Falle. Ich sage, wir begeben uns in die Startlöcher und rennen los, sobald etwas geschieht.«

»Sobald *etwas geschieht?*«, fragte Selexin. »Ein ziemlich ungenauer Plan, wenn ich es so ausdrücken darf.«

Swain steckte sich die Handschellen in die Tasche und wandte sich achselzuckend dem kleinen Mann zu. »Sagen wir einfach, ich habe das Gefühl, dass dort draußen etwas geschehen wird. Und wenn das der Fall ist, dann bitte auf die Plätze, fertig und los!«

Mehrere Minuten später hatte sich Swain Balthasar über die Schulter gelegt, während Hawkins Holly an der Hand hielt. Die Tür war einen halben Meter weit geöffnet.

Draußen stand Reese wie erstarrt vor dem Aufzug. Sie war sichtlich angespannt und wachsam.

Sie warteten.

Reese rührte sich nicht.

Eine weitere Minute verstrich.

Swain wandte sich an die Gruppe. »Also gut, wenn ich sage: ›los!‹, dann lauft ihr direkt zum Treppenhaus. Wenn ihr dort ankommt, bleibt nicht stehen, schaut euch nicht um, sondern rennt sofort rauf. Nachdem wir die dritte Etage erreicht haben, gehe ich voraus. In Ordnung?«

Sie nickten.

»Gut.«

Eine weitere Minute verstrich.

»Sieht nicht so aus, als würde sich da was tun«, meinte Selexin mürrisch.

»Er hat Recht«, sagte Hawkins. »Vielleicht legen wir die Handschellen besser wieder um die Tür ...«

»Noch nicht«, erwiderte Swain, der angespannt zu Reese hinüberschaute. »Sie sind dort draußen, und Reese weiß es ... *Da!*«

Reese fuhr abrupt nach rechts, drehte sich von ihnen weg. Etwas hatte ihre Aufmerksamkeit erregt.

Swain packte Balthasar fester. »Also gut, ihr alle, haltet euch bereit, jetzt gilt's!«

Langsam zog Swain die Tür auf und wagte sich in den Fotokopierraum hinaus. Die anderen folgten ihm zur äußeren Tür.

Reese sah nach wie vor in die andere Richtung.

Swain legte die freie Hand leicht auf die Außentür. Sein Blick war fest auf Reese gerichtet, und er betete, dass sie sich nicht umdrehen und angreifen würde.

Er schob die Tür weiter auf und trat hinaus.

Jetzt sah er das Treppenhaus, links drüben. Reese und die Aufzüge waren etwa sieben, acht Meter weiter rechts. Hinter ihr erblickte er den weiten leeren Raum, der bis zum Erdgeschoss des Atriums hinabfiel. Er stellte es sich so vor, dass er, wenn er sich einfach aus der Tür schieben und leise zum ...

Plötzlich wirbelte Reese herum.

Swains Herz setzte einen Schlag aus. Er kam sich vor wie

ein Dieb, der mit der Hand in der Tasche erwischt worden war – völlig ohne Deckung. Auf frischer Tat ertappt.

Er erstarrte.

Aber Reese hielt nicht inne.

Sie drehte sich einfach weiter, bis sie einen vollen Kreis von dreihundertsechzig Grad umschlossen hatte.

Swain atmete wieder. Er wusste nicht, was los war, bis ihm aufging, dass Reeses rasche Bewegung überhaupt keine Drohgebärde darstellte.

Es war ein Verteidigungszug.

Reese war verängstigt, aufgeregt, und sah – nein, *roch* – in alle Richtungen.

Sie ist umzingelt, dachte Swain. *Sie weiß, dass wir hier sind, aber sie ist zu dem Entschluss gekommen, dass sie sich wegen uns keine Sorgen zu machen braucht. Das sind wir nicht wert. Da draußen ist etwas anderes, Gefährlicheres ...*

Sie hatten keine Zeit zu verlieren.

Das war die Gelegenheit.

Swain wandte sich den anderen zu und flüsterte: »Kommt! Wir hauen ab!«

Halb ihn zerrend, halb ihn tragend, holte Swain Balthasar über die Schwelle. Er wagte nicht, die Augen von Reese abzuwenden. Die anderen rannten an ihm vorüber zum offenen Treppenhaus. So schnell er konnte, humpelte Swain ebenfalls darauf zu. Balthasars schlaffer Körper lastete schwer auf ihm. Er hatte das Treppenhaus fast erreicht, da begann der Angriff auf Reese.

Ein Hoodaya.

Wild kreischend vollführte er vom Erdgeschoss aus einen Satz über das Geländer. Die Klauen hatte er ausgestreckt und das Maul weit geöffnet.

Swain hievte Balthasar ins Treppenhaus und versuchte

dabei zu beobachten, was hinter ihm geschah. Und als er im Treppenhaus verschwand, erhaschte er als Letztes einen flüchtigen Blick auf Reese, die wie wahnsinnig aufschrie und den Schwanz herumschwang, um sich des Angriffs der heranstürmenden Hoodaya zu erwehren.

Mit polternden Schritten rannte Swain die Stufen hinauf. Balthasars Gewicht lastete schwer auf seinen Schultern.

Die anderen erwarteten ihn an der Feuerschutztür, auf der die Ziffer 3 stand. Swain reichte Balthasar an Hawkins weiter.

»Warum bleiben wir hier stehen?«, fragte der junge Cop. »Sollten wir nicht weiter nach oben?«

»Höher geht's nicht«, erwiderte Swain. »Wir können da nicht raus. Die Tür zum Dach ist unter Strom gesetzt.«

»Dad, was tun wir jetzt?«, fragte Holly.

Swain drückte die Feuerschutztür ein wenig auf. »Wir suchen ein Versteck, Schatz.«

»Dad, wo sind die Ungeheuer?«

»Ich weiß es nicht. Hoffentlich nicht hier oben.«

»Dad …«

»Pscht. Warte einfach hier«, sagte Swain. Schweigend wich Holly zurück.

Swain trat durch die Tür und ließ seinen Blick durch den Raum schweifen.

Ja. Hier wollte er bleiben.

Der Lesesaal mit der niedrigen Decke erstreckte sich weit in die Ferne. Seine L-förmigen Schreibtische bildeten einen hüfthohen Irrgarten. Der ganze Raum war in Dunkelheit getaucht, abgesehen von dem weichen blauen Licht der Stadt, das durch die Fenster an der anderen Seite drüben hereinsickerte.

Langsam beugte sich Swain herab und schaute unter die

Tische. Durch die Beine sah er quer über den gesamten Raum. Es waren keine Füße zu erkennen – oder sonst etwas, worauf zum Teufel diese Kreaturen auch immer gehen mochten.

Der Lesesaal war leer.

Swain steckte den Kopf zur Feuerschutztür hinaus. »Na gut, ihr alle. Rein hier, rasch!«

Die anderen betraten den Lesesaal. Swain nahm Hollys Hand und führte sie durch das gewundene Labyrinth der Schreibtische.

»Dad, mir gefällt's hier nicht.«

Swain schaute sich im Raum um. »Tja, mir auch nicht«, erwiderte er zerstreut.

»Dad?«

»Was ist, Schatz?«

»Dad, können wir jetzt gehen …?«

Swain zeigte auf eine Ecke in der Nähe der Fenster. »Dort ist es.« Er beschleunigte seinen Schritt und zerrte Holly heftiger hinter sich her.

Hawkins folgte ihnen. »Was ist dort?«, fragte er. Er sah lediglich ein Schild an der Wand, auf dem stand:

BITTE RUHE!
DIESER RAUM DIENT DEM PRIVATEN STUDIUM!
TASCHEN BITTE DRAUSSEN LASSEN!

»Gleich da drüben«, erklärte Swain.

Neben dem Schild an der Wand sah Hawkins eine große, feste, graue Tür. Offenbar der Eingang zu einem Putzmittelraum.

Swain packte den Knauf. Er ließ sich leicht drehen. Unverschlossen.

Die Tür öffnete sich langsam. Deutlich vernehmbar

zischte eine Hydraulik. Swain dachte nicht weiter darüber nach. Alle großen Türen im Krankenhaus benötigten eine Hydraulik, damit die Leute sie öffnen konnten, so schwer waren sie.

Er suchte den Lichtschalter, entschied jedoch, ihn nicht zu betätigen. Jeglicher Lichtschein wäre bestimmt ein Nachteil.

Er ließ den Blick über den Raum schweifen. Kalte graue Betonmauern, ein Karren mit Eimern und Mopps, dazu bis zum Überquellen mit Reinigungsmitteln und Bohnerwachs gefüllte Regale sowie mehrere Planen, die man über große Stapel mit weiteren Gerätschaften gezogen hatte, die ein Hausmeister so braucht.

Diffuses weißes Licht von den Straßenlaternen draußen strömte durch zwei lange rechteckige Fenster hoch oben in der linken Wand. Unmittelbar der Tür gegenüber befand sich ein bis zur Decke reichendes Gitter, das den Raum in zwei Hälften teilte und in dessen Mitte ein rostiges eisernes Tor eingelassen war. Auf der anderen Seite standen weitere Regale mit Reinigungsmitteln, dazu gab es noch ein paar mit dunklem Stoff überzogene Stapel.

Die Gruppe trat ein, und Swain zog als Letzter die hydraulische Tür hinter sich zu. Sie schloss sich mit einem leisen *Wumm*.

Holly ließ sich ein wenig von der Tür entfernt nieder und lehnte sich an das Gitter. Hawkins legte Balthasar auf den Fußboden unterhalb der Fenster und blickte prüfend über den Raum. Er nickte. »Hier sollten wir in Sicherheit sein.«

»Für eine Weile, ja«, meinte Swain.

»Wie lange bleiben wir hier?«, wollte Selexin wissen.

»Solange wir können«, erwiderte Swain.

»Hurra!«, meinte Hawkins ausdruckslos.

»Und wie lange ist das?« Wieder Selexin.

»Keine Ahnung. Vielleicht bis zum Ende. Im Augenblick bin ich mir nicht sicher.«

»Sie dürfen nicht vergessen, dass dort draußen *immer* etwas sein wird«, sagte Selexin. »Selbst wenn alle Wettkämpfer tot sind, werden Sie es nach wie vor mit dem Karanadon zu tun haben.«

»Ich muss mit überhaupt nichts zu tun haben«, erwiderte Swain schroff.

»Was wollen Sie damit sagen?«

»Damit will ich sagen, dass ich nicht zum Kämpfen hier bin. Ich will sagen, dass ich nicht hier bin, um Ihren blöden Wettkampf zu gewinnen. Ich will sagen, dass ich mir im Augenblick lediglich Sorgen darum mache, wie ich meine Tochter und die anderen lebendig hier herausbekomme.«

»*Aber das können Sie nicht, wenn Sie nicht gewinnen*«, sagte Selexin ärgerlich.

Swain sah den kleinen Mann streng an. Einige Sekunden lang schwieg er.

»Da wäre ich mir nicht so sicher«, meinte er dann leise, fast zu sich selbst.

»Bitte, wie war das?«, fragte Selexin empört. Inzwischen war es ein Streit.

»Ich habe gesagt, ich wäre mir da nicht so sicher.«

»Sie glauben, Sie können das Labyrinth verlassen?«, fragte Selexin herausfordernd.

Swain schwieg. Er blickte zu Holly hinüber, die daumenlutschend am Gitter lehnte.

Selexin wiederholte: »Sind Sie ernsthaft der Ansicht, Sie könnten das Labyrinth verlassen?«

Swain sagte kein Wort.

»Meinen Sie, wir können hier raus?«, flüsterte ihm Hawkins zu.

Swain blickte zum Fenster unter der Decke und überlegte. Schließlich sagte er: »Ja.«

»Unmöglich.« Balthasars Führer trat vor. »Völlig unmöglich.«

»Du hältst dich da raus«, fauchte Selexin wütend.

Swain starrte ihn verblüfft an. Der kleine Mann war zuvor schon gereizt gewesen, sogar ärgerlich, aber nicht derart wütend.

Sogleich trat Balthasars Führer den Rückzug an. Selexin fuhr wieder zu Swain herum.

»*Wie?*«, verlangte er zu wissen.

»Wie?«

»Ja. Wie sollen wir hier rauskommen? Was schlagen Sie vor?«

»Sie *wollen* hier raus?« Swain konnte es nicht fassen. Nachdem er vor einiger Zeit diese Lektion über die Großartigkeit und Ehre, die eine Teilnahme am Präsidian bedeutete, erhalten hatte, fiel es ihm schwer zu glauben, dass Selexin selbst hinaus *wollte*.

»Natürlich will ich raus.«

Balthasars Führer unterbrach erneut. »O ja, wirklich? Wirst du mir die Erwähnung einer unangenehmen Tatsache verzeihen, Selexin: Du *kannst aber nicht!*«

Selexin erwiderte nichts.

»Selexin, das Präsidian hat angefangen«, fuhr Balthasars Führer fort. »Es *kann* und *wird* nicht enden, ehe nicht ein Gewinner ermittelt ist. Das ist der einzig ehrbare Weg.«

»Jegliche Ehre, die diese Sache gehabt haben mochte, ist doch wohl zum Teufel gegangen, als euer Freund Bellos seine Bluthunde mitgebracht hat, oder irre ich mich da?«, meinte Swain.

»Finde ich auch«, sagte Selexin und funkelte Balthasars

Führer an. »Bellos hat die Regeln gebrochen. Und mit den Hoodaya kann und wird *er* nicht aufzuhalten sein. Wir müssen hier raus.«

»Um was zu tun?«, fragte der andere Führer höhnisch. »Mithilfe unserer Zeugen-Teleporter um Hilfe rufen? Sie übermitteln nur Bilder, Selexin, keinen Ton.«

»Dann eben *alles auf eine Karte setzen*«, erwiderte Selexin. »Wenn zwei Wettkämpfer das Labyrinth verlassen, ihre Zeugen-Teleporter initialisieren und in die Kameras winken, wird den Kontrolleuren des Präsidian schon aufgehen, dass da etwas nicht stimmt.«

Der andere Führer starrte Selexin an. »Unsere beiden Wettkämpfer werden außerhalb des Labyrinths wohl nicht sehr lange überleben«, meinte er selbstgefällig.

»Warum?«

»Weil sie nur exakt fünfzehn Minuten haben«, entgegnete der andere Führer lächelnd.

»Oh«, machte Selexin und zog die Brauen zusammen. »Stimmt ja.«

Swain war verwirrt. Es war, als sprächen Selexin und Balthasars Führer in einer anderen Sprache.

»Was wollt ihr damit sagen?«, fragte er Selexin.

Traurig erwiderte Selexin: »Erinnern Sie sich daran, was ich Ihnen zuvor über Ihr Armband gesagt habe?«

Swain warf einen Blick auf das schwere graue Band um sein Handgelenk. Das hatte er völlig vergessen.

Das kleine grüne Lämpchen darauf leuchtete hell. Auf der Anzeige war jetzt zu lesen:

INITIALISIERT - 6

Sechs? überlegte Swain. Ihm fiel der Wettkämpfer im Erdgeschoss – der Konda – ein, der von den Hoodaya getötet worden war. Anscheinend zählte das Armband jetzt *rück-wärts*. Verringerte die Zahl, wann immer ein Wettkämpfer ausgeschaltet wurde. Bis nur einer übrig blieb.

Und wenn nur einer übrig war, käme der Karanadon, von dem Selexin immerzu redete. Was *das* auch immer sein mochte.

»Erinnern Sie sich?«, fragte Selexin erneut.

»Ja, ich erinnere mich wohl.«

»Erinnern Sie sich, dass Ihr Armband automatisch nach einer Viertelstunde explodiert, sobald es sich außerhalb des elektrischen Felds um das Labyrinth befindet?«

Swain runzelte die Stirn. Plötzlich ergab alles einen Sinn. »Und mir bleiben fünfzehn Minuten zur Rückkehr.«

»*Genau*«, fauchte Balthasars Führer.

Niemand sagte ein Wort. Eine volle Minute lang herrschte absolutes Schweigen. Jemand holte lang und tief Luft.

»Also«, sagte Balthasars Führer schließlich, »selbst wenn Sie hinauskommen, sind Sie ein toter Mann.«

Swain sah ihn an und schnaubte. »Vielen Dank.«

»Wissen Sie, Sie sind wirklich eine echte Hilfe«, meinte Hawkins zu dem kleinen Mann.

»Zumindest schätze ich meine Lage realistisch ein.«

»Zumindest kümmere ich mich einen Scheißdreck um das Leben von jemand anderem«, gab Hawkins zurück. »Ich an Ihrer Stelle würde mir mehr Sorgen um mein eigenes machen.«

»Ja, aber Sie sind nicht ich …«

»Na schön, na schön«, sagte Swain. »Beruhigt euch. Wir müssen einen Weg hier raus finden, statt übereinander herzufallen.« Er wandte sich an Selexin. »Besteht *irgendeine* Möglichkeit, dieses Ding hier von meinem Handgelenk zu bekommen?«

Selexin schüttelte den Kopf. »Nein. Es geht nicht ab ... es sei denn, Sie ...« Er zuckte die Schultern.

»Ich weiß, ich weiß. Es sei denn, ich gewinne das Präsidian, stimmt's?«

Selexin nickte. »Nur die Offiziellen am anderen Ende haben die nötige Ausrüstung, um es zu entfernen.«

»Können wir es aufbrechen?«, schlug Hawkins vor.

»Kann hier irgendwer diese Tür aufbrechen?«, fragte Balthasars Führer ironisch zurück und zeigte auf die schwere Hydrauliktür des Putzmittelraums. »Wenn nicht, dann kann wohl auch niemand dieses Armband aufbrechen. Es ist zu stark.«

Die Gruppe verfiel in Schweigen.

Swain warf erneut einen Blick auf das Armband. Während der vergangenen Minuten schien es auf einmal viel schwerer geworden zu sein. Er durchquerte den Raum, setzte sich neben Holly und lehnte sich an das Gitter.

»Wie geht's *dir*?«, fragte er leise.

Sie gab keine Antwort.

»Holly? Was ist?«

Immer noch keine Antwort. Holly starrte abwesend vor sich hin.

»Komm schon, Hol, was ist los? Hab ich was getan?« Er wartete auf eine Reaktion.

Das war nicht ungewöhnlich. Holly weigerte sich oft, mit ihm zu sprechen, wenn sie sich zurückgestoßen oder ausgeschlossen fühlte oder schlicht auf stur schaltete.

»Holly, bitte, dafür haben wir jetzt keine Zeit.« Swain schüttelte verzweifelt den Kopf.

»Dad«, sagte Holly.

»Ja.«

»Sei ganz still, Dad. Sei ganz, *ganz* still.«

»Warum ...?«

203

»*Pscht.*«

Swain verstummte. Die anderen hatten sich unter den hohen Fenstern neben Balthasar niedergelassen. Zehn Sekunden lang saßen sie alle in völligem Schweigen da. Holly beugte sich zu Swains Ohr hinüber.

»Hörst du das?«, fragte sie flüsternd.

»Nein.«

»*Hör genau hin!*«

Swain sah Holly an. Sie saß völlig reglos an das Gitter gelehnt da, die Augen weit geöffnet, den Kopf starr aufgerichtet. Sie wirkte verängstigt. Zu Tode geängstigt. Erneut sagte sie etwas.

»Na gut, Dad. Achtung! Hör hin … *jetzt.*«

Da hörte er es.

Das Geräusch war sehr leise, jedoch unverkennbar vorhanden. Ein langes, langsames Einatmen.

Etwas atmete.

Etwas, gar nicht weit entfernt.

Plötzlich ertönte ein Schnarchen, das klang wie das leise Grunzen eines Schweins. Ihm folgte ein Scharren.

Dann wieder das Einatmen.

Es war langsam und rhythmisch, wie das Atmen eines Schläfers.

Selexin hörte es ebenfalls.

Als das Knurren ertönte, fuhr sein Kopf augenblicklich in die Höhe. Lautlos krabbelte er auf allen vieren über den Betonboden zu Swain hinüber.

»Wir müssen hier raus«, zischte er Swain ins Ohr. »Wir müssen *sofort* hier raus.«

Erneut das Einatmen.

»Er ist hier drin«, sagte Selexin. »Rasch, Ihr Armband.«

Swain zeigte sein Armband.

Das grüne Lämpchen brannte nach wie vor.

»Puuh«, keuchte Selexin.

»Er?«, fragte Swain. »Wer ist *er?*«

»Er ist hinter uns, Dad«, zischte Holly völlig reglos.

»O mein Gott ...«, keuchte Hawkins drüben auf der anderen Seite des Raums und erhob sich. Er schaute durch das Gitter. »Ich glaube, es ist verteufelt an der Zeit, hier die Fliege zu machen.«

Das Atemgeräusch ertönte erneut, diesmal lauter.

Dann wandte sich Stephen Swain langsam, ganz, ganz langsam um.

Er lag drüben in der anderen Ecke des Käfigs unter ein paar hoch an der Wand montierten Regalen. In der Dunkelheit wirkte er einfach wie ein weiterer großer, mit Stoff überzogener Hügel von Ausrüstungsgegenständen.

Nur dass er sich regte.

Langsam und stetig.

Im Rhythmus der tiefen Atemgeräusche hob und senkte er sich.

Swain folgte mit dem Blick dem Umriss des *Hügels*. Er war groß. In dem schwachen Licht des Vorratsraums konnte Swain so gerade eben lange spitze Stacheln auf einem gebogenen Rücken ausmachen ...

Ein lautes Grunzen.

Anschließend wälzte sich *der gesamte Hügel* auf die Seite, und sie hörten wieder die tiefen Atemzüge.

Selexin zupfte an Swains Hemd. »Gehen wir! *Gehen* wir!«

Swain stand auf, hob Holly vom Fußboden und ging zur Tür. Er griff gerade nach dem Türknauf, da hörte er ein leises beharrliches Piepen.

Es kam von seinem Armband. Das kleine grüne Lämpchen blitzte.

Selexin riss vor Entsetzen die Augen auf.

»Er wacht auf! Raus hier!«, schrie er. »*Sofort raus hier!*«

Er schoss an Hawkins vorüber, riss die Tür auf, schob Swain hindurch und kreischte: »Raus! Raus! Raus!«

Swain und Holly waren wieder draußen im leeren Lesesaal. Hawkins verließ gerade den Putzmittelraum, Balthasar über der Schulter, der andere Führer folgte dicht dahinter.

Selexin stürmte bereits zwischen die L-förmigen Schreibtische des Lesesaals. »Los, los! Nicht stehen bleiben! Keine Müdigkeit vorschützen, wir müssen so weit wie möglich weg von hier!«

Swain folgte mit Holly in den Armen – er schlängelte sich rasch zwischen den Schreibtischen hindurch, ließ den Putzmittelraum immer weiter hinter sich –, die anderen ihm dicht auf den Fersen.

Vor ihm jagte Selexin dahin. Er schaute sich beständig um, ob Swain ihm noch folgte.

»Das Band! Das Band! Sehen Sie auf Ihr Armband!«, rief er.

Swain warf einen Blick darauf. Es piepste jetzt entsetzlich laut, außerdem schneller.

Da hielt er inne.

Das grüne Lämpchen auf dem Armband war erloschen.

Jetzt leuchtete das rote auf.

Und es blinkte.

»O je.«

Hawkins holte sie ein. Er keuchte verzweifelt: »Was ist los?«

»Wir stecken gleich ziemlich tief in der Tinte«, erwiderte Swain.

In diesem Augenblick flog die schwere Hydrauliktür des Putzmittelraums aus den Angeln und sauste in den Lesesaal, wo sie mit einem ohrenbetäubenden *Bumm!* landete und mehrere Schreibtische zerquetschte.

»O Mann«, keuchte Hawkins.

»Ab durch die Mitte!« Swain wand sich rasend schnell durch das Labyrinth aus Schreibtischen. Sein Ziel war das Treppenhaus auf der entgegengesetzten Seite des Raums.

Er warf in dem Moment einen Blick über die Schulter, als *das Etwas* den Putzmittelraum verließ.

Es war *riesig.*

Absolut riesig. Es musste sich bücken und passte selbst dann nur so gerade eben durch den breiten Türrahmen, in dem sich keine Tür mehr befand.

Selexin sah ihn ebenfalls. »Es ist der Karanadon!«

Sie hatten die halbe Strecke durch den Lesesaal zurückgelegt, als der Karanadon über die Schwelle getreten war und sich zu voller Größe aufrichtete. Er berührte fast die Decke.

Swain rannte weiter. Er trug Holly zum Treppenhaus hinüber. Hawkins hinter ihm verlor an Boden, weil ihn das Gewicht Balthasars belastete. Als Allerletzter kam Balthasars Führer, der schiebend und drängelnd versuchte, Hawkins und Balthasar zu einer schnelleren Gangart zu bewegen. Dabei sah er sich beständig um, ob der Karanadon ihnen bereits auf den Fersen war.

Swain warf erneut einen Blick über die Schulter, um sich das Schrecken erregende Untier nochmals anzusehen.

Es blieb weiterhin in der Tür zum Putzmittelraum stehen und beobachtete sie.

Noch hatte es sich nicht gerührt.

Es stand einfach nur da.

Trotz des Lärms, den sie veranstalteten, während sie voller Panik durch das Labyrinth aus Schreibtischen zum Treppenhaus rannten, blieb es regungslos vor der Türschwelle stehen.

Swain umrundete einen weiteren Schreibtisch. Noch zwanzig Meter bis zum Treppenhaus. Erneut blickte er sich um.

Mein Gott, ist der groß! – mindestens fünf Meter hoch.

Er hatte den Körper eines gewaltigen haarigen und breitschultrigen Gorillas – und war völlig schwarz. Der nach vorn gebeugte, hoch gewölbte Rücken zeigte eine Reihe langer spitzer Stacheln. Lange muskulöse Arme hingen so weit von den mächtigen Schultern herab, dass die Fingerknöchel über den Boden schleiften.

Der Kopf war einen Dreiviertelmeter lang und erinnerte Swain an einen Schakal. Hoch aufgerichtete, zugespitzte Ohren. Schwarze, leblose Augen. Bedrohlich wirkende, hundehafte Fänge ragten aus einer dunklen, runzligen Schnauze hervor, die zu einem ewigen Knurren erstarrt war.

Er setzte sich in Bewegung.

Der Karanadon vollführte einen Satz nach vorn und jagte mit erschreckender Schnelligkeit hinter ihnen her. Er stapfte auf die zu Boden gefallene Tür, die sofort entzweibrach.

Swain packte Holly fester und stürmte zum Treppenhaus. Hawkins mühte sich mit Balthasar ab, dessen Führer sich verzweifelt umsah, dem jungen Beamten einen Schlag auf den Rücken versetzte und ihn anschrie, er solle gefälligst schneller machen.

Der Karanadon pflügte durch die L-förmigen Schreibtische wie ein Eisbrecher durch ein zugefrorenes Meer. Er schleuderte sie in alle Richtungen davon oder zerquetschte sie unter den Füßen. Die Schritte des großen Untiers klangen wie Geschützfeuer.

Bumm. Bumm. Bumm.

Swain und die anderen schlängelten sich weiter zwischen

den Tischen entlang. Der Karanadon kam nach wie vor in einer gerade Linie auf sie zu.

Selexin hatte das Treppenhaus erreicht, Swain war noch zehn Meter entfernt. Er sah sich prüfend um.

Hawkins, Balthasar und der andere Führer würden es nicht schaffen. Der Karanadon holte zu rasch auf.

Lass dir besser schnell was einfallen, Steve.

Bumm. Bumm. Bumm.

Er setzte Holly ab und blickte forschend in dem weitläufigen Lesesaal umher.

Er war grob viereckig. Er und Holly hatten das Treppenhaus an der westlichen Seite fast erreicht. Der Putzmittelraum befand sich annähernd ihnen gegenüber auf der nordöstlichen Seite. An der südöstlichen Seite waren die Aufzüge.

Bumm. Bumm. Bumm.

»Schneller!«, schrie Balthasars Führer Hawkins zu. »Um Gottes willen, er kommt näher!«

Der Karanadon pflügte krachend durch einen weiteren Tisch.

Da schob Swain Holly vom Treppenhaus *weg* auf die Aufzüge zu. »Los, Schatz. Wir laufen zu den Aufzügen.« Selexin am Treppenhaus rief er zu: »Hier entlang! Wir gehen hier entlang!«

Bumm. Bumm. Bumm.

»*Da* entlang?«, schrie Selexin zurück. »Was ist mit den Treppen?«

»Wir tun's einfach, ja?«

Der Karanadon hatte die anderen jetzt erreicht.

Er sprang Balthasars Führer an und schlug mit einem der langen Arme nach ihm. Der Führer duckte sich, und die gewaltige Klaue fuhr über seinen Kopf hinweg in einen Tisch gleich daneben, der krachend zersplitterte. Balthasars Führer taumelte nach vorn und stolperte über Hawkins' Beine, sodass alle drei – der Führer, Hawkins und Balthasar – der Länge nach hinfielen.

Hawkins schlug schwer auf seiner Schulter auf. Balthasar stürzte auf ihn. Sein Führer landete hilflos ihnen zu Füßen.

Bumm.

Es folgte ein jähes, entsetzliches Schweigen.

Der Karanadon war stehen geblieben.

Hawkins brach der Schweiß aus allen Poren. Er wand sich verzweifelt und versuchte, wieder auf die Beine zu kommen, aber sein rechter Arm war unter Balthasar eingeklemmt. Sein linker reagierte nicht einmal. Er hatte sich beim Sturz die Schulter ausgerenkt.

Der kleine Führer klammerte sich verzweifelt an seine Hose und versuchte ebenso verzweifelt, wieder hochzukommen.

»Hilf mir! *Hilf mir!*«, bettelte er, vor Schreck wie gelähmt.

Da wurde er plötzlich – und heftig – aus Hawkins Blickfeld gerissen.

Drüben von der Wand aus sah Swain voller Entsetzen seine drei Gefährten stürzen.

Der Karanadon war knapp vor ihnen stehen geblieben. Dann beugte er sich unter die Tische und verschwand. Als er wieder auftauchte, hielt er die deutlich erkennbare weiße Gestalt von Balthasars Führer in einer der gewaltigen schwarzen Klauen.

Der Führer wedelte wild mit den Armen und kreischte das Ungeheuer an. Der Karanadon hob ihn an seine Schnauze und musterte neugierig die lärmende kleine Kreatur, die er gefunden hatte.

Dann hielt er den Führer einhändig auf Armeslänge von sich weg und schlug ihm bösartig mit der freien Klaue über die Vorderseite des Körpers.

Swain fiel die Kinnlade herunter.

Hawkins riss vor Entsetzen weit die Augen auf.

Drei tiefe rote Schlitze öffneten sich in der Brust des Führers. Ein weiterer Schlag schlitzte ihm den Mund auf. Im gleichen Moment erschlaffte der Körper.

Im Raum herrschte auf einmal Totenstille.

Der Karanadon schüttelte den Körper einmal. Keine Reaktion. Erneut schüttelte das große Untier den leblosen Körper – wie ein Spielzeug, das nicht mehr funktionierte – und warf ihn dann weg.

Swain konnte Hawkins nach wie vor nicht sehen.

Er beugte sich herab und schaute zwischen den Tischbeinen hindurch – und da war er. Er lag flach auf dem Boden, eingekeilt unter Balthasar, außerstande, sich zu rühren. Dennoch versuchte er es.

Meine Güte, dachte Swain, *ich muss etwas für ihn tun …*

Bumm.

Hawkins wollte sich gerade freikämpfen, da spürte er, wie der Fußboden unter ihm zitterte. Er erstarrte, wandte sich langsam um und sah auf.

Und schaute in das weit geöffnete gewaltige Maul des Karanadon, das rasend schnell auf ihn zukam.

Er schloss die Augen. Es war zu …

»*He!*«

Sogleich fuhr der Kopf des Karanadon hoch.

»Ja, genau, ich rede mit Ihnen!«

Hawkins öffnete die Augen.

Was zum Teufel …?

Langsam wandte sich der Karanadon zu Swain um. Neugierig reckte er den Hals und starrte diese kühne Kreatur an, die es gewagt hatte, ihn beim Morden zu stören.

Swain winkte mit den Armen und kreischte wütend das fünf Meter große Untier an, das kaum fünfzehn Meter von ihm entfernt war.

»Ja, stehen Sie auf! Ist schon in Ordnung!«, brüllte Swain, das Gesicht zu einem grimmigen Knurren verzogen. Er ließ das Ungeheuer nicht aus den Augen.

Er hob die Stimme. Sie war jetzt wütend, herausfordernd. »*Ab durch die Mitte!* Ich halte ihn in Schach! Er sieht jetzt zu mir herüber! Hoch, und ab zum Treppenhaus!« Es war, wie wenn man mit einem Hund redete – das Ungetüm hörte den Tonfall, ohne aber den Sinn der Worte zu verstehen.

Plötzlich ging Hawkins auf, dass Swains Anweisungen an ihn gerichtet waren. Augenblicklich nahm er seine Bemühungen wieder auf, Balthasar von sich wegzuschieben. Innerhalb weniger Sekunden war das erledigt, und er kroch von dem Untier weg, während Swain es weiter beschäftigt hielt.

Der Karanadon wirkte völlig verblüfft, dass ihn jemand so herausforderte. Er brüllte Swain grimmig an.

»O ja! Nun ja ... du mich auch!«, schrie Swain zurück.

Aus dem Augenwinkel sah er Holly und Selexin die Aufzüge drüben an der südlichen Wand erreichen. Auf der anderen Seite trafen Hawkins und Balthasar gerade beim Treppenhaus ein.

Unglücklicherweise starrte ihm der Karanadon direkt ins Auge, während er völlig ohne Deckung auf halber Strecke zwischen den Aufzügen und der Treppe stand.

Scheiße. Was konnte er jetzt tun? *Gut gemacht, Steve. Bumm.*

Der Karanadon setzte langsam einen Schritt in seine Richtung.

Bumm. Bumm.

Zwei weitere Schritte, und plötzlich war die Kluft zwischen ihnen auf zweieinhalb Meter geschrumpft. Fast in Reichweite zum Zuschlagen.

»He!«

Der Kopf des Karanadon fuhr nach links, hinüber zu Selexin und Holly bei den Aufzügen drüben.

»Ja! So ist's richtig! Ich rede mit Ihnen!«, schrie Selexin.

Knurrend tat die Kreatur einen Schritt auf die Aufzüge zu. Brüllte.

Selexin nahm allen Mut zusammen, zeigte mit einem Finger auf den Karanadon und schrie: »O ja, *du mich auch!*«

Swain unterdrückte ein Lachen.

Der Karanadon brüllte vor Entrüstung. Er ließ Swain stehen und schritt zurück zu den Aufzügen. Er wurde immer schneller, da ertönte laut eine dritte Stimme:

»He!«

Ein drittes Mal blieb der Karanadon wie angewurzelt stehen.

»Ja, du!« Es war Hawkins.

Verblüfft schaute Swain zwischen den Aufzügen und dem Treppenhaus hin und her.

Jetzt drehte sich der Karanadon völlig konfus zu Hawkins herum. Swain packte die Gelegenheit beim Schopf und lief zum Lift. Dort angekommen, drückte er den Rufknopf.

Hawkins winkte dem Karanadon wild zu. Als er sich dem Cop auf fünf Meter genähert hatte, übernahm Swain an den Aufzügen wieder und rief:

»Hallo, du da! He, Kumpel! Was ist mit mir?«

Langsam wandte sich der Karanadon um.

Er schnaubte.

Bumm.

Swain sah zu den Zahlen oberhalb des linken Aufzugs auf. Der Lift bewegte sich von 1 zu E. Er fuhr *abwärts*. Was war das, zum Teufel? Der rechte Aufzug – dessen Türen nach innen verbogen waren und der, als Swain ihn zum letzten Mal gesehen hatte, auf halbem Weg zwischen dem ersten Stockwerk und dem Erdgeschoss feststeckte – funktionierte anscheinend überhaupt nicht.

Bumm. Bumm. Bumm.

»He!«, rief Hawkins erneut. Aber diesmal reagierte das Untier nicht. Es ging nach wie vor auf Swain und die Aufzüge zu.

Bumm. Bumm. Bumm.

»He!«, schrie Hawkins. Der Karanadon blieb nicht stehen. Er bahnte sich einfach weiter seinen Weg zu den Aufzügen hinüber.

»Wir sitzen in der Tinte«, meinte Selexin ausdruckslos.

»Wir sitzen tief in der Tinte«, pflichtete ihm Swain bei.

Bumm. Bumm. Bumm.

Swain fuhr herum. Welche *Möglichkeiten* bleiben uns? Schnell, schnell. Es gab keine. Er sah nach, welche Zahl über den Aufzügen aufleuchtete. Links – nach wie vor Erdgeschoss. Rechts – nach wie vor überhaupt keine Bewegung.

Eine Sekunde lang starrte er die Aufzüge an. Dann hatte er plötzlich eine Idee.

»Schnell«, rief er und ging zum *rechten* Lift hinüber. »Selexin, Holly, ihr beiden packt je eine Seite dieser Tür und zieht. Wir müssen sie aufkriegen.«

Bumm. Bumm. Bumm.

Der Karanadon kam näher – und wurde immer schneller.

Langsam gingen die Aufzugtüren auseinander. »Zieht weiter«, rief Swain. Der schwarze Schacht öffnete sich vor ihm.

Bumm.

»Das reicht«, meinte Swain, schob sich zwischen den Türhälften durch und spreizte die Beine. Dabei sah er weiter zum Lesesaal hinüber, während hinter ihm der dunkle Schacht gähnte.

Da kam Swain die Stille zu Bewusstsein. Keine dröhnenden Schritte mehr.

Der Karanadon war stehen geblieben.

Langsam, ganz, ganz langsam hob Swain den Kopf.

Das Untier stand *unmittelbar vor ihm!*

Anderthalb Meter entfernt.

Und es stand wie eine Statue, die sie alle drei drohend überragte. Die mächtige schwarze Gestalt degradierte sie zu Zwergen. Der Karandon hielt den Kopf gesenkt und blickte funkelnd auf Swain hinab. Eines seiner langen spitzen Ohren zuckte.

»Holly, Selexin«, flüsterte Swain, ohne die Lippen zu bewegen, »ihr beide haltet euch an meinen Beinen fest. Jeder an einem. *Sofort!*«

»Dad …«, wimmerte Holly.

»Einfach mein Bein festhalten, Schatz.«

Es ertönte ein Kratzen. Das waren die Klauen des großen Untiers, die auf dem Marmorfußboden scharrten, als es die großen schwarzen Fäuste anspannte.

Bereit zum Angriff.

Holly umklammerte Swains linkes Bein. Selexin nahm das rechte.

»Festhalten«, wies Swain sie an und holte tief Luft, als der Karanadon den Arm hoch in die Luft hob.

Pfeilschnell sauste der Arm herab – jedoch nicht schnell genug. Er traf ins Leere, denn Swain hatte sich nach hinten fallen lassen und war in die Dunkelheit des Aufzugschachts gesprungen.

DAS DRAHTSEIL DES AUFZUGS war schmierig, bot aber genügend Halt.

Es gab drei Seile, und er hielt sich am mittleren fest. Die Lifttüren hatten sich automatisch hinter ihm geschlossen, sobald er sie nicht mehr auseinander gedrückt hatte.

Im Schacht war es pechschwarz und totenstill. Falls der Karanadon brüllte, konnten sie es hier nicht hören.

»Selexin«, rief Swain, dass seine Stimme laut durch den leeren Schacht hallte. »Halten Sie sich an einem Seil fest.«

Selexin löste eine Hand von Swains Bein, streckte sie aus und ergriff eines der Halteseile.

»Schön. Jetzt rutschen Sie runter. Bis zum Aufzug.«

Selexin glitt hinab und verschwand in der trüben Dunkelheit des Schachts.

»Holly, bist du in Ordnung?«

»Ja.« Ein Wimmern.

»Also gut. Dann bist du jetzt an der Reihe. Streck einfach die Hand aus und pack das Seil.«

»In Ord … nung.«

Holly streckte die zittrigen Hände aus. Schier eine Ewigkeit verharrten ihre Finger knapp vor dem schmierigen Metallseil. Dann endlich packte sie zu.

Genau in dem Moment öffneten sich plötzlich knallend die Aufzugtüren.

Sanftes blaues Licht strömte in den Schacht und zeigte die monströse Silhouette des Karanadon, der die Türen auseinander hielt.

Er war nicht weit entfernt und Swain ohne jede Deckung, während er sich um des lieben Lebens willen an das Seil klammerte und Holly an seinem Bein baumelte.

Der Karanadon stieß ein lautes Brüllen hervor, beugte sich in den Schacht und schlug bösartig nach Swain, der jedoch einfach den Griff lockerte und eine Sekunde vor dem Treffer nach unten verschwand.

Swain fiel wie ein Stein. Er sauste das schmierige Seil in die Dunkelheit hinab, Holly immer noch am linken Bein.

Es ging rasch nach unten, und nur der Schmiere am Seil hatte es Swain zu verdanken, dass er sich nicht die Handflächen verbrannte. Schließlich landeten sie auf dem Dach des rechten Aufzugs, wo Selexin sie erwartete.

Die Luke stand nach wie vor offen, das Licht im Innern brannte noch. Der Lift war genau dort, wo sie ihn zuvor zurückgelassen hatten, als Swain, Balthasar und die beiden Führer zu Hawkins und Holly in den anderen Aufzug hinübergeklettert waren.

»Gehen wir rein und sehen mal, ob wir eine andere Etage erreichen können«, sagte Swain, umklammerte Hollys Hand und ließ sie in die Kabine hinab. Als Nächster folgte Selexin. Swain sprang als Letzter hinein.

Im Licht des Aufzugs sah er, wie dreckig sie geworden waren. Die schwarze Schmiere vom Seil haftete an ihrer Kleidung. Er betastete seine Wange. Die Blutung hatte aufgehört.

»Wohin jetzt?«, fragte Selexin.

»Ich denke, wir sollten nach Hause, Dad«, schlug Holly vor.

»Gute Idee«, meinte Swain.

»Na ja«, sagte Selexin, »wir überlegen uns besser was …«

Plötzlich ruckte der Aufzug heftig und sie wurden zur Seite geworfen.

»O mein Gott«, sagte Swain. »Das Seil!«

Die Kabine bebte heftig, sodass sie zu Boden geschleudert wurden. Ein lautes *Quietschen* schallte durch den Schacht.

»Er hat das Seil!«

Der Lift schwankte so stark, dass Selexin mit dem Kopf voran gegen die Seitenwand geworfen wurde und wie ein nasser Sack zu Boden ging. Swain versuchte, durch die schwankende Kabine zur Schalttafel zu gelangen, wurde jedoch zurückgeschleudert. Er schlug mit dem Hinterkopf gegen eine der Aufzugtüren und sah eine Sekunde lang Sterne. Erneut ächzte der gesamte Lift unter dem schrecklichen Zug, dem die Seile ausgesetzt waren.

Dann hörte das Schaukeln so plötzlich auf, wie es angefangen hatte, und der Aufzug stand wieder still.

Holly hatte sich in einer Ecke zusammengerollt und lutschte energisch am Daumen. Selexin lag bewusstlos am Boden. Swain stolperte durch den Lift, rieb sich den Hinterkopf und blickte zur Luke auf.

Er stand gerade darunter, als er spürte, dass sich der Aufzug erneut bewegte. Ein weiterer Ruck. Jedoch nicht wie die vorherigen. Er war nicht so heftig, irgendwie anders.

Wiederum schwankte der Lift, und Swain ging in die Knie.

Da dämmerte es ihm.

Sie bewegten sich aufwärts.

Der Karanadon zog sie den Schacht hoch!

»Na gut«, sagte er zu sich, »wie *zum Teufel* kommen wir jetzt hier heraus?«

Der Lift bewegte sich weiterhin aufwärts, wobei er laut über die Metallwände des Schachts kratzte.

Bei einem Blick zur Luke hinauf erkannte Swain so gerade eben einen der großen Arme des Karanadon, der am

Aufzugseil zog, es Hand über Hand, Klaue über Klaue, einholte.

Die Kabine stieg weiterhin immer höher in den Schacht hinauf.

Es muss einen Ausweg geben, dachte er. *Es muss.*

Das Untier brüllte. Sie waren nicht mehr weit entfernt, vielleicht noch eine Etage. Die Luke stand nach wie vor offen. Der Karanadon sah mit animalischer Wut auf den Lift herab, während er an den Seilen zog.

Die Seile, überlegte Swain.

Eine Sekunde lang dachte er über seinen Einfall nach. Es war gefährlich, ja. Aber es *konnte* funktionieren. Im Augenblick sah es so aus, als bliebe ihm nicht viel anderes übrig. Er zuckte die Schultern. Teufel, alles war besser als nichts.

Er schaute zu Holly. Sie saß zusammengesunken in der Ecke und lutschte weiter am Daumen.

Ja. Es konnte funktionieren.

Es musste funktionieren.

Und mit dieser Überlegung stieg Swain zur Luke hinaus auf das Dach des Aufzugs.

Der Lesesaal war näher, als er gedacht hatte.

Sie befanden sich etwa zweieinhalb Meter unterhalb der Türen auf der dritten Etage, wo der Karanadon stand – und die Kabine bewegte sich immer noch aufwärts.

Der Karanadon sah ihn. Und hielt inne.

Swain stand auf dem Lift und starrte das Untier an.

Plötzlich schlug der Karanadon mit der freien Klaue nach ihm. Swain trat zurück, außer Reichweite. Ein erneuter Hieb, ein erneuter Fehlschlag.

»Komm schon«, schrie Swain. »Das kannst du doch besser!«

Die riesige Bestie brüllte vor Enttäuschung und schlug erneut nach Swain, diesmal heftiger, verfehlte ihn aber wieder und traf stattdessen eines der Seile.

Es zerriss wie ein Nähfaden, und der Aufzug geriet ins Schwanken. Aber der Karanadon hielt ihn nach wie vor fest.

Mit einer Hand!

Erneut schlug die riesige Bestie zu, und Swain wich nach links aus. Auch dieser Hieb ging vorbei, und Seil Nummer zwei zerriss.

Eins noch, sagte Swain zu sich. *Eins noch, und wir sind verschwunden.*

Allmählich wurde es dem Karanadon zu bunt. Er brüllte vor Wut, wie ein Hund, der eine Katze anbellt, die er nie zu fassen bekommt.

»Komm schon, mein großer Junge«, neckte ihn Swain. »Noch ein Hieb, und dann bist du mich los.«

Da hob der Karanadon den Arm ein letztes Mal.

Aber er schwang ihn nicht.

Er sprang.

Auf das Dach des Aufzugs!

Swain blieb keine Zeit für ungläubiges Staunen. Der Lift stürzte sofort senkrecht hinab!

Ein Kreischen von Metall auf Metall schrillte Swain schmerzhaft in den Ohren, als der Aufzug im freien Fall den Schacht hinunterstürzte. Wind peitschte, und Funken flogen aus allen Ecken.

Die riesige Bestie stand auf der anderen Seite des Dachs, gleichgültig gegenüber dem, was sie angerichtet hatte. Sie funkelte Swain zornig an.

Welche blöde Kreatur springt denn auf einen Aufzug, den sie festhält?, schrie Swains Verstand auf.

Doch blieb ihm jetzt keine Zeit, über die Sache nachzudenken. Er hechtete zur Luke, fiel hindurch und landete schwer auf dem Boden der Kabine.

»Runter!«, rief er Holly über das Jaulen des stürzenden Aufzugs hinweg zu. »Runter! *Flach* auf den Boden! Leg den Kopf auf die Arme!«

Mit lautem Quietschen schoss der Lift den Schacht hinab.

Holly gehorchte ihrem Vater aufs Wort. Swain krabbelte neben sie und legte einen Arm schützend über sie – flach auf dem Bauch liegend, spreizte er weit die Beine und begrub den Kopf im anderen Unterarm.

Das letzte der Seile musste mittlerweile gerissen sein, dachte er dort auf dem Fußboden, während er auf den erschütternden Aufprall wartete, der jetzt jede Sekunde erfolgen würde.

Der Karanadon steckte den Kopf von oben durch die kleine Luke. Er wollte herein, passte jedoch nicht hindurch.

Unter gewaltigem Getöse sauste der Aufzug weiter den Schacht hinab. Auf allen Seiten flogen Funken, und das schrille Jaulen wurde immer höher und höher.

Dann schlug er am Boden auf.

Der Aufprall war überwältigend.

Swains ganzer Körper bebte heftig, als der Aufzug im Bruchteil einer Sekunde von fünfzig Stundenkilometern auf null abbremste.

Die Muskeln seiner Unterarme dienten seinem Kopf als Kissen. Und da sein Körper bereits flach auf dem Boden lag, dämpfte er den größten Teil der Wucht des Aufpralls ab.

Gleiches geschah bei Holly. Swain hoffte, dass Selexin in Ordnung wäre, da er bereits bewusstlos auf dem Boden gelegen hatte.

Als der Lift mit einem entsetzlichen *Bumm!* auf den Boden des Schachts krachte, gab das Dach unter dem Karanadon nach. Das riesige Ungetüm brach durch und landete – *direkt neben Swain* – in einer Wolke aus Staub und zerschmettertem Plastik auf dem Kabinenboden.

Eine Minute verstrich.

Langsam hob Swain den Kopf.

Als Erstes sah er unmittelbar vor sich die dunkle runzlige Schnauze und die gewaltigen weißen Fänge des Karanadon.

Swain rührte sich. Aber das Monster nicht.

Rasch blickte er auf sein Armband und seufzte. Das grüne Lämpchen brannte wieder. Der Karanadon war außer Gefecht gesetzt.

Er erhob sich und schüttelte dabei allen möglichen Schutt ab. Das halbe Dach des alten, breiten Aufzugs war unter dem Gewicht der riesigen Bestie zusammengebrochen, Teile der Decke und Scherben der Neonröhren waren über den ganzen Lift verstreut.

Mein Gott, dachte Swain, es sah aus, als wäre hier eine Bombe eingeschlagen: Weißer Staub trieb durch die Luft, das Dach war verbeult, die Hälfte der Lampen flackerte, die anderen waren bis zur Unkenntlichkeit zerschmettert.

Swain erhob sich. Er berührte die große Beule, die sich an seinem Hinterkopf gebildet hatte. Sein unterer Rücken schmerzte von dem donnerhaften Aufprall. Er zog den Arm von Holly.

»Holly?«, fragte er ruhig. »Bist du okay?«

Sie regte sich sacht, als würde sie aus einem tiefen, schmerzhaften Schlaf erwachen.

»Wa ... was?«

Swain schloss erleichtert die Augen und gab ihr einen Kuss auf die Stirn.

»Sind wir immer noch da, Dad?«, wimmerte sie, den Kopf nach wie vor in den Unterarmen vergraben.

»Ja, Schatz, wir sind hier.« Er lächelte.

Auf der anderen Seite des Lifts ächzte Selexin. Langsam hob er den Kopf und starrte Swain blicklos an. Daraufhin schaute er quer durch den Aufzug zu dem schlaffen – allerdings lebendigen – Karanadon hinüber.

»Ach, du meine Güte ...«

»Was Sie nicht sagen«, meinte Swain trocken.

»Wo sind wir?«

»Im Boden des Schachts, vermute ich. Wir haben den Expresszug nach unten genommen.«

»Oh«, erwiderte Selexin abwesend.

Er wirkte im Augenblick nicht allzu besorgt, ebenso wenig wie Swain, der gerade zu dem Schluss kam, dass sie eine Weile hier bleiben konnten. Der Karanadon würde in der nahen Zukunft kaum erwachen, und niemand wäre imstande, sie hier zu finden.

Er setzte sich auf, legte sich sanft den Kopf seiner Tochter in den Schoß, lehnte sich an die Wand des halb zerstörten Aufzugs und schenkte dem Werk der Zerstörung rings umher ein trauriges Lächeln.

Bob Charlton blieb mit seinem Chevrolet an einer roten Ampel stehen und rief sein Büro an. Es hatte kaum das erste Mal geklingelt, als Rudy schon antwortete.

»*Apparat Robert Charlton.*«

»Rudy?«, fragte Charlton.

»*Ja, Sir. Wo sind Sie?*«

»Im Augenblick mitten im Innenstadtverkehr. Ich bin unterwegs und in etwa fünf Minuten zurück.«

Rudy Baker am anderen Ende der Leitung hielt inne und sah sich nervös in Charltons Büro um.

»Schön, Sir«, sagte er. »Soll ich in der Zwischenzeit etwas erledigen? Etwas für Sie nachsehen?«

»*Gute Idee, ja*«, erwiderte Charltons Stimme. »*Während Sie warten, werfen Sie doch mal einen Blick in den Computer. Sehen Sie nach, ob die New York State Library mit der Hauptstromleitung verbunden wurde, als wir vor einigen Monaten diese Sache mit dem Register historischer Bauten erledigt haben. Wenn ja, laufen Sie ins Archiv und holen die Pläne. Besorgen Sie sich die Blaupausen und sehen Sie mal, ob Sie herausfinden, wo dieser verdammte Umspanner liegt.*«

»Äh ... in Ordnung, natürlich.« Erneut zögerte er.

»*Ist was?*«, fragte Charlton. »*Stimmt was nicht da unten?*«

»Doch, doch, Sir. Alles in Ordnung«, log Rudy. »Bis gleich.«

»*Na gut.*« Charlton legte auf.

Im Büro beugte sich Rudy vor und schaltete die Mithöranlage ab.

»Gut gemacht, junger Mann«, sagte eine Stimme hinter ihm. »Warum setzt du dich jetzt nicht einfach zu uns, und wir warten alle zusammen auf die Rückkehr deines Bosses?«

Charlton eilte aus dem Aufzug und ging rasch den Flur entlang zu seinem Büro.

Er sah auf seine Armbanduhr.

Es war 19.55 Uhr.

Er hoffte, dass Rudy diese Akten über die State Library hatte. Wenn ja, wären sie mit ein bisschen Glück in der Lage, die Hauptstromleitung bis Mitternacht wieder instand zu setzen.

Charlton stürmte in sein Büro und blieb wie angewurzelt stehen.

Rudy saß im Sessel hinter Charltons Schreibtisch. Er machte einen hilflosen Eindruck.

Fünf weitere Männer, alle in schwarzen Anzügen, saßen ordentlich aufgereiht vor dem Tisch.

Als Charlton hereinkam, stand einer der Männer auf und kam zu ihm herüber. Er war kurz und stämmig, hatte rotes Haar und einen Schnauzbart wie ein Walross.

»Mr. Charlton, John Levine.« Er ließ seine Brieftasche aufblitzen, samt Ausweis mit Foto. »Ich komme von der National Security Agency.«

Charlton begutachtete den Ausweis und überlegte, was die NSA von Con Ed wollen könnte.

»Wo liegt das Problem, Mr. Levine?«

»Oh, es gibt kein Problem«, erwiderte Levine rasch.

»Was kann ich dann für Sie tun?« Charltons Blick wanderte wachsam in seinem Büro umher. Er musterte die vier anderen Männer, die dort saßen.

Sie waren allesamt groß und breitschultrig. Zwei trugen Sonnenbrillen, obgleich es fast acht Uhr abends war. Sie wirkten Furcht einflößend.

»Bitte, Mr. Charlton, so setzen Sie sich doch. Wir sind einfach vorbeigekommen, um Ihnen ein paar Fragen wegen Ihrer Nachforschungen über die New York State Library zu stellen.«

»Mir geht es nicht um die Bibliothek selbst«, erwiderte Charlton und ließ sich in einem Extrasessel nieder. Levine setzte sich ihm gegenüber. »Ich suche lediglich eine Unterbrechung in unserem Hauptstromkreis. Wir haben einige Anrufe aus dem Gebiet erhalten, Beschwerden, dass der Strom ausgefallen ist.«

Levine nickte. »Ah, ja. Aha. Worin besteht die Verbindung zwischen diesen Beschwerden und der State Library, abgesehen davon, dass sie im gleichen Gebiet liegen?«

»Nun ja, die Bibliothek steht im Nationalregister für historische Gebäude«, erwiderte Charlton, »Gebäude, die nicht abgerissen werden dürfen.«

»Das weiß ich.«

»Wie dem auch sei, wir haben vor einigen Monaten einige von ihnen an die Hauptstromleitung angeschlossen. Dabei wurde uns klar, dass sie im Falle eines Kurzschlusses das ganze verdammte System gleich mitnehmen.«

Erneut nickte Levine. »Warum haben Sie sich dann also auf *dieses* Gebäude konzentriert? Es gibt in diesem Gebiet sicher noch andere, die ähnliche Aufmerksamkeit verdient hätten.«

»Mr. Levine, ich mache so etwas jetzt seit zehn Jahren, und wenn man einen Kurzschluss in der Hauptstromleitung hat, kann das eine Wagenladung an Problemen nach sich ziehen. Und das bedeutet, man muss *alles* überprüfen. Jede Möglichkeit. Manchmal sind es Jugendliche, die mit Daddys Kettensäge an den Kabeln herummachen, manchmal ist es einfach bloß Überlastung. Mir erschien es stets klug, mich mit der Polizei in Verbindung zu setzen und nachzuschauen, ob die vor kurzem jemanden in diesem Gebiet einkassiert haben.«

»Sie sind zur Polizei gegangen?« Levine hob eine Braue.

»Ja.«

»Und haben Sie was rausgefunden?«

»Ja, allerdings. Eigentlich war es sogar die Polizei, die mich ursprünglich auf die Bibliothek gebracht hat.«

»Von welchem Revier sprechen Sie, falls Ihnen die Frage nichts ausmacht?«, sagte Levine.

»Vierzehntes«, erwiderte Charlton.

»Und was haben die Ihnen gesagt?«

»Sie haben mir gesagt, dass sie letzte Nacht einen Schmalspurganoven, einen Computerdieb, in der State Library hoppsgenommen haben, und zwar im Zusammenhang mit dem Mord an einem Mann vom Wachdienst. Ich habe den Burschen auch gesehen ...«

»Ein Mord an einem Mann vom Wachdienst?« Levine beugte sich vor.

»Ja.«

»Ein Wachmann von der State Library?«

»Ja.«

»Und die Polizei hat gesagt, er ist letzte Nacht ermordet worden?«

»Stimmt genau. Letzte Nacht«, entgegnete Charlton. »Sie haben den Dieb gleich neben ihm gefunden, von Kopf bis Fuß mit seinem Blut besudelt.«

Levine sah sich nach seinen Mitstreitern um. Daraufhin fragte er: »Halten sie den Dieb für den Tatverdächtigen?«

»Nein. Er war bloß ein dürres kleines Männchen. Aber die Detektive glauben, dass er über die Burschen gestolpert sein muss, die's getan haben. Anschließend haben die ihn durch die Mangel gedreht. So was in der Art.«

Tief in Gedanken versunken, hielt Levine einen Moment lang inne.

Dann fragte er sehr ernsthaft: »Hat die Polizei Leute ins Gebäude geschickt? In die Bibliothek?«

»Der Detective, mit dem ich gesprochen habe, hat gesagt, dass gerade im Augenblick zwei Beamte da unten sind«, erwiderte Charlton. »Wissen Sie, sozusagen als Babysitter für das Gebäude, bis ein Untersuchungsteam morgen früh rein kann.«

»Also sind gerade im Moment zwei Beamte in diesem Gebäude?«

»Das hat man mir gesagt.«

Bei diesen Worten wandte sich Levine an seine Männer und nickte dem nächsten zu, der sogleich aufstand.

»14. Revier«, sagte Levine zu ihm. Er warf einen Blick zurück auf Bob Charlton. »Mr. Charlton, erinnern Sie sich an den Namen des Detectives, mit dem Sie gesprochen haben?«

»Ja. Captain Henry Dickson.«

Levine nickte kurz dem stehenden Mann zu. Der gab keine Antwort, sondern verließ bloß eilig den Raum.

Levine wandte sich wieder an Charlton. »Mr. Charlton, Sie waren sehr hilfreich. Vielen Dank für Ihre Kooperation.«

»Keine Ursache«, sagte Charlton und erhob sich aus seinem Sessel. »Wenn das alles ist, meine Herren – ich habe eine Hauptstromleitung zu reparieren. Würden Sie mich also bitte entschuldigen, ich muss diese Bibliothek überprüfen ...«

Levine stand auf und legte Charlton die Hand auf die Brust.

»Tut mir Leid, Mr. Charlton, aber ich fürchte, Ihre Nachforschungen, was die New York State Library betrifft, sind hier zu Ende.«

»*Was?*«

»Dies ist eine Angelegenheit, die Sie oder Ihre Gesellschaft nichts mehr angeht, Mr. Charlton. Von jetzt an wird die National Security Agency übernehmen.«

»Aber was ist mit dem Strom?«, widersprach Charlton. »Mit der Leitung? Ich muss sie wieder in Gang kriegen.«

»Das kann warten.«

»Scheißdreck.« Wütend trat Charlton vor.

»Setzen Sie sich, Mr. Charlton.«

»Nein, ich werde mich nicht setzen. Das ist ein ernstes Problem, Mr. Levine.« Charlton hielt inne. »Ich möchte gern mit Ihrem Vorgesetzten sprechen.«

»*Setzen Sie sich,* Mr. Charlton«, sagte Levine mit neuer Autorität in der Stimme. Sofort tauchten zwei Männer neben Charlton auf. Sie berührten ihn nicht, sondern standen einfach nur da.

Charlton setzte sich stirnrunzelnd.

»Ich werde Ihnen lediglich dies sagen, Mr. Charlton«, begann Levine. »Während der letzten beiden Stunden ist diese Bibliothek der Brennpunkt einer größeren Untersuchung der NSA geworden. Eine Untersuchung, die nicht wegen einhundertundachtundsiebzig New Yorkern abgebrochen wird, die eine Nacht lang nicht fernsehen können.«

Charlton saß bloß schweigend da. Levine ging zur Tür.

»Ihre Nachforschungen sind abgeschlossen, Mr. Charlton. Man wird Ihnen mitteilen, wann Sie sie wieder aufnehmen können.« Levine trat über die Schwelle. Einen der

Männer nahm er mit. Die anderen beiden ließ er bei Charlton und Rudy im Büro zurück.

Charlton konnte es nicht fassen. »Was? Sie halten mich hier *fest?* Das können Sie nicht!«

Levine blieb auf der Schwelle stehen. »O doch, ja, das kann ich, Mr. Charlton, und ich werde es tun. Laut Bundesgesetz liegt es in der Macht eines jeden Untersuchungsbeamten, bei einer Angelegenheit der nationalen Sicherheit jeden für die Dauer der Untersuchung festzusetzen. Sie *werden* hier bleiben, Mr. Charlton, mit ihrem Assistenten, und zwar unter Überwachung, bis diese Untersuchung vollständig abgeschlossen ist. Nochmals vielen Dank für Ihre Kooperationsbereitschaft.«

Unten im Flur trat Levine in den Aufzug und holte sein Handy heraus.

»*Marshall hier*«, sagte eine knisternde Stimme am anderen Ende. In der Leitung rauschte es stark.

»Sir, ich bin's, Levine.«

»*Ja, John, was ist? Wie ist's gelaufen?*«

»Gut und schlecht, Sir.«

»*Bitte erst die gute Neuigkeit.*«

»Es ist definitiv die State Library«, sagte Levine.

Es folgte eine Pause, dann ein: »*Ja.*«

»Und wir haben Charlton rechtzeitig erwischt. Er wollte gerade hinfahren.«

»*Gut.*«

Levine hielt inne und befingerte nervös seinen roten Walrossschnauzbart.

»*Und die schlechte Nachricht?*«, fragte Marshalls Stimme.

Levine biss sich auf die Lippe. »Wir mussten ihn festsetzen.«

Am anderen Ende der Leitung herrschte Schweigen.

»Uns blieb keine andere Wahl, Mr. Marshall. Wir mussten ihn von der Bibliothek fern halten.«

Der Mann namens Marshall dachte anscheinend über
die Sache nach. Schließlich sagte er, wie zu sich selbst:
»*Nein. Nein. Schon in Ordnung. Das mit Charlton wird
schon klargehen. Abgesehen davon, wenn diese Sache auf-
fliegt, wird sowieso jede Anschuldigung seinerseits wie Öl
von der Agency abperlen. Was sonst noch?*«

Levine zögerte kurz. »Da sind zwei Bullen in dem Gebäude.«

»*Innendrin?*«

»Ja.«

»*Oh, verdammte Scheiße*«, sagte Marshalls Stimme.
»*Das ist ein Problem.*«

Levine wartete schweigend. Im Hörer rauschte und
zischte es. Erneut war Marshall ins Nachdenken verfallen.
Als er wieder das Wort ergriff, klang seine Stimme leise,
beiläufig.

»*Wir werden sie mitnehmen müssen.*«

»Die Bullen? Können wir das denn?«

»*Sie sind kontaminiert*«, erwiderte Marshall. »*Sieht
nicht so aus, als bliebe uns eine andere Wahl.*«

»Was soll ich jetzt tun?«, fragte Levine.

»*Gehen Sie zur Bibliothek rüber und halten Sie sich für
den Augenblick außer Sichtweite. Die Jungs von Sigma
werden bald da sein*«, entgegnete Marshall. »*Ich lande in
wenigen Minuten. Auf der Piste wartet ein Wagen, also
bin ich in etwa dreißig Minuten dort.*«

»Jawohl, Sir.«

Levine schaltete ab.

James A. Marshall saß im Chefabteil, als die Lear des Leiters der National Security Agency ihren Sinkflug auf Newark begann.

Marshall, Leiter der ultrageheimen Abteilung Sigma der NSA, hatte offiziell seinen Sitz in Maryland. Seit kurzem jedoch merkte er, dass er den größten Teil seiner Zeit in den westlichen Staaten New Mexico und Nevada verbrachte.

Er war groß, zweiundfünfzig Jahre alt, nahezu kahlköpfig, hatte einen weißgrauen Bart und falkenhafte schwarze Augenbrauen, die zur Nase hin schmaler wurden und ihm einen Ausdruck permanenten tödlichen Ernstes verliehen. Er war jetzt seit sechs Jahren Leiter der Abteilung Sigma – der Eliteabteilung der NSA für Hochtechnologieforschung.

In den siebziger und achtziger Jahren war die NSA Stolz und Freude des US-Geheimdienstes gewesen. Sie hatte elektronisch Milliarden von Chiffrier-Algorithmen gespeichert, Grundlage ihrer weltweit berühmten Dechiffrier-Computer. Dann hatte Sigma in den neunziger Jahren ihren Erfolgen die Krone aufgesetzt, als ihr mittels Halbleitertechnologie der größte Durchbruch in der Geschichte des Chiffrierens und Dechiffrierens gelungen war – der erfolgreiche Bau des ersten Quantencomputers der Welt.

Aber mit dem politischen Tauwetter nach Ende des Kalten Kriegs sank das Dechiffrieren immer tiefer auf der

Prioritätenliste der Regierung. Zuschüsse wurden gekürzt, Geld wurde an andere Abteilungen des Geheimdienstes und des Militärs umgelenkt. Die NSA musste etwas *Neues* finden, mit dem sie sich auszeichnen konnte – etwas, das die Fortdauer ihrer Existenz rechtfertigte. Ansonsten würde sie mit an Sicherheit grenzender Wahrscheinlichkeit von der Army geschluckt.

James Marshall und Sigma wurden mit der Aufgabe betraut, dieses neue Gebiet zu finden.

Innerhalb weniger Wochen konzentrierten sich Sigmas Ressourcen auf ein neues und bemerkenswertes Ziel. Dabei handelte es sich allerdings nicht um die *Entwicklung* einer neuen, sondern vielmehr um die Suche nach einer sehr speziellen Technologie, und das Ziel bestand in deren Entdeckung und *Entschlüsselung*.

Man suchte nach *weit vorangeschrittener* Technologie.

Eine, die der Mensch selbst nicht entwickeln konnte.

Allerdings eine, bei der sich die NSA – und allein die NSA mit ihren neuen Quanten-Supercomputern – in der einzigartigen Position sähe, sie zu entziffern und auszubeuten.

Es ging um *extra-terrestrische* Technologie.

Marshall nahm die ganze Angelegenheit cum grano salis. Gewiss, die Air Force hatte unterirdische Lagerhallen in New Mexico und Nevada errichtet. Doch trotz der Sondersendungen im Fernsehen, in denen versichert wurde, dass sie tatsächlich außerirdische Raumfahrzeuge und Lebensformen entdeckt, gefangen genommen und studiert hatten – eine dieser Sendungen deutete sogar an, dass die Technologie hinter dem Tarnkappenbomber auf solchen Studien beruhte –, waren diese Lagerhallen unwiderlegbar und eindeutig leer geblieben.

Kurz gesagt, die Air Force hatte nichts gefunden. Und in

dem ewigen Wettbewerb um die nötigen Dollars verschaffte dies der NSA eine Gelegenheit ...

Wie heute Abend, dachte Marshall.

Während sich sein Flugzeug also im Landeanflug befand, sah er sich zum hundertsten Mal den Ausdruck auf seinem Schoß an.

Vor zwei Stunden, um 18.01 Uhr Eastern Standard Time, hatte ein Satellit der NSA, *LandSat 5,* während einer zufälligen Abtastung der Nordostspitze Amerikas eine ungewöhnlich große elektronische Störung entdeckt und gemessen, deren Ursprung anscheinend in Manhattan lag.

Während keiner der vorherigen Abtastungen war sie vorhanden gewesen, und ihre Stromstärke glich gefährlich einer der kürzlich schon aufgezeichneten elektronischen Störfrequenzen, die von nordafrikanischen Guerillastreitkräften benutzt wurde, insbesondere in Libyen.

Und nach dem Bombenanschlag auf das World Trade Centre im Jahr 1993 durch nordafrikanische Extremisten sowie der Zerstörung zweier amerikanischer Botschaften in Afrika im Jahr 1998 wollte niemand in der NSA irgendwelche Risiken eingehen.

Also reagierten sie sofort.

Die Ergebnisse von *LandSat 5* wurden auf der Stelle ins NSA-Hauptquartier in Fort Meade, Maryland, geschickt. Ein KH-11E-Gegenspionage-Satellit zur elektronischen Überwachung – im Allgemeinen besser bekannt unter seinem Rufzeichen »Eavesdropper«, »Lauscher« – wurde vom National Reconnaissance Office konfisziert und neu programmiert, sodass er New York überfliegen würde.

Zufällig war der Lauscher zur rechten Zeit am rechten Ort und innerhalb von Minuten am Ort des Geschehens, weshalb sich der erste Satz von Ergebnissen schon bald in den Händen des Krisenstabs der NSA in Maryland befand – dessen Mitglied auch Marshall war.

Gleich nach der Überprüfung dieser Ergebnisse waren innerhalb von neun Minuten alle Aufzeichnungen des Austauschs zwischen der Satellitenkontrolle in Maryland, *LandSat 5* und dem Lauscher vernichtet worden.

LandSat 5 wurde neu programmiert, sodass er auf der Stelle irgendwo im Pazifischen Ozean abstürzen würde, während der Lauscher weiterhin bei jedem Überflug das Gebiet von Manhattan überwachte.

Zu diesem Zeitpunkt waren James Marshall und seine Jungs von der Abteilung Sigma mit der Mission betraut worden.

Die Zeit war knapp, und Marshall hatte auch keine vergeudet.

Er war augenblicklich zum Flughafen geeilt, und als er die Lear des Leiters bestiegen hatte, bereitete jemand bei Sigma bereits eine Presseerklärung vor, die den unglücklichen und bedauerlichen Verlust zweier Satelliten erläutern würde.

Also war er jetzt hier. In der Lear des Leiters der NSA, die sich zur Landung in New York bereitmachte.

Marshall griff für einen letzten Blick auf den Bericht des Lauschers in seine Aktentasche.

Der langen Zeitspanne nach zu urteilen, die der Bericht abdeckte, konnte der Lauscher offenbar ein einzelnes Ziel volle fünfzig Minuten lang überwachen. Seine Orbitgeschwindigkeit musste wesentlich niedriger liegen als die des kleineren *LandSat 5*.

Marshall las das Transkript.

LSAT-560467-S
DATENTRANSKRIPT 463/511-001
LAGE: 231.957
(Nordöstliche Küste: CN, NY, NJ)

Nr. Zeit	Ort	Erläuterung
1. 18:03:48	CT.	Isolierter Energie-ausstoß/ Quelle: UNBEKANNT Typus: UNBEKANNT Dauer: 0.00:09
2. 18:03:58	N.Y.	Isolierter Energie-ausstoß/ Quelle: UNBEKANNT Typus: UNBEKANNT Dauer: 0.00:06
3. 18:07:31	N.Y.	Isolierter Energie-ausstoß/ Quelle: UNBEKANNT Typus: UNBEKANNT Dauer: 0.00:05
4. 18:10:09	N.Y.	Isolierter Energie-ausstoß/ Quelle: UNBEKANNT Typus: UNBEKANNT Dauer: 0.00:07
5. 18:14:12	N.Y.	Isolierter Energie-ausstoß/ Quelle: UNBEKANNT Typus: UNBEKANNT Dauer: 0.00:06
6. 18:14:37	N.Y.	Isolierter Energie-ausstoß/

```
                         Quelle: UNBEKANNT
                         Typus: UNBEKANNT
                         Dauer: 0.00:02
 7. 18:14:38    N.Y.  Isolierter Energie-
                         ausstoß/
                         Quelle: UNBEKANNT
                         Typus: UNBEKANNT
                         Dauer: 0.00:02
 8. 18:14:39    N.Y.  Isolierter Energie-
                         ausstoß/
                         Quelle: UNBEKANNT
                         Typus: UNBEKANNT
                         Dauer: 0.00:02
 9. 18:14:40    N.Y.  Isolierter Energie-
                         ausstoß/
                         Quelle: UNBEKANNT
                         Typus: UNBEKANNT
                         Dauer: 0.00:02
10. 18:16:23    N.Y.  Isolierter Energie-
                         ausstoß/
                         Quelle: UNBEKANNT
                         Typus: UNBEKANNT
                         Dauer: 0.00:07
11. 18:20:21    N.Y.  Isolierter Energie-
                         ausstoß/
                         Quelle: UNBEKANNT
                         Typus: UNBEKANNT
                         Dauer: 0.00:08
12. 18:23:57    N.Y.  Isolierter Energie-
                         ausstoß/
                         Quelle: UNBEKANNT
                         Typus: UNBEKANNT
                         Dauer: 0.00:06
```

```
13. 18:46:00     N.Y.  Isolierter Energie-
                       ausstoß/
                       Quelle: UNBEKANNT
                       Typus: UNBEKANNT
                       Dauer: 0.00:34
```

Marshall runzelte die Stirn. Im Augenblick sagten ihm diese Aufzeichnungen gar nichts.

Zwölf starke Stöße einer unbekannten Art von Energie – deren Quelle gleichfalls unbekannt war –, alle aufgetreten zwischen 18.03 und 18.46 Uhr in New York City.

Hinzu kam der erste Stoß, dessen Ursprung irgendwo in Connecticut lag. Seltsam war ebenfalls der letzte – anders, weil er vierunddreißig Sekunden gedauert hatte, mehr als dreimal so lang wie alle anderen. Ganz zu schweigen von den vier dicht aufeinander folgenden, zwei Sekunden langen Stößen, die Marshall unterstrichen hatte.

Das alles türmte sich zu einem Rätsel auf, das Marshall lösen wollte.

Und Levine hatte gute Neuigkeiten parat gehabt. Die Wanzen an Con Edisons Leitungen hatten sich als wertvoll erwiesen, wenn sie auch nicht im Geringsten legal waren. Die Theorie, dass große Energiestöße die örtlichen elektrischen Systeme beeinflussen würden, hatte sich als richtig herausgestellt.

Sie hatte Robert Charlton direkt zur Quelle der Energiestöße geführt.

Der New York State Library.

Jetzt hatten sie den Ursprung. Und was immer es dort gab, sie würden es kriegen.

James Marshall grinste bei diesem Gedanken. Da setzte seine Lear auf.

Hawkins setzte Balthasar zu Boden und stützte ihn an der Betonmauer zum Putzmittelraum ab. Dann brach er selbst atemlos neben dem bärtigen Mann zusammen.

»Du bist schon verdammt schwer, weißt du das?«

Der Putzmittelraum war ein einziges Chaos. Das Gitter hatte der Karanadon niedergetrampelt. Überall lagen zersplitterte Überreste von Holzkisten herum. Und ohne die große Hydrauliktür war die Türöffnung lediglich ein klaffendes Loch in der Wand.

Hawkins warf Balthasar neben sich einen Blick zu. Er sah nicht gut aus. Die Augen waren noch immer stark blutunterlaufen. Ein roter Ausschlag bildete sich auf der umgebenden Haut. Nach wie vor liefen Speichelblasen durch den buschigen Bart.

Balthasar stöhnte und setzte dann, wie um zu prüfen, wie es um ihn stand, eine Hand auf den Boden und wollte sich erheben, fiel jedoch sofort ungeschickt gegen die Wand zurück.

Sie würden sich eine Weile lang hier verstecken müssen. Zunächst jedoch, dachte Hawkins, musste er etwas in Hinblick auf die Türöffnung unternehmen.

Endlich stand Selexin auf, durchquerte den Aufzug und starrte den gewaltigen Körper des bewusstlosen Karanadon an. Er bückte sich und musterte die langen weiße Fänge, die aus der pechschwarzen Schnauze ragten.

Auf dem Gesicht des kleinen Mannes zeigte sich der

nackte Ekel. »Grässlich«, meinte er. »Wirklich grässlich.«

Swain hielt Holly im Schoß. Sie war rasch eingeschlafen, nachdem sie sich über schreckliche Kopfschmerzen beklagt hatte. »Ja, und keine allzu große Leuchte«, meinte er. »Haben Sie je zuvor einen zu Gesicht bekommen? Aus der Nähe?«

»Nein. Niemals.«

Swain nickte, und beide starrten einfach schweigend das riesige schwarze Untier an. Dann meinte Swain: »Was sollen wir jetzt tun? Haben wir ihn getötet? *Können* wir ihn töten?«

»Ich weiß es nicht.« Selexin zuckte die Schultern. »Das hat nie zuvor jemand getan.«

Swain lächelte verzerrt und spreizte die Hände. »Was kann ich dazu sagen?«

Verständnislos runzelte Selexin die Stirn. »Tut mir Leid, aber ich fürchte, das verstehe ich nicht. Was genau *wollen* Sie denn dazu sagen?«

»Schon gut. Ist einfach eine Redensart.«

»Oh.«

»Genau wie ›du mich auch‹«, erklärte Swain.

Selexin wurde rot. »O ja. Das. Na ja, ich musste *irgendetwas* sagen. Mein Leben stand auch auf Messers Schneide, wissen Sie.«

»Ist schon eine verteufelte Sache, das *so* jemandem ins Gesicht zu sagen.« Swain nickte zum Karanadon hinüber.

»Oh, nun ja …«

»Aber es war ziemlich kühn. Und ich hab's gebrauchen können. Danke sehr.«

»Nicht der Rede wert.«

»Na ja, trotzdem vielen Dank«, sagte Swain. »Übrigens, dürfen Sie das eigentlich? Mir helfen?«

»Tja«, erwiderte Selexin, »eigentlich nicht. Ich sollte Ihnen bei keinem Zweikampf beistehen – ob gegen einen weiteren Wettkämpfer oder den Karanadon. Aber in Anbetracht dessen, was Bellos getan hat, nämlich Hoodayas mit ins Präsidian zu bringen, glaube ich, um eine weitere Ihrer Redensarten zu benutzen, dass die Komik ein Ende hat.«

»Wie bitte?«

»Sagt man das nicht so bei Ihnen, wenn aus Spiel Ernst wird und die üblichen Regeln nicht mehr gelten?«

»Ich glaube, man sagt eher: Schluss mit lustig!«, erwiderte Swain freundlich. »Aber Sie waren nah dran. Sehr nah.«

Selexin plusterte sich auf, sehr zufrieden mit sich.

Swain wandte sich wieder dem Karanadon zu. Die langen spitzen Stacheln auf dem Rücken des Untiers hoben und senkten sich im Takt seiner lauten, angestrengten Atemzüge. Er war wirklich gewaltig.

»Also, können wir ihn töten?«

»Ich dachte, Sie töten keine wehrlosen Opfer«, erwiderte Selexin.

»Das gilt nur bei Menschen.«

»Balthasar ist kein Mensch, und Sie haben ihn nicht getötet. Er ist amorph, vergessen Sie das nicht! Eigentlich bin ich mir sicher, dass Balthasars wahre Gestalt Sie sehr überraschen würde …«

»Schon gut«, sagte Swain. »Dann eben nur für Dinge, die wie Menschen *aussehen*. Und abgesehen davon«, er sah den Karanadon an, »würde mir Balthasar nicht den Kopf abreißen, wenn er sich wehren wollte.«

Selexin sah so aus, als wollte er widersprechen, hielt sich jedoch zurück. Er sagte bloß: »Na schön.«

»Also. Was meinen Sie? Können wir ihn töten?«, fragte Swain.

»Ich sehe keinen Grund, weshalb nicht. Aber womit wollen Sie ihn töten?«

Sie ließen den Blick über den Aufzug schweifen. An Waffen war nicht viel zu finden. Das Dach des Lifts bestand aus dünnen Kunststoffplatten, und die eine Hälfte war schlicht und einfach verschwunden, zerstört beim Sturz des Karanadon. Große gezackte Kunststoffscherben von den Neonlampen waren über den Boden verstreut. Swain hob eine hoch. In seiner Hand wirkte sie wie eine ziemlich erbärmliche Waffe.

Selexin zuckte die Schultern. »Es *könnte* funktionieren. Andererseits könnte es ihn vielleicht einfach nur wecken.«

»Hm.« Der Gedanke gefiel Swain ganz und gar nicht.

Er wollte den Karanadon nicht wecken. Sein jetziger Zustand war ihm sehr viel lieber – völlig in Ordnung. Völlig weggetreten. Aber für wie lange? Etwas töten zu können, das größer und stärker als ein Grizzlybär war, noch dazu per Hand mit einer Scherbe aus Kunststoff, das schien irgendwie nicht sehr wahrscheinlich.

In diesem Augenblick streckte der Karanadon träge die rechte Klaue aus und schlug nach etwas, das ihm um die Schnauze summte. Daraufhin zog sich die Klaue wieder an die Seite der Kreatur zurück, und das riesige Biest schlief weiter, als wäre nichts geschehen.

Swain beobachtete ihn gespannt. Wie erstarrt.

Der Karanadon schnarchte laut und wälzte sich auf die Seite.

»Wissen Sie, je länger ich darüber nachdenke, desto unsicherer bin ich, dass es wirklich eine gute Idee wäre, ihn umzubringen«, flüsterte Selexin.

»Genau das habe ich mir auch gerade gedacht«, erwiderte Swain. »Also, machen wir uns auf die Socken.« Er stand auf und hob Holly hoch.

»Los, Schatz. Zeit zum Aufbruch.«

Sie rührte sich erschöpft. »... hab Kopfschmerzen.«

»Wohin?«, fragte Selexin.

»Da hinauf«, entgegnete Swain und zeigte auf das große Loch in der Decke des Aufzugs.

Nachdem er die äußeren Aufzugtüren aufgestemmt hatte, sah Swain in dem dunstigen gelben Dämmerlicht links und rechts Reihe um Reihe von Regalen stehen, die sich in der Ferne verloren.

Es war das zweite Untergeschoss.

Das Magazin.

Sie standen etwa anderthalb Meter darunter auf dem, was vom Dach des zerstörten Lifts übrig geblieben war. Der Betonboden des Aufzugschachts befand sich offenbar noch ein gutes Stück weiter unten.

Swain stieg als Erster hoch. Der Lift war auf dieser Etage in die Wand aus Bücherregalen eingebettet.

Er blickte zu den Türen hinaus, und sofort wurde ihm klar, dass sie sich an einer der Längsseiten des rechteckigen Raums befanden. An der südlichen Mauer.

Swain fiel wieder ein, dass sie Hawkins auf dieser Etage gefunden, Reese zum ersten Mal gesehen hatten und blindlings durch das Labyrinth aus Regalen in die Sicherheit des Treppenhauses gerannt waren. Aber das war, wie er sich entsann, auf der anderen Seite des Raums geschehen.

Er wandte sich wieder dem Aufzugschacht zu und zog Holly und Selexin heraus.

»Ich erinnere mich an diesen Teil des Labyrinths«, meinte Selexin beim Anblick der Bücherregale. »Reese.«

»Stimmt.«

»Dad, ich hab Kopfschmerzen«, sagte Holly erschöpft.

»Ich weiß, mein Schatz.«

»Ich möchte nach Hause.«

»Ich auch«, sagte Swain und berührte sie am Kopf. »Sehen wir mal, ob ich was gegen deine Kopfschmerzen finde und gleichzeitig ein Versteck. Los, weg hier!«

Sie wandten sich nach links, entlang der südlichen Wand des Magazins. Nach einer Weile knickte der Gang scharf nach rechts ab, und sie gingen jetzt die kürzere, westliche Wand entlang. Nach etwa zwanzig Metern nahm Swain etwas Merkwürdiges wahr.

Sie kamen näher, und da erkannte er, was es war.

Eine Tür.

Eine kleine rote Tür, die ein wenig offen stand. Sie befand sich sehr unauffällig in der äußeren Regalwand. Swain hatte sie tatsächlich nur bemerkt, weil er direkt an ihr vorbeilief. Jemand, der das Magazin nur flüchtig durchsuchte, würde sie bestimmt übersehen.

Auf der kleinen roten Tür stand etwas.

»›Zutritt für das Bibliothekspersonal untersagt‹«, las Selexin laut vor. »Was hat das denn zu bedeuten?«

Aber Swain schenkte ihm keinerlei Beachtung. Er kniete bereits vor der Tür und sah sich den Boden an.

»Ich hätte gedacht, dass das Personal an einem Ort wie dem hier überall Zutritt hätte ...«, erklärte Selexin.

»Pscht«, sagte Swain. »Seht euch das an.«

Selexin und Holly hockten sich neben ihn und starrten auf das Buch, das zwischen Tür und Rahmen verkeilt war.

»Sieht so aus, als würde es die Tür offen halten ...«, meinte Selexin.

»Es *hält* die Tür offen«, erwiderte Swain, »oder es hält sie zumindest davon ab, sich zu schließen.«

»Warum?«, fragte Holly.

Swain runzelte die Stirn. »Weiß ich nicht.« Er sah sich den Türknauf an. Auf der Bibliotheksseite war ein Schlüsselloch inmitten eines einfachen silberfarbenen Knaufs. Auf der anderen Seite jedoch gab es weder Schloss noch Schlüsselloch; hoch oben, in der Nähe der Angeln, hingegen einen Schließmechanismus.

»Das ist ein Federmechanismus«, sagte er. »Damit sie nicht offen bleibt. Deswegen hat jemand das Buch benutzt.«

»Warum kein Zutritt für das Personal?«, fragte Selexin.

»Wahrscheinlich, weil diese Tür nichts mit der Bibliothek zu tun hat. Und zum Magazin hat nur Personal Zutritt. Ich würde sagen, dahinter liegt wahrscheinlich ein Gas- oder Stromzähler. So etwas in der Art«, meinte Swain. »Etwas, das das Personal nicht anrühren soll.«

»Oh.«

»Können wir da raus?«, fragte Holly.

Swain sah Selexin an. »Weiß ich nicht. Können wir?«

»Das Labyrinth *sollte* zum Zeitpunkt der Elektrisierung versiegelt sein. Ich weiß nicht, was geschehen wäre, wenn ein Eingang zu diesem Zeitpunkt nicht vollständig verschlossen war. Aber ich könnte raten.«

»Also, nur zu!«

»Na ja.« Selexin spähte um den Rahmen der kleinen roten Tür mit der Aufschrift ZUTRITT FÜR DAS BIBLIOTHEKSPERSONAL UNTERSAGT. »Ich sehe hier kein Anzeichen für Elektrisierung. Und wenn es *jenseits* dieser Tür keine weitere gibt, die zur Zeit der Elektrisierung geschlossen war, lautet meine Vermutung, dass wir vielleicht gerade einen Weg aus dem Labyrinth gefunden haben.«

»Einen Weg hinaus?«, fragte Holly hoffnungsvoll.

»Ja.«

»Ganz bestimmt?«, flüsterte Swain.

»Es gibt nur eine Möglichkeit, das herauszubekommen«, erwiderte Selexin. »Wir müssen nachsehen, ob es jenseits dieser Tür noch eine gibt.«

»Müssen wir das?«, meinte Swain nachdenklich.

»Nun, ja«, erwiderte Selexin. »Es sei denn, Ihnen fällt eine andere Möglichkeit ein.«

Auf dem Fußboden hockend, sah Swain zu dem kleinen Mann auf und sagte: »Eigentlich schon.«

Mit diesen Worten streckte Stephen Swain den linken Arm – mit dem dicken grauen Armband daran – *durch* den Spalt zwischen der kleinen roten Tür und deren Rahmen.

Sofort hörten sie von draußen ein lautes, beharrliches Piepen, und ein paar Sekunden später zog Swain das Handgelenk wieder zurück.

Das Piepen hörte sofort auf.

Alle blickten auf das dicke graue Armband, auf dessen Anzeige jetzt stand:

```
INITIALISIERT - 6
DETONATIONSSEQUENZ EINGESCHALTET
Bei 14:57 DETONATIONSSEQUENZ ABGESCHALTET
ZURÜCKGESTELLT.
```

14:57 blinkte.

Swain lächelte Selexin zu. »Es gibt keine Tür draußen. Das ist die letzte.«

»Woher weißt du das, Dad?«, fragte Holly.

»Weil das Armband deines Vaters so eingestellt ist, dass sich eine automatische Detonationssequenz von fünfzehn Minuten einschaltet, wenn es spürt, dass es sich außerhalb des Energiefeldes dieses Labyrinths befindet«, erwiderte Selexin, ohne nachzudenken.

»Was?«, meinte Holly.

»Er will damit sagen, dass dieses Armband explodieren

wird, wenn ich mich außerhalb des elektrischen Feldes bewege, das um dieses Gebäude liegt. Es sei denn, ich kehre innerhalb von fünfzehn Minuten zurück.«

»Und hast du das gesehen?« Selexin zeigte auf die Anzeige, die blinkende 14:57. »Der Countdown hat angefangen, als er das Handgelenk zur Tür hinausgehalten hat.«

»Was bedeutet, dass wir, sobald wir jenseits dieser Tür sind, uns außerhalb des elektrischen Felds und des Labyrinths befinden«, ergänzte Swain.

»Genau«, sagte Selexin.

»Also gehen wir«, meinte Holly. »Verschwinden wir von hier.«

»Können wir nicht«, entgegnete Swain traurig, »oder zumindest, ich kann's nicht. Noch nicht.«

»Warum nicht?«, fragte Holly.

»Wegen des Armbands«, seufzte Selexin.

Swain nickte. »Ich krieg's nicht runter. Und mir bleiben in diesem Fall nur fünfzehn Minuten, bis dieses Ding explodiert.«

»Dann finden wir besser eine Möglichkeit, es herunterzubekommen«, sagte Selexin.

»Wie?«, fragte Swain, das Handgelenk schüttelnd. Das Armband war hart und fest, eine dicke Stahlklammer. »Sehen Sie es sich an! Es ist so hart wie Fels. Wir würden eine Axt oder einen Hammer benötigen *und* jemanden, der stark genug ist, es damit zu zerbrechen.«

»Ich wette, Balthasar würde das hinbekommen«, sagte Holly. »Er ist echt groß. Und ich wette, er ist auch echt stark.«

»Und als wir ihn das letzte Mal gesehen haben, war er nicht stark genug, auf eigenen Füßen zu stehen«, meinte Selexin mürrisch.

»Wir wissen nicht mal, ob er und Hawkins noch am Leben sind«, sagte Swain. »Es muss eine andere Möglichkeit geben.«

»Vielleicht gibt's hier einen Schraubstock, in den wir es einklemmen und durch den Druck aufsprengen können.«

»In einer Bibliothek? Unwahrscheinlich.«

Enttäuscht ließ sich Selexin neben der halb geöffneten Tür nieder und starrte den Fluchtweg an, den er nicht benutzen konnte. Swain blickte ebenfalls auf die Tür. Er war tief in Gedanken versunken. Holly hielt ihn fest am Arm.

»Nun ja, zunächst mal müssen wir euch beide hier rauskriegen«, sagte er schließlich. »Danach muss ich eine Möglichkeit finden, dieses Ding hier abzubekommen, und mich dann mit euch draußen treffen.« Er schnaubte. »Puh! Vielleicht sollte ich Bellos bitten, sich an dem Teil zu versuchen. Das würde ihm ganz bestimmt gefallen.«

»Stark genug wäre er«, meinte Selexin.

»Aber würde er es tun?«, höhnte Swain.

»Gerne«, sagte eine tiefe Baritonstimme von irgendwo hinter ihnen.

SWAIN FUHR HERUM.

Dort, genau vor ihm, in einem der Gänge, die rechtwinklig von der westlichen Wand abzweigten, stand Bellos.

Beim Anblick dieses Hünen überlief es ihn kalt. Der Körper, das Gesicht, die langen spitzen Hörner, alles an ihm war schwarz. Außer der Brustplatte, die, wie Swain jetzt deutlich erkannte, wunderbar in Gold gefertigt war.

Und er war groß, größer, als es zunächst den Anschein gehabt hatte. Mindestens zwei Meter dreißig.

»Sei gegrüßt, Mitstreiter. Vor dir steht Bellos ...«

»Ich weiß, wer du bist«, sagte Swain leise.

Erstaunt reckte Bellos den Hals.

»Wo sind deine Hoodaya?«, fragte Swain ruhig, während Selexin und Holly neben ihm langsam aufstanden. »Du kämpfst nicht ohne sie, stimmt's?«

Bellos kicherte bösartig. Währenddessen sah Swain etwas an seiner Seite baumeln – an seinem Gürtel.

Es war die Atemmaske des Konda.

Mit einem Anflug von Entsetzen fiel ihm Selexins frühere Beschreibung des großen Mannes ein: *Der Trophäensammler*.

Da erblickte er plötzlich ein zweites Ding, das an Bellos' Gürtel geclippt war. In dem düsteren gelben Licht des Magazins glänzte es schwach golden. Swain bekam ganz große Augen.

Es war ein Rangabzeichen des New York Police Department.

Hawkins' Partnerin ...

Bellos ergriff das Wort und holte Swain aus seinen Gedanken. »Du versuchst, Mut zu zeigen, den du nicht besitzt, kleiner Mann. Hier sind keine Hoodaya. Nur du. Und ich.«

»Weißt du, was«, meinte Swain, »ich glaube dir nicht.«

Bellos trat vor. »Du gebrauchst starke Worte für einen Mann, der *moriturum esse* ist.«

»*Moriturum esse*«, wiederholte Swain. Aus dem Augenwinkel suchte er nach den Hoodaya. Bestimmt würde jeden Moment einer von ihnen aus einem der Gänge in der Nähe heranspringen. »Der sterben soll, hm? Warum in diesem Fall nicht *osci asinum meum*?«

Bellos zog verständnislos die Brauen zusammen.

»*Osci asinum meum?*«, wiederholte er verwirrt. »Ich soll deinen Hintern küssen?«

Swain trat wiederholt gegen das zwischen der kleinen roten Tür und dem Rahmen verkeilte Buch. Schließlich hatte er es heraus, und augenblicklich begann der Federmechanismus, die Tür zuzuschieben. Swain hielt sie mit der Hand fest – hinter seinem Rücken.

»Wenn sie angreifen, rennt ihr beiden sofort durch die Tür«, flüsterte er Selexin und Holly zu. »Macht euch um mich keine Sorgen.«

»Aber ...«

»*Tut's einfach!*«, zischte Swain, ohne Bellos aus den Augen zu lassen.

»Bleibst du bloß dort stehen, kleiner Mann, »*oder kämpfst du?*«, höhnte Bellos.

Swain erwiderte nichts, sondern sah nur nach rechts. Dann nach links. Er wartete auf die Hoodaya.

Sie griffen an.

Plötzlich. Ohne Vorwarnung. Von vorn. Nicht von den Seiten. *Über* Bellos' Schulter hinweg.

Es war ein einzelner Hoodaya, der mit entblößten Klauen heransprang. Direkt auf ihn zu.

Mit der freien Hand versetzte er der Kreatur einen Rückhandschlag. Er traf sie genau auf den Kopf und schickte sie quietschend zu Boden.

Sofort öffnete er die Tür hinter sich. »Los!«, schrie er Selexin und Holly zu. »Los! Weg hier!«

Da griff der zweite Hoodaya an.

Er kam von links, prallte auf seinen Rücken und warf ihn zu Boden, sodass er die Tür losließ.

Ganz langsam begann sie sich zu schließen.

Als er sich auf den Rücken wälzte, sprang ihn der zweite Hoodaya erneut an. Verzweifelt warf Swain einen Arm hoch und erwischte mit der Hand den dünnen Hals des Tiers. In dem wütenden Versuch, Swains Gesicht zu erreichen, der ihn auf Armeslänge von sich weghielt, klappte Bellos' Hund das gewaltige Maul bösartig auf und zu.

Wild schlug er mit den Klauen nach Swains Brust – aber sie waren nicht lang genug. Also richtete er seine Bemühungen stattdessen auf seinen Arm – und fügte ihm sofort fünf blutige Schlitze zu.

In diesem Moment fiel Swains Blick auf die Tür.

»Die Tür! *Zur Tür!*«, schrie er Holly und Selexin zu.

Aber Holly und Selexin standen nur da. Reglos. Sie starrten nach rechts, die westliche Wand hinab.

Swain beobachtete verzweifelt die Tür, die sich jetzt zügiger bewegte. Sie hatte sich schon fast geschlossen, da streckte er als letztes Mittel das Bein aus und klemmte den Fuß dazwischen.

»Los!«, schrie er und trat sie mit aller Kraft wieder auf, während er gleichzeitig mit dem Hoodaya rang.

Aber Selexin und Holly rührten sich nicht von der Stelle.

Ihre Blicke waren auf den dritten und vierten Hoodaya gerichtet, die bedrohlich in den Gang hinaustraten.

Swain erhob sich auf ein Knie, wobei er nach wie vor den zweiten Hoodaya auf Armeslänge von sich weghielt. Das Tier entschied sich für eine neue Taktik. Statt sich wie wahnsinnig in seinem Griff zu winden und um sich zu schlagen, packte es Swains Unterarm mit beiden Klauen, umklammerte und *drückte* ihn – wohl in der Hoffnung, dass sich der Griff um seinen Nacken lockern würde.

»Herrgott! Raus hier!«, schrie Swain, der die Tür mit dem Fuß weit geöffnet hielt. »Ich kann sie nicht mehr viel länger halten!«

Aber Holly und Selexin rührten sich nach wie vor nicht, und als er endlich bemerkte, wohin sie blickten, kam Swain ein flüchtiger Gedanke, allerdings eine Sekunde zu spät.

Wohin war der erste Hoodaya verschwunden?

Der erste Hoodaya sprang mit rasender Geschwindigkeit in ihn hinein – und schleuderte dadurch sich selbst, Swain und den zweiten Hoodaya in die Türöffnung. Swain prallte von der Tür ab und flog zusammen mit den beiden Hoodaya in den Korridor hinaus.

»*Nein!*«, schrie er angesichts der Tür, die sich hinter ihm wieder schloss.

Er hielt den Hals des zweiten Hoodaya nach wie vor fest – ebenso, wie dieser seinen Unterarm. Gnadenlos schlug Swain den Kopf des Tiers zweimal gegen den harten Betonboden, augenblicklich lockerte sich der Griff des Hoodaya, und sein Körper erschlaffte. Swain warf ihn beiseite und sprang zu der sich schließenden Tür hinüber.

Überall herrschte ein Höllenlärm. Die Hoodaya quietschten, ein lautes elektronisches Piepen ertönte von seinem Armband, und dann hörte er – was das Aller-

schlimmste war – Holly innerhalb der Bibliothek kreischen.

Swain hechtete weiter auf die Tür zu, landete jedoch etwas zu kurz und rutschte die restliche Strecke mit ausgestreckten Armen auf dem Bauch dahin ...

Zu spät.

Die Tür ging zu.

Das Schloss klickte.

Und ein blendendes, zischendes blaues Licht schoss aus
Angeln und Knauf.

Elektrisiert.

Es folgte ein jähes, entsetzliches Schweigen, durchbro-
chen lediglich von dem lauten beharrlichen Piepen von
Swains Armband. Er blickte hinab. Auf der Anzeige stand:

```
INITIALISIERT - 6
DETONATIONSSEQUENZ EINGESCHALTET.
14:55
COUNTDOWN LÄUFT.
```

Voller Entsetzen blickte Stephen Swain auf die elektrisierte Tür.

Er befand sich jetzt außerhalb des Labyrinths.

VIERTER ZUG

30. November, 20.41 Uhr

In einem Höllentempo rannten Holly und Selexin einen der Gänge des zweiten Tiefgeschosses entlang.

Holly hörte lediglich ihr eigenes rasches Atmen, während sie die schmalen Schluchten aus Bücherregalen hinabliefen. Selexin hielt sie bei der Hand, zog sie voran und blickte sich dabei beständig um.

Sie erreichten eine Kreuzung und rasten im Zickzack, rechts, links, auf das Treppenhaus in der Mitte des gewaltigen unterirdischen Raums zu.

Holly hatte zu schreien begonnen, sobald Swain unter dem Gewicht der beiden Hoodaya rücklings über die Türschwelle gestolpert war, aber Selexin war plötzlich zum Leben erwacht, hatte sie bei der Hand gepackt und sie in den nächsten Gang gezerrt.

Hinter sich vernahmen sie das Knurren und Grunzen der Hoodaya auf ihrer wilden Verfolgungsjagd.

Nicht weit hinter sich.

Und rasch aufholend.

Selexin zerrte heftiger an Holly. Sie mussten schneller rennen.

Swain ließ den Blick über den dunklen Gang schweifen. Trübes gelbes Neonlicht erhellte den winzigen Korridor.

Der Hoodaya ihm zu Füßen ächzte leise. Nachdem ihn Swain zweimal heftig auf den harten Betonboden geschlagen hatte, lag er jetzt völlig benommen da.

Der andere war nirgendwo zu sehen.

Swain hockte sich neben den Hoodaya auf den Boden. Der zischte ihn trotzig an, war jedoch zu schwer verletzt, um sich rühren zu können.

Swain sah auf sein Armband, auf den weiter laufenden Countdown:

14:30

14:29

14:28

Es war keine Zeit zu vergeuden. Ihm blieben vierzehn Minuten zur Rückkehr ins Gebäude, ehe sein Armband explodierte.

Nein. Noch wichtiger. Ihm blieben vierzehn Minuten, um zu Holly zurückzukehren.

Swain schnitt eine Grimasse und hob den verletzten Hoodaya am schlanken Hals hoch. Dieser wand sich schwach in seinem Griff – eine vergebliche Anstrengung. Dann schloss Swain die Augen und knallte den Kopf der Kreatur ein letztes Mal gegen den Betonboden. Sogleich erschlaffte der Körper. Tot.

Swain warf den Kadaver weg und schritt vorsichtig den schmalen Korridor hinab.

Der andere Hoodaya war nach wie vor nirgendwo zu entdecken.

Am Ende des Gangs erreichte Swain einen kleinen Raum voller großer kastenförmiger elektrischer Messgeräte an den Wänden. Auf einem großen Schild oberhalb eines der Geräte stand: UMSPANNSTATION.

Swain fiel eine kleine gezackte Zunge blauer Elektrizität auf, die regelmäßig aus einem Spalt in der Decke hervorleckte, das Umspannmeter berührte und dadurch einen Kurzschluss verursachte. Con Ed hätte ihre helle Freude daran, dachte er.

Auf der anderen Seite des Raums befand sich ein kleiner Durchgang.

Ohne Tür.

Während sein Armband nach wie vor beharrlich piepte, schob sich Swain durch die Öffnung und fand sich neben den Schienen der New Yorker U-Bahn wieder.

Im Bahntunnel war es still. Die Wände waren völlig schwarz gestrichen, und etwa alle fünfzehn Meter waren lange weiße Neonröhren angebracht. Eine alte Holztür hing an einem starken Vorhängeschloss neben der Schwelle. Swain überlegte, wie sie wohl aus den Angeln gerissen worden war.

Von rechts ertönte ein Geraschel.

Swain drehte sich hin.

Dort stand der zweite Hoodaya!

In drei Metern Entfernung, den Rücken gekrümmt, den Kopf heftig hin und her schüttelnd. Im Maul die Überreste dessen, was einmal eine Ratte gewesen war.

Swain wollte gerade zurückweichen, da ertönte ein leises Gepolter tief aus dem Innern des Tunnels. Die Schienen neben ihm begannen zu summen.

Zu vibrieren.

Ein sanfter weißer Schimmer tauchte um die Biegung des Tunnels auf.

Plötzlich durchbrach eine Untergrundbahn mit quietschenden Rädern das Schweigen. Es war ein ohrenbetäubendes, schrilles Jaulen. Die hell erleuchteten Fenster sausten rasend schnell vorüber.

Swain ließ sich sofort auf den schmierigen Boden des Tunnels fallen. Im aufblitzenden Licht des Zugs sah er, wie der Kopf des Hoodaya hochfuhr und ihn erblickte.

Unter gewaltigem Getöse schoss der Zug vorüber, Staub

und Schmutz aufwirbelnd, die er Swain ins Gesicht schleuderte. Swain presste fest die Augen zusammen.

Dann war der Zug wieder verschwunden, und im Tunnel herrschte erneut Stille. Das Armband piepte beharrlich weiter.

Langsam hob Swain den Kopf.

Der Tunnel war leer. Er warf einen Blick zu der Stelle hinüber, wo der Hoodaya gestanden hatte ...

Weg.

Swain fuhr herum.

Nichts.

Er fühlte jetzt laut sein Herz im Schädel pochen. Sein rechter Unterarm schmerzte wie verrückt, nachdem der Staub des vorüberfahrenden Zugs in die fünf tiefen, von den Klauen gerissenen Wunden geraten war. Ihm brach der Schweiß aus.

13:40

13:39

13:38

Dafür hatte er jetzt keine Zeit. Er wälzte sich auf die Seite und spürte – seltsam – etwas in seiner linken Jeanstasche.

Es war der kaputte Telefonhörer. Den hatte er völlig vergessen. Er hatte ihn auf der ersten Etage von Holly zurückbekommen. Er suchte in seiner anderen Tasche.

Die Handschellen.

Und Jim Wilsons nutzloses Feuerzeug.

Erneut schaute er auf die Anzeige.

13:28
COUNTDOWN LÄUFT.

Die Worte blinkten.

Mein Gott, der Countdown läuft – das weiß ich doch. Das weiß ich!

Scheiße.

Voller Furcht sah sich Swain im Tunnel um. Er suchte den Hoodaya und allmählich lief ihm die Zeit davon. Er musste in die Bibliothek zurück.

Da griff ihn das Tier lautlos von hinten an und beide stürzten auf die Schienen. Die Handschellen fielen zu Boden, ebenso das Feuerzeug.

Der Hoodaya landete auf seinem Rücken, doch Swain wälzte sich rasch herum und schleuderte ihn hinunter.

Wie eine Katze kam der Hoodaya geschmeidig auf die Füße, drehte sich im gleichen Moment um und warf sich erneut auf Swain. Der erwischte ihn an seinem schlanken Hals und fiel zwischen die Schienen.

Der Hoodaya zischte und quietschte und wand sich wie wahnsinnig. Verzweifelt versuchte er, sich aus Swains Griff zu lösen. Er schlug mit den rasiermesserscharfen Klauen um sich – eine erwischte Swain an der Brust, riss ihm die Knöpfe vom Hemd und zog blutige Streifen, die andere schlug hässlich nach seinem Arm.

Swain lag auf den Betonschwellen *zwischen* den Schienen und hielt den wild um sich schlagenden Hoodaya an der ausgestreckten Hand auf Armeslänge von sich. Besser, sich ein paar Mal den Unterarm aufschlitzen zu lassen, als den Körper ...

Da erstarrte er.

Er hörte es.

Ein leises, fernes Grollen.

Der Hoodaya schenkte dem Lärm keine Beachtung. Er riss weiterhin den Körper mal hierhin, mal dorthin.

Da begannen die Schienen zu beiden Seiten Swains zu summen.

Zu vibrieren.

O nein ...

O nein!

Swains Gesicht lag unmittelbar neben den Schienen, die Augen auf gleicher Höhe mit den großen gebogenen Haken auf der Innenseite, die sie an den Schwellen festhielten.

Die Haken, dachte er.

Der Hoodaya drehte und wand sich nach wie vor, da wälzte sich Swain plötzlich herum.

Suchte.

Die Schienen summten lauter.

Swain sah sich verzweifelt um. *Wo waren sie?*

Noch lauter.

Wo ...

Diese Seite. Jene Seite. Suchen. Suchen ...

Er hörte das metallische Geräusch des herannahenden Zuges. Jede Sekunde würde er über ihnen sein ...

Da!

Sie lagen auf dem Boden neben einem anderen der großen runden Haken.

Swain griff mit der freien Hand hinüber, packte die Handschellen, legte sie in einer einzigen raschen Bewegung dem Hoodaya um die Kehle und ließ sie zuschnappen.

Klick!

Einen Moment lang zeigte sich der Hoodaya von der Schelle um seinen Hals überrascht.

Swain sah ein nebelhaftes weißes Licht, das um die Ecke des Tunnels herumkam und immer heller wurde. Das Gepolter war jetzt sehr laut.

Dann ließ er rasch den Hoodaya fallen und befestigte die andere Schelle um den nächsten Haken.

Klick!

Das Gekreisch von Stahl auf Stahl erfüllte die Luft. Der Zug bog um die Kurve.

Swain packte den Hoodaya beim Schwanz, sprang von den Schienen und riss das Tier mit.

Sofort spannten sich die Handschellen an.

Der Hoodaya blieb zurück – den Kopf von der Schelle an dem Haken auf der *Innenseite* der Schiene festgehalten und den Körper von Swain auf der *Außenseite*.

Der Zug schoss vorüber, und Swain hörte ein lautes, Übelkeit erregendes Knirschen, als die stählernen Räder durch den Halsknochen des Hoodaya schnitten und ihn enthaupteten.

Mit einem Höllenlärm sauste der Rest des Zuges vorüber. Fenster blitzten. Dann verschwand er im Tunnel.

Erneut war es still, von dem unaufhörlichen Piepen am Armband einmal abgesehen.

Schleimige schwarze Flüssigkeit sickerte langsam aus dem kopflosen Körper des Hoodaya. Swain berührte die großen Blutstropfen, mit denen er über und über bespritzt worden war, als der Zug dem Hoodaya den Kopf abgetrennt hatte.

Er ließ den Kadaver fallen und blickte auf sein Armband.

11:01
11:00
10:59
COUNTDOWN LÄUFT.

Nur noch elf Minuten für die Rückkehr in die Bibliothek.

Nicht mehr viel Zeit.

Eilig hob Swain das Feuerzeug auf, sprang vom schwarzen Boden des U-Bahn-Tunnels und lief über die Schienen in die Dunkelheit hinein.

JOHN LEVINE SASS auf dem Beifahrersitz eines schwarzen Lincoln Sedan, der gegenüber dem Haupteingang zur New York State Library parkte.

Das Gebäude wirkte friedlich. Ruhig. Tot.

Levine sah auf seine Armbanduhr. 20.30 Uhr. Genau jetzt sollte Marshall eintreffen.

Sein Handy klingelte.

»*Levine*«, sagte die Stimme. »*Marshall hier. Sind Sie an der Bibliothek?*«

»Ja, Sir.«

»*Ist sie ruhig?*«

»Positiv, Sir«, erwiderte Levine. »Muckst sich nicht im Geringsten.«

»*Dann also gut*«, meinte Marshall. »*Das Einsatzkommando ist unterwegs. Es wird in fünf Minuten da sein, ich komme in zwei. Sperren Sie das ganze Gebäude großräumig ab, etwa dreißig Meter. Und, Levine ...*«

»Ja, Sir?«

»*Was Sie auch tun, rühren Sie mir nicht das Gebäude selbst an!*«

Selexin und Holly sahen jetzt das Treppenhaus.

Direkt vor sich. In weniger als dreißig Metern Entfernung.

Heftig keuchend liefen sie weiter den schmalen Gang hinab.

Sie näherten sich der Kreuzung zweier Gänge, da sprang

ihnen plötzlich ein Hoodaya in den Weg. Er hatte die Klauen gehoben und die gezackten Zähne gebleckt.

Rutschend kamen Holly und Selexin zum Stehen. Der Hoodaya krachte auf den harten Holzboden.

Hastig stand er wieder auf und versperrte ihnen den Weg. Unweit hinter dem Tier sahen sie die offene Tür zum Treppenhaus.

Selexin fuhr herum und wollte den anderen Weg nehmen, blieb jedoch unvermittelt stehen.

Denn hinter ihnen schlich langsam der zweite Hoodaya in den Gang.

Swain rannte den Tunnel hinab auf einen Lichtschein zu, der um die Biegung drang.

Es war eine U-Bahn-Station. Welche, war ihm gleichgültig.

10:01
10:00
9:59

Swain stürmte in das weiße Licht der Station und zog sich hoch auf den Bahnsteig.

Unter den Fahrgästen dort erhob sich ein Gemurmel. Alle traten entsetzt zurück, als Swain sich an ihnen vorbeischob. Ihm war es völlig egal, wie er ausgesehen haben musste.

Seine Jeans zierten überall schwarze schmierige Streifen, und sein Hemd – ebenfalls schwarz vom Dreck der U-Bahn, von Aufzugschmiere und Hoodaya-Blut – war vom Hals bis zum Nabel aufgerissen. Ein einzelner blutiger Streifen zog sich ihm über die Brust, während der rechte Unterarm blutgetränkt von den tiefen Schrammen war, die ihm die Hoodaya zugefügt hatten. Die blutig rote Narbe auf der linken Wange war auf dem schwarzen schmutzigen Gesicht nicht zu erkennen.

Swain stürmte durch die Menge und rannte die Treppe hinauf, die zur ebenen Erde führte.

»Was tun wir jetzt?«, flüsterte Holly voller Angst.

»Weiß ich nicht, weiß ich nicht«, erwiderte Selexin.

Beide Enden des Gangs waren von den Hoodaya blockiert. Holly und Selexin saßen in der Falle.

Selexin, etwa einen Meter dreißig groß, war ebenso wie Holly kaum größer als die beiden Tiere.

Er sah sich voller Angst um. Die bis zur Decke reichenden Bücherregale bildeten eine scheinbar undurchdringliche Mauer zu beiden Seiten des Gangs.

Der Hoodaya vor ihnen kam näher. Der andere rührte sich nicht vom Fleck.

Holly bemerkte, weshalb.

Dem zweiten Hoodaya, der ihnen den Rückweg versperrte, fehlte die linke vordere Klaue. Er hatte lediglich einen blutigen Stumpf am Ende des knochigen schwarzen Arms. Es musste derjenige sein, den Balthasar auf der ersten Etage mit seinem Messer am Geländer festgenagelt hatte.

Holly stieß Selexin mit dem Ellbogen an und zeigte auf den Hoodaya. Er bemerkte es ebenfalls.

Selexin wich vor dem ersten Hoodaya zurück, schob sich auf den verwundeten zu und musterte dabei nach wie vor die undurchdringliche Wand zu beiden Seiten.

Warte mal 'ne Minute, dachte er.

Erneut ließ er den Blick prüfend über die Regale schweifen.

Sie waren gar nicht *undurchdringlich.*

»Schnell«, sagte er. »Schnapp dir die Bücher. Die hier.«
Er zeigte auf ein unteres Regalbrett. »Schnapp sie dir und
wirf!«

Er selbst packte einen großen dicken Schinken, schleuderte ihn auf den unverletzten Hoodaya und traf ihn ins
Gesicht. Das Tier knurrte ihn ärgerlich an.

Ein zweites Buch traf. Dann ein drittes. Das vierte Buch
galt dem verletzten Hoodaya.

»Wirf weiter«, sagte Selexin.

Sie schleuderten weiterhin Bücher auf die Hoodaya, und
diese wichen ein wenig zurück. Holly warf noch eines und
streckte die Hand nach dem nächsten aus, da verstand sie
plötzlich, was Selexin im Sinn hatte.

Er benutzte die Bücher nicht dazu, die Hoodaya in
Schach zu halten, sondern um eine Lücke im Regal zu
schaffen. Je mehr Bücher sie herauswarfen, desto größer
wurde sie. Bald hatte Holly freien Blick auf den nächsten,
parallel verlaufenden Gang.

»Bist du bereit?«, fragte Selexin und traf den verwundeten Hoodaya mit einem Buch an der verletzten vorderen
Klaue. Die schwarze Kreatur heulte vor Schmerz laut auf.

»Ich glaube schon«, erwiderte Holly.

Der unversehrte Hoodaya rückte gegen sie vor.

»Na gut«, sagte Selexin. »Los!«

Ohne weitere Überlegung sauste Holly durch die Lücke
im Regal und landete mit einem Plumpser im Parallelgang.

Selexin blieb jedoch weiterhin im anderen Gang stehen.

Vorsichtig trat der verletzte Hoodaya heran.

Die beiden Hoodaya näherten sich dem kleinen Mann
von zwei Seiten.

»Komm schon!«, sagte Holly aus dem anderen Gang.
»Spring durch!«

»Noch nicht.« Selexin ließ die herankommenden Hoo-

270

daya nicht aus den Augen. »*Noch* nicht!« Er warf ein weiteres Buch auf den verwundeten Hoodaya. Es traf. Das Tier zischte wütend.

»*Komm* schon!«, sagte Holly.

»Halt dich nur startbereit, ja?«, erwiderte Selexin.

Verzweifelt blickte Holly ihren Gang hinab. Auf der einen Seite sah sie das Treppenhaus. Auf der anderen ...

Sie erstarrte.

Es war Bellos.

Der mit langen kraftvollen Schritten auf sie zukam.

»Selexin, spring! *Du musst sofort springen!*«, schrie sie.

»Sie sind noch nicht nah genug heran ...«

»*Spring* einfach! Er ist fast hier!«

»Er ...?« Selexin war kurzzeitig verblüfft. Die Hoodaya waren jetzt sehr nahe.

»Oh! *Er!*« Als er kapierte, wen sie meinte, tauchte Selexin sofort durch die Lücke im Regal und landete zu Hollys Füßen. Sie zog ihn hoch, und beide liefen auf das Treppenhaus zu.

Bellos rannte ebenfalls los.

Sie jagten über den harten Holzboden den Gang hinab. Holly hörte den unversehrten Hoodaya, der den Parallelgang hinablief, knurren und schnauben.

Im Laufschritt erreichten sie die Treppen und nahmen die Stufen immer zwei auf einmal.

Hinter sich hörten sie deutlich das Scharren von Klauen auf Marmor. Der Hoodaya raste in das Treppenhaus. Diesem Geräusch folgte rasch ein plötzliches Donnern und Krachen, als das Tier auf dem schlüpfrigen Marmorfußboden den Halt verlor und gegen die Betonmauer prallte.

Außer Atem stiegen Holly und Selexin immer weiter hinauf, bis sie nichts mehr hinter sich hörten.

Im Treppenhaus herrschte Stille.

Sie eilten weiter nach oben.

Da ertönte von ganz unten, vom Grund des Schachts, eine Stimme, die laut durch das Treppenhaus schallte.

»Lauf weiter!«, dröhnte Bellos Stimme. »Lauf weiter, kleiner Mann! Wir werden dich finden! Wir werden dich *stets* finden! Die Jagd ist eröffnet, und du bist die Beute. Ich werde dich jagen, und ich werde dich finden, und wenn ich dich finde, kleiner Mann, wirst du bei Gott wünschen, dass dich ein anderer *zuerst gefunden hätte*!«

Die Stimme erstarb. Und während Holly und Selexin weiter hinaufstiegen, schallte bösartiges Gelächter durch das Treppenhaus.

»Da kommen sie«, sagte Levine zu Marshall. Sie standen neben seinem Wagen.

Ein riesiger blauer Transporter bog um die Ecke und hielt hinter Levines Lincoln. Er sah aus wie ein überdimensionaler Fernsehübertragungswagen, hatte eine rotierende Satellitenschüssel auf dem Dach, und das Blaulicht war eingeschaltet.

Levine schirmte die Augen gegen das gleißende Licht der Scheinwerfer ab. Ein völlig in Blau gekleideter Mann mit mächtigem Brustkasten stieg an der Beifahrerseite aus und baute sich in Hab-Acht-Stellung vor Marshall auf.

Es war Harold Quaid.

Commander Harold Quaid.

Levine hatte bisher noch nicht mit Quaid zusammengearbeitet, aber sein Ruf war legendär. Offenbar hatte er sich den Titel »Commander« selbst verliehen – in der NSA gab es keinen solchen Rang –, als er den Befehl über das Kommandounternehmen der Division Sigma übernommen hatte. Gerüchten zufolge hatte er einmal irrtümlich einen Zivilisten getötet, als er der Sichtung eines glubschäugigen Alien nachgegangen war. Die Sache war niemals weiter verfolgt worden.

Heute Abend trug er die Montur eines Mitglieds der Anti-Terror-Einheit SWAT: blauer Kampfdrillich, kugelsichere Weste, Stiefel, Barett und Patronengürtel.

»Sir«, sagte Quaid zu Marshall.

»Harry«, nickte Marshall. »Sie sind pünktlich.«

»Wie stets, Sir.«

Marshall wandte sich an Levine. »Sie haben das Gelände abgesperrt?«

»Sie sind gleich so weit«, erwiderte Levine. »Um das ganze Gebäude ist Absperrband gezogen. Dreißig Meter Abstand. Sogar im Park.«

»Niemand hat das Gebäude angerührt?«

»Sie hatten strikte Anweisungen.«

»Gut«, meinte Marshall. Beim letzten Durchgang des Lauschers – der jetzt direkt auf die Bibliothek ausgerichtet war –, war eine ungewöhnlich große Menge elektromagnetischer Energie aufgespürt worden, deren Quelle an der Oberfläche des Gebäudes lag. Marshall wollte keine Risiken eingehen.

Er wandte sich an Quaid. »Ich hoffe, Ihre Jungs sind bereit. Das hier ist die ganz große Sache.«

Quaid lächelte. Es war ein kaltes, dünnes Lächeln. »Wir sind bereit.«

»Das ist auch besser so«, erwiderte Marshall, »denn sobald wir uns überlegt haben, wie wir das elektrische Feld da ausschalten können, werden Sie reingehen.«

ZUM ERSTEN MAL in dieser Nacht erblickte Stephen Swaid die New York State Library von außen.

Es war ein wunderschönes Gebäude. Vier Stockwerke hoch, quadratisch im Grundriss und mit Flachdach. Sechs Säulen im korinthischen Stil ragten majestätisch von den Stufen bis zum Dach hinauf.

Eigentlich wirkte sie wie ein altes Landhaus aus den Südstaaten, prächtig gelegen inmitten eines entzückenden Stadtparks, wie der Teil eines Town Square. Nur dass dies hier ein antiquierter war, der neben den Wolkenkratzern, die darum gewachsen waren, winzig klein erschien.

Swain betrachtete sich die Bibliothek von der anderen Straßenseite aus, vom Eingang zur U-Bahn-Station. Er atmete schwer, und die Schrammen an Brust und Unterarmen brannten.

Sein Armband piepte nach wie vor.

8 : 00
7 : 59
7 : 58

Die Zeit lief ihm davon, und die Lage sah übel aus.

Die Bibliothek war abgesperrt worden.

Leuchtend gelbes Band spannte sich im Park um das große dunkle Gebäude von Baum zu Baum und ließ einen etwa dreißig Meter breiten Streifen offenen Geländes zwischen sich und den Außenwänden der Bibliothek.

Ein halbes Dutzend Fahrzeuge ohne Kennzeichen – mit nach wie vor brennenden Scheinwerfern – bildete einen engen Kreis um den Haupteingang und in dessen Zentrum stand, die anderen Autos hoch überragend, ein großer blauer Polizeilaster mit einer rotierenden Schüssel auf dem Dach und wirbelndem Blaulicht, das in seinen rasend schnellen Drehungen den Park mit einem bläulichen Dunstschleier überdeckte.

Verdammt, dachte Swain, während er zu dem großen blauen Laster hinübersah.

In den vergangenen beiden Stunden hatte er sich nichts sehnlicher gewünscht, als die Bibliothek zu *verlassen* – einen möglichst großen Abstand zwischen sich und Holly zu Reese, Bellos und den Karanadon zu bringen – und aus dem elektrisierten Käfig zu verschwinden, zu dem die Bibliothek geworden war.

Und jetzt?

Swain lächelte traurig.

Jetzt musste er wieder *hinein.*

Er musste wieder hinein, damit diese Bombe an seinem Handgelenk nicht explodierte. Er musste den Käfig wieder betreten, in dem ihn Reese, Bellos und der Karanadon erwarteten und umbringen wollten.

Am allerwichtigsten war jedoch, Holly zu retten. Der Gedanke, dass seine einzige Tochter zusammen mit diesen Ungeheuern in der Bibliothek gefangen saß, verursachte ihm Übelkeit. Der Gedanke, dass sie dort auch *nach seinem Tod* gefangen säße, verursachte ihm Panik. Sie hatte bereits einen Elternteil verloren. Sie würde nicht noch einen verlieren.

Aber dazu musste er immer noch die elektrisierten Mauern durchdringen.

Und wer waren diese neuen Leute da?

Swains Blick blieb an einigen Schatten auf der Rückseite des Bibliotheksgebäudes hängen. Dort war es dunkel. Gut. Eine Chance.

Swain rannte über die Straße.

Der Park war ziemlich hübsch, ein ebenes Rasengelände, und um drei Seiten des Gebäudes standen in gleichmäßigen Abständen Eichen – nur dass diese jetzt durch das leuchtend gelbe Band miteinander verbunden waren.

Außerhalb dieser »Baumgrenze«, auf der östlichen Seite, stand eine strahlend weiße Rotunde. Im Wesentlichen handelte es sich um eine erhöhte, kreisrunde, freistehende und von einem Gittergeländer gesäumte Bühne mit sechs dünnen Säulen, die in etwa sieben Metern Höhe ein wunderschönes Kuppeldach stützten.

Es war ein sehr schöner Bau, beliebt für Hochzeiten im Freien und Ähnliches. Swain entsann sich sogar, dass er Holly zu den Theateraufführungen mitgenommen hatte, die im Sommer dort stattfanden – *Wizard of Oz*-ähnliche Shows mit Wolken aus farbigem Rauch sowie ausgiebigem Gebrauch einer Falltür in der Mitte.

Swain humpelte über das offene Grasgelände und ging hinter der Rotundenbühne in Deckung.

Zwanzig Meter bis zur nächsten Eiche.

Dreißig Meter von den Eichen zur Bibliothek.

Er wollte schon loslaufen, da entdeckte er gleich neben sich einen Abfallbehälter.

Er hielt inne. Überlegte.

Wenn sie Absperrband um die Bibliothek gezogen hatten, war es wahrscheinlich, dass einige Patrouillen das Gebäude umkreisten und jeden Möchtegern-Eindringling zurückschickten. Er musste eine Möglichkeit finden …

Swain durchwühlte den Abfallbehälter und fand einige zusammengeknüllte Zeitungen. Er nahm sich eine Hand voll, und dann fiel sein Blick auf etwas anderes.

Eine Weinflasche.

Er hob sie hoch und hörte Flüssigkeit darin schwappen. Ausgezeichnet. Swain kippte die Flasche um und schüttete sich den restlichen Wein auf die Hände. Der Alkohol brannte in den Kratzern.

Dann stürmte er, mit Flasche und Zeitungen in der Hand, zu den Bäumen.

7:14
7:13
7:12

Swain warf sich gegen den dicken Stamm des Baums und tastete seine Taschen ab. Der defekte Telefonhörer und das gleichfalls defekte Feuerzeug waren noch vorhanden. Er verfluchte sich dafür, die Handschellen auf den Schienen zurückgelassen zu haben.

In dem blitzenden Blaulicht erkannte er die nächstgelegene Ecke des Gebäudes.

Dreißig Meter.

Er holte tief Luft.

Und rannte hinaus ins offene Gelände.

Gähnend stützte sich Levine auf der Motorhaube des Lincoln ab. Marshall und Quaid waren losgegangen, um sich die Tiefgarage anzusehen, während er zur Bewachung der Frontseite zurückgeblieben war.

Sein Funkgerät knisterte. Das würde Higgs sein, der Kommandant der Patrouille, die er gerade losgeschickt hatte.

»Ja«, meldete sich Levine.

»Wir sind auf der westlichen Seite des Gebäudes, und hier ist nichts, Sir«, sagte Higgs' dünne Stimme.

»In Ordnung«, erwiderte Levine. »Geht weiter um das Gebäude und sagt mir Bescheid, wenn ihr was findet.«

»Verstanden, Sir.«

Levine schaltete das Funkgerät ab.

Swain erreichte die südöstliche Ecke des Gebäudes und tauchte in die Schatten der südlichen Mauer ein.

Er atmete jetzt schwer, und sein Pulsschlag tönte laut in seinem Kopf.

Er ließ den Blick über die Mauer schweifen.

7:01
7:00
6:59

Da. Neben der entfernten Ecke.

Swain lief los und warf sich zu Boden.

Das Funkgerät knisterte erneut. Higgs' Stimme.

»*Wir nähern uns der südwestlichen Ecke, Sir. Nach wie vor nichts zu melden.*«

»Danke, Higgs«, erwiderte Levine.

Swain lag unmittelbar neben der südlichen Mauer der Bibliothek, immer noch Zeitungen und Weinflasche in Händen.

Er schaute zu einem kleinen hölzernen Fenster hinüber, das zu ebener Erde in die Mauer eingelassen war, unweit der südwestlichen Ecke des Gebäudes. Es war alt und verstaubt und sah aus, als wäre es seit Jahren nicht geöffnet worden. Sein Armband piepte nach wie vor leise.

Swain beugte sich näher heran und entdeckte Zungen win-
ziger blauer Blitze, die aus dem Rahmen des alten Fensters
leckten ...

Ein Zweig zerbrach.

Irgendwo in der Nähe.

Augenblicklich zog Swain die Zeitungen an den Körper
und wälzte sich an die Bibliotheksmauer, die Augen nur
Zentimeter von den winzigen elektrischen Funken entfernt.

Stille.

Und dann ein leises *Piep ... Piep ... Piep.*

Das Armband!

Swain schob das linke Handgelenk unter den Körper,
um das Piepen abzudämpfen, und sah im nächsten Moment drei Paar schwarzer Kampfstiefel langsam um die
Ecke kommen.

NSA-Special-Agent Alan Higgs senkte sein M-16 und
zuckte beim Anblick der Gestalt zusammen, die sich an die
Mauer gekauert hatte.

Ein schmutziger, wie ein Fötus zusammengerollter Körper, eingehüllt in zerknittertes Zeitungspapier – ein ver-
geblicher Versuch, sich gegen die Kälte zu schützen. Seine
Kleider waren schmutzige Lumpen, und das Gesicht des
Mannes war mit schwarzer Schmiere bedeckt.

Ein Penner.

Higgs setzte das Funkgerät an die Lippen. »Higgs
hier!«

»*Was ist?*«

»Bloß ein Penner, das ist alles«, erwiderte Higgs und
stieß mit dem Stiefel gegen den Körper. »Hat sich eng an

die Mauer gedrückt. Kein Wunder, dass ihn beim Auslegen des Absperrbands niemand gesehen hat.«

»*Probleme?*«

»Nein«, antwortete Higgs. »Der Bursche hat wahrscheinlich nicht mal bemerkt, dass das Band gelegt worden ist. Machen Sie sich deswegen keine Sorgen, Sir, wir haben ihn gleich draußen. Higgs, Ende.«

Er beugte sich herab und rüttelte an Swains Schulter.

»He, Kumpel«, sagte er.

Swain stöhnte.

Higgs nickte den anderen beiden Männern zu, die wie er selbst volle Anti-Terror-Montur trugen. Sie schlangen sich ihre M-16 um und bückten sich ebenfalls herab, um den Mann hochzuheben.

Währenddessen knurrte der Mann laut und wälzte sich schläfrig zu ihnen hin. Er streckte eine schwächliche Hand aus und drückte sie gegen das Gesicht eines der Männer, als wollte er sagen: »Verschwinde, ich schlafe hier.«

Der Mann schnitt eine Grimasse und zog sich zurück. »Auweia, der Typ stinkt vielleicht.«

Higgs roch den Wein sogar dort, wo er stand. »Hebt ihn einfach hoch und schleppt ihn hier raus, zum Teufel!«

Swain hielt das piepende Armband unter den Zeitungen eng an den Bauch gedrückt, während er in den Park zurückgeschleppt wurde.

In seinen Ohren war das Piepen lauter denn je. Man konnte es mit ziemlicher Sicherheit hören.

Aber die beiden Männer, die ihn wegtrugen, bemerkten anscheinend nichts. Sie versuchten sogar, sich so weit wie möglich von ihm fern zu halten.

Swain brach der Schweiß aus.

Das würde zu lange dauern.

Verzweifelt wollte er auf das Armband schauen. Nachsehen, wie viel Zeit ihm geblieben war.

Sie konnten ihn nicht wegbringen.

Er musste ins Innere zurück.

»Krankenwagen?«, fragte einer der beiden Träger den Mann, der ihnen vorausging – vermutlich ihr Kommandant.

Swains Körper spannte sich, während er auf die Antwort wartete.

»Nee«, meinte der dritte Mann. »Bringt ihn einfach aus dem Sperrgebiet hinaus. Soll ihn die Polizei später dort aufsammeln.«

»Verstanden.«

Swain stieß einen Seufzer der Erleichterung aus.

Aber wenn sie ihn nicht in ein Krankenhaus brachten, um ihn zu säubern, und wenn sie keine Polizisten waren, gab es nach wie vor zwei Fragen zu beantworten: Wohin *würden* sie ihn bringen, und *wer zum Teufel waren sie?*

Die schwer bewaffneten Männer trugen Swain durch die Bäume und über den Park hinweg zur Rotunde.

Na gut. Dort könnt ihr mich jetzt absetzen, wollte Swain sie mit dem Willen veranlassen. *Ihr braucht zu lang ...*

Sie trugen ihn die Stufen der Rotunde hinauf und legten ihn auf die kreisrunde hölzerne Bühne.

»Das wird's tun«, meinte der Kommandierende.

»Gut«, sagte derjenige, dem Swain ins Gesicht gegriffen hatte, und ließ seinen Arm los.

»Komm schon, Farrell, so schlimm stinkt er nicht«, sagte der Kommandierende.

Swain atmete wieder, und sein Körper entspannte sich.

Es wäre noch genügend Zeit.

Jetzt geht, Jungs. Ist schon gut. Geht weiter ...

»Warte mal …«, sagte derjenige namens Farrell, als sie schon ein Stück weit weg waren.

Swain erstarrte.

Farrell sah auf seine Handschuhe. »Sir, dieser Bursche blutet.«

O *Scheiße.*

»Er tut *was?*«

»Er blutet, Sir. Sehen Sie mal.«

Ruhig bleiben. Ruhig bleiben.

Sie kommen nicht herüber.

Sie werden sich nicht deinen Arm ansehen …

Swain spannte sich am ganzen Körper an, als Farrell die Hände mit den Handschuhen ausstreckte und der Kommandierende herüberkam.

Higgs untersuchte das Blut auf Farrells Handschuhen. Dann sah er zu Swain hinunter, auf die Zeitungen, die seine Arme bedeckten, auf die winzigen roten Spritzer, die durch die Druckerschwärze über seinem rechten Arm gesickert waren. Über allem lag der starke Geruch nach Wein.

Schließlich sagte er: »Vielleicht hat er sich bloß geschnitten, als er in einen Gulli gefallen ist. Lasst ihn liegen, ich werd's über Funk melden. Wenn sie es für nötig halten, können die anderen nachher rüberkommen und sich die Sache ansehen. Dieser Bursche wird sich kaum schnell verdrücken. Kommt schon, gehen wir wieder an die Arbeit.«

Sie gingen zurück zum Haupteingang.

Swain rührte sich nicht, bis das Geräusch der Schritte in der Nacht verschwunden war.

Langsam hob er den Kopf.

Er befand sich in der Rotunde auf der Bühne. Er schaute auf sein Armband:

2:21
2:20
2:19

»Warum lasst ihr euch nicht das nächste Mal etwas mehr Zeit, Jungs?«, sagte er laut. Er konnte nicht fassen, dass die Sache nur vier Minuten benötigt hatte. Ihm war es wie eine Ewigkeit vorgekommen.

Aber jetzt blieben ihm bloß noch zwei Minuten. Er musste sich in Bewegung setzen.

Schnell.

Mit einem letzten Blick durch das weiße Geländer der Rotunde sprang Swain auf und lief die Stufen hinab.

2:05

Hinüber zu den Bäumen. Dort blieb er unter einer der starken Eichen stehen.

Er brach einen dicken, tief herabhängenden Zweig ab. Dann rannte er wieder über das offene Gelände auf die Bibliothek zu.

1:51
1:50
1:49

Im Schatten der südlichen Mauer erreichte Swain das ebenerdige Fenster, das er vorhin gesehen hatte, und ließ sich auf die Knie fallen. Er packte den langen dicken Ast fester und betete zu Gott, dass es funktionieren möge.

Er schwang den Ast hart gegen die Scheibe. Das kleine Fenster zerbrach sofort. Überall flogen Glasscherben durch die Luft.

Auf der Stelle zog sich jedoch ein knisterndes Gitter aus silberblauer Elektrizität über die gesamte Breite des Fensters.

Swains Augen weiteten sich vor Entsetzen.

O nein. O ... *nein.*

1:36

Swain schluckte.

Er hätte nicht gedacht, dass *das* passieren würde. Er hatte darauf gehofft, dass die Öffnung zu groß und die Elektrizität nicht imstande wäre, die Kluft zu überspringen.

Aber das Fenster war zu klein.

Und jetzt kniete er hier und hatte eine Mauer aus kreuz und quer verlaufenden, gezackten Strängen reiner Elektrizität vor sich.

1:20
1:19
1:18

Nur noch eine Minute.

Denk nach, Swain! Es muss einen Weg geben! Es *muss!*

Aber seine Gedanken waren ein einziges Durcheinander aus Panik und Unglauben. So weit gekommen zu sein, und dann sollte alles so enden ...

Bilder der Nacht schossen ihm blitzartig durch den Kopf.

Reese im Magazin. Das Treffen mit Hawkins. Der Parkplatz. Balthasar. Hinauf ins erste Stockwerk. Bellos und die Hoodaya und der Konda im Atrium ...

1:01
1:00
0:59

... der Internetbereich und die Handschellen an der Tür. Hinauf ins dritte Stockwerk. Der Putzmittelraum. Der Karanadon. Der Aufzugschacht. Wieder hinab ins Magazin. Die kleine rote Tür. Der Sturz hindurch, zusammen mit den Hoodaya.

Draußen. Im Tunnel. Die U-Bahn.

0:48
0:47
0:46

Warte mal.

Da war was.

Etwas war ihm entgangen. Etwas, das bedeutete, dass es einen Weg hinein gab.

0:37
0:36
0:35

Was war das? *Scheiße!* Warum wollte es ihm nicht einfallen? Na gut, mach langsam. Denk nach. Wo ist es passiert?

Unten? Nein. Oben? Nein. Irgendwo dazwischen.

Im ersten Stock.

Was ist im ersten Stock geschehen?

Sie hatten Bellos gesehen, den Angriff der Hoodaya auf den Konda. Dann hatte Balthasar ein Messer geworfen und einen von ihnen am Geländer festgenagelt ...

0:29
0:28
0:27

Daraufhin hatte Holly den Knopf am Aufzug gedrückt, und sie waren in den Internetraum gerannt.

Holly.

Dann die Tür. Und die Handschellen.

0:20
0:19
0:18

Was war es gewesen, verdammt?

Holly ...

Es war da! Irgendwo im Hinterkopf hatte er es. Einen Weg hinein! Warum wollte es ihm nicht einfallen?

0:14
0:13
0:12

Denk nach, Gott verdammt, denk nach!

0:11
0:10

Stirnrunzelnd schürzte Swain die Lippen.

0:09

Er drehte den Kopf von links nach rechts. Keine weiteren Fenster. Er konnte sonst nirgendwohin.

0 : 08

Denk zurück. Erster Stock. Bellos. Hoodaya.

0 : 07

Balthasar. Messer.

0 : 06

Aufzug. Holly drückt den Knopf. *Holly …*

0 : 05

Holly? Irgendetwas mit Holly.

0 : 04

Etwas, das Holly *gesagt* hatte?

0 : 03

Etwas, das Holly *getan* hatte?

0 : 02

Und während der Countdown sich seinem Ende näherte, traf ihn die entsetzliche Erkenntnis:
  Stephen Swain war tot.

FÜNFTER ZUG

30. November, 20.56 Uhr

Im Putzmittelraum auf der dritten Etage ließ sich Paul Hawkins an der Wand neben Balthasar nieder. Er nickte zufrieden.

Auf dem Fußboden vor ihm, vor der Türöffnung, breitete sich eine große Lache aus hoch entzündlichem Brennspiritus aus – und gleich neben ihm lag eine Schachtel altmodischer Streichhölzer mit Phosphorkopf. Hawkins war von seinen Funden auf den Regalen des alten Putzmittelraums angenehm überrascht gewesen.

Jetzt fühlte er sich ein wenig sicherer. Jeden unwillkommenem Gast, der über die Schwelle träte, würde ein großes ...

Da hörte er es plötzlich.

Die Fenster über ihm klapperten leise, und der Fußboden begann leicht zu zittern.

Hawkins konnte sich nicht recht vorstellen, was los war.

Aber es hörte sich an wie eine gedämpfte Explosion.

Selexin und Holly blieben oben im Treppenhaus stehen, als das hölzerne Geländer leise bebte.

»Hast du das gehört?«, fragte Selexin nervös.

»Ich hab's gespürt«, erwiderte Holly. »Was war das deiner Ansicht nach?«

»Hörte sich wie eine Explosion an. Von irgendwo draußen ...«

Er unterbrach sich.

»O *nein* ...«

»*Alles klar!*«, rief »Commander« Harry Quaid erneut.

Marshall duckte sich hinter die Mauer bei der Rampe, und Quaid trat um die Ecke zu ihm.

Der zweite Sprengsatz explodierte unten an der Zufahrt. Eine Wolke grauen Rauchs raste herauf und schoss donnernd an Marshall und Quaid vorüber auf die Straße hinaus.

Metallsplitter – die Überreste des stählernen Gittertors, das den Parkplatz der Bibliothek versperrt hatte – fielen laut klappernd zu Boden.

Der Rauch löste sich auf.

Marshall, Quaid sowie eine kleine Schar NSA-Männer rannten die verkohlte Fahrbahn über die verdrehten Stahlteile hinab, mit denen die Schräge inzwischen übersät war.

Unten blieb Marshall stehen und starrte die Szenerie vor sich ehrfurchtsvoll an.

Über die breite, rechteckige Öffnung zum Parkplatz – das runde Explosionsloch in der Mitte des stählernen Gittertors ausfüllend – hatte sich ein gewaltiges Netz leuchtend blauer Elektrizität gelegt, das knackte und knisterte und aus dem alle paar Sekunden lange Finger aus Hochspannungsblitzen hervorpeitschten.

Marshall verschränkte die Arme, während Quaid neben ihn trat und zu dem leuchtenden Zickzack-Netz hinüberblickte.

»Wir haben es gewusst«, sagte Quaid und ließ die Wand aus blauem Licht nicht aus den Augen.

»Allerdings«, meinte Marshall. »Also. Offenbar setzen sie das gesamte Gebäude unter Strom und schirmen es so ab, versiegeln es so, dass nichts und niemand rein oder raus kann ...«

»Genau.«

»Aber warum?«, fragte Marshall. »Was zum Teufel geht in diesem Gebäude vor sich, das wir nicht sehen sollen?«

HOLLY KLOPFTE UNGEDULDIG mit dem Fuß auf den Boden des Treppenabsatzes der dritten Etage, während sie auf Selexin wartete, der um die offene Feuerschutztür in den Lesesaal lugte.

Der Raum war ein einziges Chaos.

Ein absolutes Chaos.

Quer durch den ganzen Lesesaal – von der Schwelle zum Putzmittelraum in der anderen Ecke drüben bis unmittelbar hierher zur Treppenhaustür – lief eine Schneise der Verwüstung. Über den ganzen Raum verstreut lagen die Überreste von Schreibtischen, die unter dem Gewicht des Karanadon zusammengebrochen und zersplittert waren.

In dem schwachen bläulichen Licht von draußen erkannte Selexin nur so gerade eben die Türöffnung zum Putzmittelraum auf der anderen Seite des Saals. Im Augenblick war offenbar niemand dort. In einer dunklen Ecke seines Gehirns fragte er sich, was wohl Hawkins und Balth …

Plötzlich huschte ein Schatten zwischen ihm und dem Putzmittelraum hindurch.

Eine dunkle Gestalt, kaum erkennbar in der dunstigen, bläulichen Dunkelheit, etwa von der Größe eines Mannes, aber viel, viel dünner, bewegte sich verstohlen zwischen den Schreibtischen des Lesesaal direkt auf den Putzmittelraum zu.

Selexin wich hinter die Feuerschutztür zurück. Er hoffte, unentdeckt geblieben zu sein.

Ohne Zögern packte er Holly an der Hand und sie stiegen die Treppe hinab.

Im Putzmittelraum lehnte sich Hawkins erschöpft an die Betonmauer. Er sah Balthasar zu, der zaghaft umherging.

Jetzt, da seine Augen frei von Reeses Speichel und seine Sehfähigkeit wieder hergestellt war, schien Balthasar seine Stärke zurückzugewinnen. Wenige Minuten zuvor war es ihm gelungen, aus eigener Kraft aufzustehen. Jetzt konnte er sogar wieder gehen.

Hawkins blickte durch die Türöffnung – über die große Lache aus Brennspiritus hinweg, den er ausgegossen hatte – hinaus in den Lesesaal.

Alles war still.

Niemand war da draußen.

Er beobachtete wieder Balthasar, der ungeschickt im Raum umherstakste, und währenddessen entging ihm ein kantiger dreieckiger Kopf, der sich geschmeidig und lautlos um den Türrahmen wand.

Der Kopf drehte sich langsam von einer Seite zur anderen, während er abwechselnd Balthasar und Hawkins ansah.

Er gab keinen Laut von sich.

Hawkins wandte sich müßig um, und da erblickte er ihn. Er erstarrte.

Der Kopf war ein langes, scharfkantiges, flaches gleichschenkliges, nach unten weisendes Dreieck. Keine Augen. Keine Ohren. Kein Mund. Bloß ein schwarzes Dreieck, etwas größer als der Kopf eines Menschen.

Das einfach bloß da im Türrahmen schwebte.

Der Körper war noch nicht zu sehen, doch erkannte Hawkins deutlich den langen dünnen »Hals«.

Gemessen an der Tatsache, das alles, was er bisher zu Gesicht bekommen hatte, trotz der wundersamen Erscheinung noch eine gewisse Ähnlichkeit mit Mensch oder Tier aufwies – mit Augen, Gliedmaßen und Haut –, war dieses Ding, was es auch sein mochte, *vollkommen* fremdartig.

Sein »Hals« war eine Kette aus weißen Perlen, die von dem flachen, zweidimensionalen, dreieckigen Kopf herabfloss. Vermutlich ging er in eine Art Körper über, der aber nach wie vor unsichtbar blieb.

Hawkins starrte die Kreatur einfach weiter an – ebenso neugierig, wie diese ihn ihrerseits musterte.

Da ergriff Balthasar das Wort. Eine tiefe, heisere Stimme.

»Codex.«

»Was?«, fragte Hawkins. »Was hast du gesagt?«

Balthasar zeigte auf das Alien. »Codex.«

Der Codex bewegte sich voran – mühelos, geschmeidig; er trieb gewissermaßen durch die Luft.

Als er die Türschwelle überquerte, bemerkte Hawkins, dass er überhaupt keinen Körper hatte. Die Kette, die seinen Hals bildete, war etwa anderthalb Meter lang und baumelte vom Kopf herab, ohne den Boden zu berühren. Am anderen Ende ringelte sie sich wieder nach oben.

An der Schwanzspitze glühte hell ein grünes Licht an einem festen grauen Metallband. Der Codex war ein weiterer Teilnehmer am Wettkampf.

Wie bei einer Schlange fuhr der Schwanz etwa einen knappen halben Meter über dem Boden hin und her.

»Oh, Mann.« Hawkins nahm die Zündholzschachtel in die Hand und zog ein Streichholz mit Phosphorkopf heraus. Er strich es am Fußboden an.

Das aufflammende weiße Licht ließ den Codex innehalten. Er blieb direkt über der Lache aus Brennspiritus »stehen«.

Hawkins hielt das Streichholz in die Höhe. Langsam brannte die Flamme das weiße Holz ab und ließ es schwarz werden.

Er schluckte.

»Ach, was soll's, zum Teufel!«, sagte er. Und warf das Streichholz in die Lache.

Levine stand draußen vor der Bibliothek, als sein Funkgerät zum Leben erwachte.

»*Sir! Sir! Wir sehen ein Licht! Ich wiederhole: Wir sehen ein Licht! Sieht aus wie ein Feuer. Dritte Etage. Nordöstliche Ecke.*«

»Bin schon unterwegs«, erwiderte Levine. Er wechselte die Kanäle an seinem Sprechfunk. »Sir?«

»*Was ist, Levine?*« James Marshalls Stimme verriet eine gewisse Gereiztheit über die Unterbrechung.

»Sir«, sagte Levine, »wir haben eine Bestätigung über Aktivität innerhalb der Bibliothek. Ich wiederhole, Bestätigung über Aktivität *innerhalb* der Bibliothek.«

»*Wo?*«

»Nördöstliche Ecke. Dritte Etage.«

»*Geht rüber. Wir sind unterwegs*«, sagte Marshall.

Die Wände des Putzmittelraums erstrahlten in einem hellen Gelb, als ein feuriger Vorhang aus der Lache aus Brennspiritus hervorschoss und den Codex verschlang.

Hawkins und Balthasar wichen zurück und beschirmten sich die Augen vor den Flammen. Der Codex war durch die sengende Mauer aus Feuer nicht zu erkennen.

Dann kam er hervor.

Trieb heran. Durch die Flammen. Ungerührt von der Hitze.

Er kam in den Putzmittelraum.

»*O Mann!*«, sagte Hawkins und wich zurück.

Balthasar ergriff wieder das Wort – aber diesmal sprach er nur eines und das völlig ausdruckslos.

»Verschwinde!«

»Was?«, fragte Hawkins.

Balthasar starrte den Codex angespannt an. »Verschwinde«, wiederholte er feierlich.

Hawkins wusste nicht, was er tun sollte. Der Codex schwebte unmittelbar vor ihnen, und selbst wenn er an diesem Ding vorüberkäme, müsste er immer noch durch die Flammen – durch das Feuer, das er selbst entzündet hatte, um Eindringlinge am *Hereinkommen* zu hindern. Ihm war niemals der Gedanke gekommen, dass eben jenes Feuer vielleicht dazu dienen mochte, den Codex *drinnen* zu halten.

Es gab keinen Ausgang. Er konnte nirgendwohin.

Balthasar wandte sich Hawkins zu und sah ihm direkt ins Auge. »Verschwinde ... *jetzt!*«

Mit diesen Worten warf sich Balthasar auf den Codex.

Erstaunt sah Hawkins, dass der Codex im gleichen Augenblick einen Satz nach vorn vollführte und den dünnen »Körper« drei Mal um Balthasars Hals schlang.

Mit beiden Händen zerrte der große Mann verzweifelt an dem Körper, der ihn im Würgegriff hielt. Er stolperte rücklings in die Überbleibsel des Gitters, das den Raum geteilt hatte, geriet ins Schwanken und ging unter den Regalen voller Putz- und Reinigungsmittel zu Boden.

Hawkins stand nach wie vor wie benommen da und sah dem Kampf voller Ehrfurcht zu. Da schrie Balthasar: »Verschwinde!«

Hawkins blinzelte und drehte sich sofort um. Er sah das Feuer, das sich im Raum ausbreitete und über den Fußboden auf ihn zukroch. Die verstaubte Flasche mit Brennspiritus, die er benutzt hatte, lag nur Zentimeter von den herankommenden Flammen entfernt.

Zu spät.

Das Feuer verschlang die Flasche, als Hawkins über den Stapel Holzschachteln neben sich in Deckung sprang.

Unter der gewaltigen Hitze explodierte die noch halb gefüllte Glasflasche wie ein Molotow-Cocktail und schickte feurige Geschosse und Splitter in alle Richtungen.

Hinter dem Gitter war Balthasar wieder auf die Beine gekommen und kämpfte mit dem Codex.

Er fiel schwer gegen die hölzernen Regale, die unter ihm zusammenbrachen. Glasflaschen mit Alkohol, Plastikflaschen mit Reinigungsmitteln sowie ein Dutzend Sprühflaschen krachten zu Boden.

Hawkins sah die Flaschen auf den Boden fallen – Reinigungsmittel, die verdächtige rote Warnhinweise trugen: NICHT MIT REINIGUNGSFLÜSSIGKEITEN ODER ANDEREN CHEMIKALIEN MISCHEN, sowie hochentzündliche Sprühdosen mit ihren eigenen grellen Warnhinweisen.

Das Feuer kroch unbeirrt weiter durch den Raum heran.

»*O mein Gott!*« Hawkins' Blick schoss von den Flammen auf dem Fußboden zu den Chemikalien hinüber, die ihnen im Weg lagen.

Hinter dem Gitter war der Körper des Codex nach wie vor fest um Balthasars Kehle geschnürt, und Balthasar, der Hawkins angespannt ansah, packte den schlangenhaften Körper des Codex fester.

Hawkins erkannte es in den Augen des großen Mannes.

Balthasar wusste, was geschehen würde. Das Feuer. Die Chemikalien. Er würde im Raum bleiben. Und den Codex an sich binden.

»Nein!«, schrie Hawkins, als es ihm aufging. »Das kannst du nicht!«

»Verschwinde!«, keuchte Balthasar.

»Aber du wirst ...« Hawkins sah die Flammen, die stetig über den Fußboden vorankrochen. Er musste eine schnelle Entscheidung treffen.

»*Verschwinde!*«, schrie Balthasar.

Hawkins gab auf. Es blieb keine Zeit mehr. Balthasar hatte Recht. Er musste verschwinden.

Er wandte sich wieder der rasch herannahenden Feuerwand zu, und mit einem letzten Blick auf Balthasar – der in den Zweikampf mit dem Codex verstrickt war – sagte Hawkins leise: »Danke.«

Dann legte er den Unterarm vors Gesicht und warf sich in die Flammen.

Levine traf an der nordöstlichen Ecke des Bibliotheksgebäudes ein, im gleichen Augenblick kamen Quaid und Marshall herangelaufen. Der Patrouillenkommandant Higgs erwartete sie.

»Da oben«, sagte Higgs und zeigte auf zwei lange rechteckige Fenster im dritten Stock, knapp unterhalb des vorspringenden Bibliotheksdaches.

Dahinter leuchtete es grell gelb und gelegentlich schossen orangefarbene Flammen hoch.

»Meine Güte.« Marshall schüttelte den Kopf. »Das gottverdammte Gebäude *brennt*. Das hat mir gerade noch gefehlt.«

»Was tun wir jetzt?«, fragte Levine.

»Wir gehen rein«, sagte Harry Quaid ausdruckslos,

während er zu den glühenden Fenstern aufschaute. »Ehe nichts mehr übrig ist.«

»Genau«, meinte Marshall nachdenklich und mit finsterer Miene. »Verdammt. *Verdammt!*« Dann sagte er: »Levine!«

»Ja, Sir.«

»Rufen Sie die Feuerwehr! Aber sagen Sie denen, sie sollen noch abwarten, wenn sie eingetroffen sind. Sie sollen erst rein, wenn wir uns da drin umgesehen haben. Ich möchte sie für den Fall hier haben, dass das Feuer außer Kon...«

»He. Warten Sie mal 'nen Moment ...«, rief Quaid. Er war zur Seite des Gebäudes hinübergewandert und stand jetzt an der südöstlichen Ecke.

»Was ist?«, fragte Marshall.

»*Was, zum Teufel ...?*« Quaid verschwand.

»Was ist?« Marshall folgte ihm.

Quaid war dreißig Meter die südliche Wand entlang gelaufen und hatte fast die südöstliche Ecke des Gebäudes erreicht. Er rief zur Gruppe zurück: »Higgs, waren Sie heute Nacht für die Überwachung zuständig?«

»Jawohl, Sir.«

»Sagen Sie, haben Sie früher am Abend jemanden hier gefunden? In der Nähe dieser Wand?«

Higgs verstand nicht, was los war. Quaid hielt den Blick auf das untere Ende der Wand gerichtet, auf ein kleines Fenster nahe am Boden.

»Nun ja ... äh ... ja, Sir. Ja, wir haben jemanden gefunden«, erwiderte Higgs. »Einen betrunkenen Penner, der sich hier zum Schlafen an die Mauer gedrückt hatte. Gar nicht lange her.«

»War er hier unten in der Nähe dieser Ecke? In der Nähe dieses Fensters?«, fragte Quaid.

»Äh, ja. Ja, das war er, Sir.«

»Und wo ist dieser betrunkene Penner jetzt, Higgs?«, fragte Quaid, kniete sich ins Gras und sah nach wie vor auf das Fundament des Gebäudes.

Marshall, Levine und Higgs traten näher heran.

Higgs schluckte. »Wir haben ihn in die Rotunde da drüben gebracht, Sir.« Er zeigte mit dem Daumen über die Schulter. »Ich wollte einen Arzt rufen, hielt es aber nicht für sonderlich eilig.«

»Special Agent Higgs, Sie gehen jetzt sofort zu dieser Rotunde und holen mir diesen Penner her, und zwar auf der Stelle!«

Sofort eilte Higgs davon.

Quaid sah zu den anderen hoch, die jetzt erkannten, was ihm aufgefallen war.

»Was zum …?«, keuchte Levine.

»Nun ja, würden Sie sich das mal ansehen?«, meinte Marshall beim Anblick des Spinnennetzes aus Elektrizität, das sich über das kleine, ebenerdige Fenster ausbreitete. Winzige Glasscherben lagen über den Rasen verstreut.

Niemand war weit und breit in Sicht.

Quaid beugte sich nahe an das Fenster heran. Es war gerade groß genug, dass ein Mann hindurchpasste. Aber weshalb sollte es jemand einschlagen? Das würde keinem wie auch immer gearteten Zweck dienen.

Es sei denn, sie wollten rein …

Higgs kam zurückgelaufen. Atemlos sagte er:

»Sir, der Penner ist verschwunden.«

Hawkins stürmte durch das Feuer, fiel aus der Türöffnung und stürzte im Lesesaal zu Boden.

Er musterte sich. Seine Uniformhose und der Parka hatten die Flammen unversehrt überstanden. Aber aus irgendeinem Grund schmerzte sein Kopf wie verrückt.

Er legte sich die Hand auf den Scheitel und verspürte plötzlich die sengende Hitze.

Sein Haar brannte lichterloh!

Hektisch riss sich Hawkins den Parka herunter und erstickte damit die winzigen Flammen. Die Hitze ließ rasch nach, und bald konnte er wieder atmen.

Im Putzmittelraum glühte es jetzt gleißend gelb, der Feuerschein erleuchtete den Lesesaal draußen. Flammen schlugen aus der Türöffnung.

Es würde nicht mehr lang dauern, dachte er.

Hawkins kroch neben den Durchgang und lehnte sich an die Wand.

Er musste nur wenige Sekunden warten.

Die Chemikalien im Putzmittelraum mischten sich gut. Nachdem die erste Sprühflasche in einem bläulichen Feuerball explodiert war, wurde eine regelrechte Kettenreaktion chemischer Explosionen in Gang gesetzt.

Die Betonwand bekam unter der Gewalt der Druckwelle Risse, und ein goldfarbener Feuerball schlug aus der Türöffnung, schoss an Hawkins vorüber und setzte in einem grellgelben Blitz den Lesesaal in Brand.

Marshall, Levine und Quaid blickten gleichzeitig auf, als der gesamte dritte Stock des Gebäudes wie ein feuriges Blitzlicht aufflammte und die Nacht erhellte.

Stimmen kamen über ihren Sprechfunk.

»... Feuer breitet sich aus ...«

»... *Eckraum ist gerade explodiert* ...«

»Heilige Scheiße!«, keuchte Levine.

Es hörte sich an wie ein Gewitter.

Ein dröhnender Donnerschlag ganz in der Nähe.

Das gesamte Gebäude erzitterte unter der Wucht der Explosionen.

Holly und Selexin im zweiten Stock der Bibliothek griffen verzweifelt nach etwas zum Festhalten, um nicht von den Beinen geworfen zu werden.

Die zweite Etage der New York State Library bestand in der Hauptsache aus zwei großen Computersälen. In der Mitte jeden Raums standen Holztische, auf denen sich ein Computer an den nächsten reihte. Ein Wirrwarr aus Belüftungsanlagen und Abluftrohren aus Aluminium hing an der Decke. Sie sollten dafür sorgen, dass sich die Luftfeuchtigkeit in Grenzen hielt. Gesäumt wurde dieses Stockwerk von einer Vielzahl nebeneinander liegender Leseräume mit Glaswänden.

Die Explosionen aus dem dritten Stock wurden immer heftiger, und das zweite Geschoss bekam ihre gewaltige Macht voll zu spüren.

Rings um Holly und Selexin zersprangen die Glaswände der Leseräume. Computer fielen von den Tischen und zerbarsten auf dem Boden.

Selexin zog Holly unter einen der langen Tische in der Mitte des Raums, und sie schmiegten sich eng aneinander und legten die Hände über die Ohren. Das Gebäude erzitterte, die Explosionen dröhnten, und überall fielen Monitore und Tastaturen von den Tischen und zerschlugen auf dem Fußboden.

Chaos. Absolutes Chaos.

Im Lesesaal presste Hawkins die Hände fest auf die Ohren, als unmittelbar neben ihm eine Feuerwalze aus der Türöffnung fuhr.

Noch im selben Moment brannten mehrere der L-förmigen Tische lichterloh – entzündet von dem ersten Finger aus Feuer, der einem Flammenwerfer gleich aus dem Putzmittelraum geschossen war.

Die Explosionen waren jetzt heftiger – heftiger, als er erwartet hatte, heftiger als alle chemischen Feuer, die er bislang erlebt hatte.

Sie waren beinahe, nun ja ... *zu* heftig.

Weswegen denn ...?

Hawkins erstarrte. Etwas anderes musste passiert sein. *Aber was?*

Dann fiel sein Blick darauf.

Auf ein kleines Rohr hoch oben, knapp unterhalb der Decke.

Es kam aus dem Putzmittelraum, lief weiter über die Wand des Lesesaals – oberhalb der nördlichen Fenster – und knickte dann auf halbem Weg abrupt nach unten ab, woraufhin es *durch* den Boden in die anderen Räume darunter weiterführte ...

Eine Gasleitung.

Im Putzmittelraum musste es einen Gasanschluss gegeben haben, den er übersehen hatte. Einen Gasboiler oder eine Gas ...

Das kleine Rohr fing Feuer.

Hawkins sah voller Entsetzen, wie sich rasend schnell

bläulich gelbe Flammen in einer dünnen Linie über die gesamte Länge der Leitung ausbreiteten und nach unten in Richtung auf die tieferen Etagen schossen.

Feurige Tröpfchen fielen herab und landeten auf einem der hölzernen Tische, der sofort mit einem jähen *Wusch* in Flammen aufging.

Hawkins sprang auf. Die Explosionen aus dem Putzmittelraum ließen endlich nach, aber das spielte jetzt keine Rolle mehr.

Ein Feuer breitete sich über die Gasleitung aus.

Bald stünde das gesamte Gebäude in Flammen.

Er musste einen Weg nach draußen finden.

IN EINER KLEINEN TOILETTE im ersten Untergeschoss spürte jemand anders die Explosionen, die die New York State Library erschütterten.

Stephen Swain, MD, saß mit dem Rücken an die weiß gekachelte Wand einer Kabine in der Damentoilette gelehnt. Das Wasser in der Toilettenschüssel neben ihm spritzte wild, als das Gebäude hin und her schwankte.

Eine weitere Explosion ertönte, und das Gebäude zitterte erneut, obgleich nicht so heftig wie zuvor. Die Explosionen schienen an Durchschlagskraft zu verlieren.

Swain blickte auf sein Armband. Darauf stand:

```
INITIALISIERT - 6
DETONATIONSSEQUENZ BEENDET BEI:
0:01
ZURÜCKGESTELLT
```

Die oberste Zeile flackerte, dann war da zu lesen:

```
INITIALISIERT - 5
```

Hoch über Swains Kopf, knapp unter der Decke, zischte nach wie vor das Netz aus blauer Elektrizität. Von der anderen Seite des schimmernden Fensters hörte er schwach die Stimmen der NSA-Männer.

Er drückte sich enger an die Kacheln und atmete tief durch.

Er war wieder drinnen.

Die Erinnerung an Holly hatte ihn gerettet.

Holly auf der ersten Etage in dem reparaturbedürftigen Internetraum. Als sich die Hoodaya gegen die Tür geworfen hatten und Swain sie mit Handschellen verschlossen hatte, hatte er Holly drüben beim Fenster entdeckt:

Sie hielt den kaputten Telefonhörer an das elektrisierte Fenster. Je näher der Hörer kam, desto mehr zog sich die Elektrizität zurück. Das Netz bildete einen weiten Kreis darum.

In einigem Abstand zum Hörer.

Damals war Swain nicht klar geworden, was da geschehen war, jetzt jedoch wusste er es.

Die Elektrizität hatte sich nicht vom Hörer zurückgezogen, sondern von dem *Magneten* darin. Der Hörer eines Telefons funktioniert wie ein gewöhnlicher Stereolautsprecher: In seiner Mitte befindet sich ein relativ starker Magnet.

Und als Radiologe kannte sich Stephen Swain mit Magnetismus gut aus.

Normalerweise brachten die Leute Radiologen mit Röntgen in Verbindung, aber während der letzten Jahre hatten Radiologen viel Energie für die Entdeckung weiterer Möglichkeiten aufgewandt, wie man einen Querschnitt des menschlichen Körpers erhalten konnte – und zwar Ansichten vom Kopf hinunter zu den Füßen.

Diese Querschnitte konnte man durch unterschiedlichste Techniken erhalten. Eine wohl bekannte Methode war die Computertomographie. Eine weitere, modernere, die auf dem Durcheinanderwirbeln und erneuten Anordnen atomarer Teilchen beruhte, wurde Kernspintomographie genannt.

Im Wesentlichen beruhte sie – wie Swain der lästigen

Mrs. Pederman früher an diesem Tag erläutert hatte – auf dem Prinzip, dass Elektrizität auf magnetische Beeinflussung reagierte.

Genau das war geschehen, als Holly den Hörer ans Fenster gehalten hatte – die *magnetischen* Wellen hatten die ureigenste Struktur der *elektronischen* Wellen gestört und somit dafür gesorgt, dass sich die elektrische Wand vom Magneten zurückgezogen hatte, um ihre Frequenz aufrechtzuerhalten.

Um wieder ins Innere zu gelangen, hatte Swain den Hörer aus der Tasche geholt und ans Fenster gehalten. Die Elektrizität war augenblicklich zurückgewichen und hatte ein Loch von gut einem halben Meter Breite im Netz gebildet, durch das Swain sofort seinen Arm steckte.

Sobald das Armband entdeckt hatte, dass es wieder innerhalb des elektrischen Felds war, hatte es den Countdown gestoppt.

In buchstäblich letzter Sekunde.

Nachdem er sich eine Minute lang vorsichtig gewunden und gedreht hatte – damit sein Körper nicht über den magnetischen Kreis von einem halben Meter Durchmesser hinausgeriete und mit dem elektrischen Gitter in Berührung käme –, war Swain wieder im Innern gelandet.

Er hatte kaum den rechten Fuß durchs Fenster gezogen, als sich das elektrische Gitter mit einem Knistern wieder geschlossen hatte. Anschließend war er täppisch von dem hohen Fensterbrett auf den Toilettensitz darunter gefallen.

Im Innern.

Paul Hawkins befand sich auf halbem Weg durch den Lesesaal, als die Explosionen abebbten.

Nur das laute Knistern eines außer Kontrolle geratenen Feuers blieb. Die Tische drüben beim Putzmittelraum brannten jetzt lichterloh. Der Raum selbst glühte in einem hellen Gelb. Der gesamte Saal war in einen flackernden gelben Dunst getaucht.

Plötzlich ertönte hinter ihm ein Krachen, und Hawkins fuhr herum.

Dort, in der Türöffnung zum Putzmittelraum schwebend, von den lodernden gelben Flammen dahinter umrahmt, hing der Codex.

Hawkins erstarrte.

Dann sah er ihn leicht wabern.

Der Codex geriet ins Taumeln. Er wirbelte benommen umher. Sein flacher dreieckiger Kopf fuhr abrupt nach oben, und schließlich krachte er auf einen zerschmetterten Tisch.

Anschließend regte er sich nicht mehr.

Hawkins seufzte erleichtert.

Er wollte sich wieder dem Treppenhaus zuwenden, da fiel sein Blick auf den Boden unweit der Tür zum Putzmittelraum. Auf etwas Weißes. Langsam trat er vor, bis er erkannte, was es war …

Er erstarrte.

Es war ein Führer. Oder zumindest das, was von ihm übriggeblieben war.

Wahrscheinlich war es der Führer des Codex gewesen, der draußen vor dem Putzmittelraum stationiert geblieben war, während der Codex eingetreten war.

Der Leichnam lag in einer großen Blutlache unter einem der L-förmigen Tische und war bis zur Unkenntlichkeit verstümmelt.

Parallele rote Streifen liefen ihm über Gesicht, Arme und Brust – und ein Hieb hatte ihm die Nase gebrochen und einen besonders gräuslichen Blutschwall hervorgerufen. Tiefe Kratzer auf den Handflächen des kleinen Mannes deuteten auf vergebliche Verteidigungsbemühungen hin. Augen und Mund standen weit offen – in ewigem Entsetzen erstarrt: ein Schnappschuss seiner fürchterlichen letzten Momente.

Hawkins fuhr vor dem Übelkeit erregenden Anblick zurück – er war ekelhaft, brutal. Und als er sich dann die über den ganzen Körper des Führers verteilten Schnitte genauer ansah, kam ihm plötzlich die grausige Erkenntnis. Parallele Schnitte deuteten auf Klauen hin ...

Es war das Werk von Bellos Hoodaya gewesen.

Zeit, von hier zu verschwinden.

Hawkins wandte sich zum Treppenhaus um – und sah eine große schwarze Hand rasend schnell auf sich herabsausen.

Dann sah er nichts mehr.

Vorsichtig trat Stephen Swain aus der Damentoilette und hatte gleich die vertrauten Büros mit den Glaswänden vor sich.

Er blickte auf sein Armband und entdeckte, dass die Anzeige sich erneut verändert hatte.

INITIALISIERT – 4

Ein weiterer Wettkämpfer war tot. Jetzt waren bloß noch vier übrig.

Swain überlegte, welche noch am Leben waren. Er schüttelte den Gedanken ab. Teufel, er wusste eigentlich nur von drei anderen – Balthasar, Bellos und Reese. Ihn selbst mit eingerechnet, waren das vielleicht noch die vier übrig gebliebenen Wettkämpfer.

Ich muss Holly suchen, sagte er sich. *Holly.*

Er trat zwischen den Büros heraus. Auf der anderen Seite sah er durch die Glaswände den Aufzug. Und auch die schwere blaue Tür, die hinaus zum Parkdeck führte. Sie stand offen.

Swain eilte hinüber und untersuchte sie. Sie war aus den Angeln gerissen worden, wahrscheinlich von Reese auf ihrer Verfolgungsjagd vorhin.

Er erinnerte sich an die Jagd auf das Parkdeck, wie Balthasar die Betonfahrbahn von der darunter liegenden Etage heraufgekommen war …

Das Stockwerk darunter.

Das zweite Untergeschoss. Das Magazin.

Da war er von Holly und Selexin getrennt worden, also war dies der naheliegendste Ort, nach ihnen zu suchen.

Also musste er dort hinunter.

Über das Treppenhaus?

Nein. Es gab einen anderen Weg. Einen besseren.

Erneut fiel ihm Balthasar ein, der die Fahrbahn zum Parkdeck hinaufgestiegen war. *Das* war der Weg ins Innere. Balthasar war von einem anderen, tiefer gelegenen Parkdeck gekommen. Und dieses Deck musste einen Zugang haben, eine Tür, die sich ins zweite Untergeschoss öffnete.

Mit diesen Überlegungen rannte Swain durch die große blaue Tür auf das Parkdeck hinaus.

VON AUSSEN WIRKTE ES wie eine Szene aus *Flammendes Inferno:* Die New York State Library steht stolz inmitten eines wunderschönen städtischen Parks, derweil aus ihren beiden rechteckigen Fenstern oben in der Nähe des Dachs lange feurige Tentakel hervorschießen und die Fensterreihen des dritten und zweiten Stockwerks von einem glühenden goldfarbenen Schleier erhellt werden.

John Levine war wieder zur Vorderseite der Bibliothek zurückgekehrt und beobachtete das brennende Gebäude.

Der große blaue NSA-Transporter hinter ihm zog auf die Straße und fuhr zur westlichen Seite hinüber.

Dort rollte er über die Bordsteinkante auf den Rasen und verschwand daraufhin um eine Ecke.

Levine wandte sich um, sah Scheinwerfer – eine Vielzahl von Scheinwerfern – und wusste, was das zu bedeuten hatte. Die Feuerwehr traf ein – dicht gefolgt von den Medien.

Bunte Übertragungswagen kamen quietschend vor dem Absperrband zum Stehen. Schiebetüren wurden aufgeworfen, und Kameramänner eilten heraus. Anschließend kletterten hübsche Reporterinnen aus den Wagen und zupften sofort Haare und Kleidung für ihren Auftritt zurecht.

Eine kühne junge Reporterin kam herübergeeilt, duckte sich unter dem gelben Band durch, ging schnurstracks zu Levine und hielt ihm ein Mikrofon unter die Nase.

»Sir«, sagte sie so wohl artikuliert und ernst, wie es ihr

möglich war, »können Sie uns mitteilen, was *genau* hier los ist? Wie ist das Feuer ausgebrochen?«

Levine gab keine Antwort. Er starrte die junge Frau bloß schweigend an.

»Sir«, wiederholte sie, »ich habe gefragt, ob Sie uns mitteilen können ...«

Leise und freundlich schnitt ihr Levine das Wort ab. Zwar sah er dabei der jungen Reporterin ins Gesicht, wandte sich jedoch eindeutig an die drei NSA-Männer in der Nähe.

»Meine Herren, bitte begleiten Sie diese junge Dame aus dem abgesperrten Bereich hinaus und informieren Sie sie, dass sie oder jeder andere, der erneut den Bereich betritt, augenblicklich verhaftet und wegen Einmischung in Angelegenheiten belangt wird, die Sache der nationalen Sicherheit sind. Die Strafe hierfür bewegt sich zwischen zehn und zwanzig Jahren, je nachdem, in welcher Stimmung ich gerade bin.«

Die drei Männer traten vor, und die Reporterin, der der Mund offen stand, wurde mit Schimpf und Schande zum Absperrband zurückgeleitet.

Levine widmete seine Aufmerksamkeit gerade ihren davoneilenden Beinen, als sein Funkgerät losging. Es war Marshall.

»Ja, Sir?«

»*Quaid und ich sind am Eingang zum Parkdeck*«, sagte Marshall. »*Fernsehen schon da?*«

»Kann man sagen«, erwiderte Levine.

»*Probleme?*«

»Noch nicht.«

»*Gut. Wir sind von jetzt an hier unten. Dieses Feuer hat den Einsatz erhöht. Jetzt müssen wir rein, ehe das Gebäude bis auf die Grundmauern niederbrennt. Ist unser Wagen unterwegs?*«

»Er ist gerade abgefahren«, entgegnete Levine. »Sie werden ihn jede Sekunde in den Blick bekommen.«

Die Zufahrt, die von der Straße zum unterirdischen Parkdeck führte, lag auf der westlichen Seite des Bibliotheksgebäudes.

Marshall stand an ihrem unteren Ende unweit des Gittertors, das das Parkdeck schloss und in dessen Zentrum sich der große so eben den Boden berührende Kreis aus zickzackförmig verlaufender blauer Elektrizität befand.

Gerade bog der große NSA-Transporter rückwärts um die Ecke und fuhr langsam die Zufahrt hinab.

»Also gut«, sagte Marshall bei seinem Anblick in den Sprechfunk. »Er ist hier. Ich melde mich gleich wieder. Für den Augenblick halten Sie bloß diese Feuerwehrleute und Reporter hinter dem Band, okay?«

»*In Ordnung*«, erwiderte Levines Stimme, und Marshall schaltete ab.

Der Transporter blieb stehen, die Hecktüren sprangen auf, und vier Männer in der Uniform der Anti-Terror-Einheit SWAT sprangen heraus. Der Erste – ein junger Techniker – ging schnurstracks zu Quaid hinüber, und die beiden sprachen leise miteinander. Daraufhin nickte der Techniker heftig und verschwand in dem Transporter. Mehrere Sekunden später kam er mit einer großen silberfarbenen Kiste wieder heraus.

Quaid ging zu Marshall hinüber, der vor dem elektrisierten Gittertor stand.

»Wie lange wird's …?«, fragte Marshall.

»Wir werden bald drin sein«, erwiderte Quaid ruhig. »Wir müssen nur zunächst die Mathematik erledigen.«

»Wen werden Sie reinbeordern?«

»Mich selbst«, entgegnete Quaid.

Der Techniker setzte die schwere Kiste neben Quaid auf den Beton, beugte sich hinunter und warf den silberfarbenen Deckel auf. Drei Digitalanzeigen wurden sichtbar. Die rote Ziffernreihe stand im Augenblick auf: 00000.00.

Anschließend holte Quaid eine lange grüne Schnur aus der Kiste und zog sie zu dem Gittertor. An ihrer Spitze befand sich eine schimmernde Stahlkappe.

Ein weiterer schwer bewaffneter Mann kam herüber und reichte ihm ein Paar schwarzer Isolierhandschuhe und einen langen Stab. Quaid zog die Handschuhe an und steckte die Stahlkappe in eine Schlinge am Ende des Stabs.

Er holte lange und langsam Atem. Daraufhin hielt er den Stab von sich weg und zeigte damit auf die Mauer aus blauen Blitzen.

Die Stahlkappe funkelte, als sie der Wand aus blauem Licht immer näher kam.

Marshall sah angespannt zu.

Das NSA-Team starrte voller Erwartung hin.

Quaid schluckte.

Keiner von ihnen wusste, was geschehen würde.

Die Kappe berührte den Strom.

Sofort änderten sich die Ziffern auf der Anzeige der stählernen Kiste – die Messdaten der Spannung. Zunächst nur zögerlich, doch dann zeigten sie in immer kürzeren Abständen immer größere Werte.

Schließlich rasten sie wie wild in die Höhe.

In der zweiten Etage der Bibliothek kauerten Holly und Selexin eng beieinander unter einem der großen Tische in der Mitte. Rings umher lagen die Überreste von einem Dutzend zu Bruch gegangener Computer.

Die Trennwände der Leseräume hatten einmal so wie die im ersten Stock ausgesehen – hüfthohe Holzpaneele, darüber Glas. Jetzt waren sie durch die Explosionen bis zur Unkenntlichkeit zerschmettert – klaffende Fensterhöhlen mit gezackten Kanten.

Was noch schlimmer war: Auf der östlichen Seite war in zweien der Leseräume Feuer ausgebrochen.

Selexin seufzte traurig, Holly schluchzte.

»Geht's dir gut?«, fragte er besorgt. »Bist du verletzt?«

»Nein ... will zu *Dad*«, wimmerte sie. »Ich will meinen Dad.«

Selexin blickte zu der Tür hinüber, die zum Treppenhaus führte. Sie war geschlossen. »Ja. Ich weiß. Ich auch.«

Holly starrte ihn an, und Selexin erkannte die Furcht in ihrem Blick. »Was ist ihm zugestoßen?«, schniefte sie.

»Ich weiß es nicht.«

»Und diese *Dinger,* die ihn durch die Tür gestoßen haben? Ich hoffe, sie sterben. Ich *hasse* sie.«

»Glaub mir«, meinte Selexin, noch immer mit Blick auf die Tür. »Mir sind sie auch von ganzem Herzen zuwider.«

»Meinst du, Dad kommt wieder zurück?«, fragte Holly hoffnungsfroh.

»Ich bin mir *sicher,* dass er bereits wieder zurück ist«, log Selexin. »Und ich würde jede Wette eingehen, dass er genau in diesem Augenblick irgendwo im Gebäude ist und uns sucht.«

Holly nickte und wischte sich ermutigt die Augen. »Ja. Das denke ich auch.«

Selexin lächelte schwach. So sehr er auch glauben wollte, dass Stephen Swain noch am Leben war, so sehr zweifelte er daran. Das Labyrinth war zu dem einzigen Zweck elektrisch versiegelt worden, dass die Wettkämpfer *darin* bleiben sollten. Nur ein unerklärlicher glücklicher Zufall hatte im Moment der Elektrisierung eine Öffnung im Gebäude geschaffen – es war höchst unwahrscheinlich, dass eine weitere existierte.

Abgesehen davon, hatte er die Explosion selbst *gehört*. Stephen Swain war mit ziemlicher Sicherheit tot …

Da sah Selexin aus dem Augenwinkel eine Bewegung.

Die Tür zum Treppenhaus.

Sie öffnete sich.

Swain eilte den grauen Korridor hinab und trat in das weiße Neonlicht des Parkdecks hinaus.

Es war genau so, wie er es im Kopf gehabt hatte. Sauberer, glänzender Beton, weiße Bodenmarkierungen, in der Mitte die Zufahrt nach unten.

Und es war still. Das Parkdeck war absolut leer.

Swain eilte zur Zufahrt nach unten und wollte sie gerade hinunterlaufen, da hörte er jemanden rufen:

»Hallo! *He!*«

Verwirrt wandte er sich um.

»Ja, Sie! Der Typ da oben auf der Zufahrt!«

Swain suchte nach der Quelle der Rufe. Sein Blick fiel auf die leere Zufahrt. Sie befand sich etwas weiter links, eine lange schmale Passage hinunter, und war durch ein großes Stahltor von der Außenwelt abgeschnitten. An der Unterseite des Tors war ein Loch herausgesprengt worden, das wegen der elektrischen Blitze bläulich glühte.

Auf der anderen Seite jedoch stand ein Mann in blauer Kampfuniform.

Und er war es, der rief.

HOLLY SASS WIE VERSTEINERT unter dem langen Holz-
tisch. Selexin starrte die sich langsam öffnende Tür an.

Abgesehen von dem gedämpften Knistern der Flammen
aus den Leseräumen herrschte in der zweiten Etage völlige
Stille.

Die Tür zum Treppenhaus öffnete sich weiter.

Dann trat langsam – sehr langsam – ein großer, schwarzer Stiefel über die Schwelle.

Die Tür schwang weit auf.

Es war Bellos. Allein. Die beiden verbliebenen Hoodaya
waren nirgendwo zu entdecken.

Selexin hob einen Finger an die Lippen, und Holly nickte heftig, die Augen vor Furcht weit aufgerissen.

Bellos schritt in den offenen zentralen Bereich des zweiten Stockwerks.

Unter seinen Stiefeln knirschte leise das zerbrochene
Glas von Computermonitoren, als er kaum einen halben
Meter entfernt an Holly und Selexin vorbeilief.

Er blieb stehen.

Unmittelbar vor ihnen!

Holly hielt den Atem an, als die großen Stiefel sich auf
der Stelle drehten, während sich der Körper darüber in alle
Richtungen wandte.

Dann knickten die Knie ein, und Holly hätte angesichts
des Bevorstehenden beinahe aufgequietscht: Bellos würde
unter den Tisch sehen! Seine Beine krümmten sich, und
eine Woge des Entsetzens rollte durch Hollys Körper.

Als Erstes erschienen die langen spitzen Hörner.

Dann das bösartige schwarze Gesicht. Kopfüber.

In diesem Moment breitete sich ein böses Grinsen über Bellos' Gesicht aus.

Auf dem Parkdeck näherte sich Swain vorsichtig der Ausfahrt.

»*Hallooo!*«, rief der Mann hinter dem Gittertor. »Können Sie mich verstehen?«

Swain gab keine Antwort. Er ging weiter auf das Gitter zu und nahm dabei den Mann auf der anderen Seite näher in Augenschein.

Er war stämmig und trug einen blauen Kampfdrillich und eine kugelsichere Weste, wie das Mitglied einer taktischen Kampfeinheit.

Erneut rief der Mann: »Ich habe gefragt, *ob Sie mich verstehen?*«

Zwanzig Meter vom elektrisierten Gittertor entfernt blieb Swain stehen.

»Ich kann Sie verstehen«, erwiderte er.

Beim Klang seiner Stimme wandte sich der Mann hinter dem Gittertor um und sprach mit jemandem, den Swain nicht erkennen konnte.

Dann drehte sich der Mann wieder zu ihm, hielt die Handflächen hoch und sprach sehr langsam: »Wir wollen Ihnen nichts Böses.«

»Ja, und ich komme in Frieden«, erwiderte Swain spöttisch. »Wer zum Teufel sind Sie?«

Der Mann sprach weiterhin in dieser langsamen, deutlich artikulierten Sprechweise, als würde er mit einem Kind reden.

Oder vielleicht mit einem Alien.

»Wir sind *Repräsentanten* der Regierung der *Vereinig-*

ten Staaten von Amerika. Wir sind …«, er breitete weit die Arme aus, »… *Freunde.*«

»Na gut, mein Freund, wie heißen Sie?«, fragte Swain.

»Mein *Name* ist *Harold Quaid*«, entgegnete Quaid ernst.

»Und von welcher Abteilung sind Sie, Harold?«

»Von der *National Security Agency.*«

»Ja, na gut, ich habe schlechte Nachrichten für Sie, Harold Quaid von der National Security Agency. Ich bin nicht der Alien, den Sie suchen. Ich bin bloß ein Typ, der zur falschen Zeit am falschen Ort war.«

Quaid zog die Brauen zusammen. »Wer sind Sie dann?«

Irgendetwas in Swains Kopf warnte ihn davor, diese Frage zu beantworten.

»Halt bloß irgend so ein Typ.«

»Und woher kommen Sie?«

»Aus der Gegend hier.«

»Und was tun Sie in einem Gebäude, durch dessen Wände so etwa hunderttausend Volt Spannung laufen?«

»Wie ich gesagt habe, Harold, falsche Zeit, falscher Ort.«

Quaid wechselte die Taktik. »Wir können Ihnen helfen, wissen Sie? Wir können Sie da rausholen.«

»Ich bin bereits draußen gewesen, danke«, sagte Swain. »Das schadet meiner Gesundheit.«

Eine Sekunde lange wandte sich Quaid ab und besprach sich kurz mit dem Mann hinter ihm. Dann redete er wieder mit Swain. »Ich fürchte, das Letzte habe ich nicht so ganz kapiert«, rief er. »Was war das noch gleich? Etwas mit Ihrer Gesundheit?«

»Schon gut«, meinte Swain, der schlagartig das Interesse an diesem Gespräch verlor.

Die NSA war nicht so selbstlos, dass sie den ganzen Weg

hierher zurückgelegt hätte, bloß um unschuldige Menschen zu retten, die in einer unter Strom stehenden Bibliothek gefangen waren. Da musste wesentlich mehr dahinter stecken. Ganz bestimmt. Die NSA war zur Kontaktaufnahme hier – zur *extraterrestrischen* Kontaktaufnahme. Irgendwie mussten sie Wind davon bekommen haben, dass etwas in der Bibliothek vor sich ging, und jetzt wollten sie die Aliens.

Und vermutlich jeden, der *mit* den Aliens in Berührung gekommen war.

»Nein, ich meine es ernst«, sagte Quaid. »Kommen Sie doch etwas näher und wiederholen Sie's.«

Swain trat einen Schritt zurück. »Ich denke gar nicht dran.«

»Nein, nein. Bitte! Hören Sie zu! Wir werden Ihnen nichts tun. Das verspreche ich.«

»Aber sicher.«

»Wenn Sie nur ein wenig näher treten wollen ...«

Der Pfeil pfiff an Swains Kopf vorüber und verfehlte ihn nur um wenige Zentimeter.

Er war von jemandem hinter Quaid abgeschossen worden – der sich angeschlichen hatte, während der gesprächige NSA-Mann Swains Aufmerksamkeit abgelenkt hatte. Sie mussten den winzigen Pfeil *durch* ein Loch im elektrischen Feld geschossen haben.

Swain hielt sich nicht mit weiterem Nachdenken darüber auf. Er drehte sich um und rannte los, jagte die Fahrbahn im Zentrum des Parkdecks hinunter.

Und während er ins zweite Untergeschoss eilte, hörte er als Letztes die dröhnende Stimme von Harold Quaid von der National Security Agency, der wütend auf einen armen unsichtbaren Untergebenen einschrie.

Unten an der Ausfahrt fluchte Quaid lautstark.

»*Verdammte Scheiße!* Wir hatten ihn!«

Er wandte sich dem Mann mit dem Betäubungsgewehr zu. »Wie *zum Teufel* konntest du danebenschießen! Ich kann's nicht fassen, dass du ihn nicht getroffen hast, aus dieser …«

»Beruhigen Sie sich, Quaid«, sagte Marshall und legte ihm eine Hand auf die Schulter. »Wir haben vielleicht diesen Typen verloren, aber ich glaube, wir haben gerade den Jackpot geknackt. Sehen Sie sich mal das da an!«

Quaid drehte sich um. »Was?«

Marshall zeigte auf das Parkdeck, und Quaid folgte der Richtung, in die der Finger wies. Augenblicklich fiel ihm die Kinnlade herunter.

»Was in aller Welt ist *das* denn?«, keuchte er.

»Weiß nicht. Aber ich will es haben«, erwiderte Marshall.

Durch das Gitternetz aus blauer Elektrizität erkannte er es ganz deutlich, was es auch immer sein mochte.

Es wirkte ungeheuerlich, wie ein großer, kurzbeiniger Dinsosaurier – wenigstens sechs Meter lang, mit einer abgerundeten, stumpfen Schnauze und zwei langen Fühlern, die über seinem Kopf rhythmisch hin und her pendelten.

Quaid und Marshall sahen fasziniert zu, wie die Kreatur langsam über das Parkdeck humpelte. Oben an der Fahrbahn, die nach unten führte, blieb sie stehen und beschnüffelte anscheinend einen Augenblick lang den Boden.

Im nächsten Moment glitt sie eilig hinab und verschwand.

»Ei, ei, ei, was *haben* wir denn hier?«, meinte Bellos, während er unter den Tisch blickte.

Selexin versuchte mit aller Gewalt, ein Zittern zu unterdrücken – offensichtlich erfolglos. Holly saß wie versteinert neben ihm.

»Nun, kleiner Mann, dein Gedächtnis ist ebenso kurz wie du. Ich habe dir gesagt, dass ich dich finden würde. Oder hast du das vergessen?«

Selexin schluckte. Holly starrte ihn bloß an.

»Vielleicht muss dein Gedächtnis ein wenig ... *aufgefrischt* werden.« Bellos erhob sich. »Kommt raus da!«

Holly und Selexin krabbelten auf der anderen Seite hervor. Bellos stand ihnen gegenüber, seinen verletzten Führer über der Schulter. Die lodernden Brände in den Leseräumen waren inzwischen ganz deutlich außer Kontrolle geraten.

Bellos reckte spöttisch den Hals. »Wohin willst du jetzt davonlaufen, kleiner Mann?«

Selexin warf einen Blick zum Treppenhaus hinüber. Dort standen die beiden Hoodaya bedrohlich in der offenen Tür und schnitten ihnen den einzigen Fluchtweg ab.

»Oje ...«, flüsterte er.

Bei einem erneuten Blick auf Bellos fielen ihm die dicken roten verschmierten Streifen Blut auf dessen goldener Brustplatte auf. Vor dem schwarzen Hintergrund von Bellos' Unterarm erkannte Selexin deutlich das graue Armband.

Da erlosch auf einmal das grüne Lämpchen.

Gleich daneben blinkte das rote auf.

»*Oje*«, sagte Selexin erneut.

Bellos schritt um den langen Tisch herum. Er wirkte überhaupt nicht in Eile. Offenbar genoss er den Augenblick – und bemerkte anscheinend nicht das rote Lämpchen an seinem Armband.

»Warum hast du das getan?«, fragte Selexin.

»Was?«

»Die Regeln des Präsidian gebrochen. Gemogelt. Warum hast du das getan?«

»Warum nicht?«

»Du hast die Regeln des Wettkampfs gebrochen, um zu gewinnen. Wie kann dir der Preis etwas wert sein, wenn dir das Turnier nichts wert ist? Du hast betrogen.«

»Nur wenn man dabei *erwischt* wird, dass man die Regeln bricht, ist es Betrug«, erklärte Bellos und kam um das Ende des Tischs herum. »Ich habe nicht vor, mich erwischen zu lassen.«

»Aber man *wird* dich erwischen.«

»Wie denn?«, fragte Bellos, als wüsste er bereits die Antwort auf diese Frage.

Selexin redete schnell, als er antwortete: »Ein Wettkämpfer kann dich bloßstellen. Er kann ›initialisieren!‹ sagen und den Zuschauern am anderen Ende mitteilen, dass du die Hoodaya bei dir hast.«

»Wer so etwas versuchen würde, *während er um sein Leben rennt,* wäre ein tapferer Mann«, erwiderte Bello. »Abgesehen davon – wer hier weiß, dass ich Hoodaya dabei habe?«

»Ich.«

»Aber dein Herr wurde zuletzt gesehen, wie er aus dem Labyrinth herausgefallen ist. Und er ist der Einzige, der den Teleporter auf deinem Helm initialisieren kann.«

Selexin hielt einen Augenblick lang inne. Dann meinte er: »Reese.«

»Was?«

»Reese weiß es«, verkündetete Selexin, dem eingefallen war, dass die Hoodaya Reese auf der ersten Etage angegriffen hatten.

»Aber du weißt nicht, ob Reese noch am Leben ist.«

»Ist sie noch am Leben?«

»Gönnen wir uns den Spaß«, erwiderte Bellos. »Nehmen wir für den Augenblick an, dass Reese noch am Leben ist.«

»Dann kann sie Mitteilung machen. Sie kann den Teleporter auf dem Helm ihres Führers initialisieren und dich bloßstellen.«

»Und was ist mit ihrem Führer?«

»Wie bitte?« Selexin zog die Brauen zusammen.

»Ihr *Führer*«, sagte Bellos selbstgefällig. »Du glaubst doch nicht etwa, dass ich Reese am Leben lasse und ihren Führer *auch*?«

»Du hast Reeses Führer getötet, *ehe* du sie selbst angegriffen hast?«

Bellos grinste. »In der Liebe und im Krieg sind alle Mittel erlaubt.«

»Sehr clever«, meinte Selexin. »Aber was ist mit den Hoodaya? Wie willst du sie aus dem Labyrinth schaffen? Du wirst sie doch bestimmt nicht hier zurücklassen wollen.«

»Vertrau mir, die Hoodaya werden das Labyrinth schon längst verlassen haben, wenn ich durch den letzten Teleporter trete«, erwiderte Bellos.

Selexin runzelte die Stirn. »Aber wie? Wie kannst du sie aus dem Labyrinth entfernen?«

»Ich benutze einfach die gleiche Methode, die ich benutzt habe, um sie herzubringen.«

»Aber das würde einen Teleporter erfordern ...«, sagte Selexin. »*Und* die Koordinaten des Labyrinths. Und keiner außer den Organisatoren des Präsidian kennt den Ort des Labyrinths.«

»Im Gegenteil.« Bellos blickte auf Selexin herab. »Führer wie *du* kennen die Koordinaten des Labyrinths. Das muss so sein, weil ihr mit jedem Wettkämpfer ins Labyrinth teleportiert werdet.«

Das ließ sich Selexin durch den Kopf gehen.

Der Prozess der Teleportation benötigte einen Führer, der zum Heimatplaneten des Wettkämpfers geschickt wurde. Dort betraten die beiden einen Teleporter, und zwar *allein*. Anschließend gab der Führer die Koordinaten des Labyrinths ein, und beide wurden teleportiert.

In Selexins Fall war die Sache natürlich anders gewesen, da die Menschen nichts von Teleportern und Teleportation wussten. Er und Swain waren getrennt voneinander teleportiert worden.

»Aber du brauchst nach wie vor einen Teleporter, um die Hoodaya hier herauszubekommen«, sagte Selexin. »Und auf Erden sind keine zu finden.«

Bellos zuckte gleichgültig die Achseln. »Vermutlich nicht«, gestand er ein.

Jetzt geriet Selexin in Wut. »Du hast vergessen, dass das alles auf der Annahme basiert, dass du der letzte im Labyrinth verbleibende Wettkämpfer sein wirst. Und *das* muss erst noch entschieden werden.«

»*Dieses* Risiko nehme ich in Kauf.«

»Dein Urgroßvater hat das fünfte Präsidian ohne Betrügerei gewonnen«, sagte Selexin verächtlich. »Stell dir vor, was er jetzt von dir denken muss!«

Bellos wedelte abschätzig mit der Hand. »Du hast es nicht begriffen, hm? Mein Volk *erwartet* von mir, diesen

Wettkampf zu gewinnen, ebenso wie es das von meinem Urgroßvater erwartet hat.«

»Aber du bist nicht der Jäger, wie es dein Urgroßvater gewesen ist, oder, Bellos?«, fragte Selexin hart.

Bellos kniff die Augen zusammen. »Ei, ei. Wie kühn wir sprechen, wenn wir dabei sind, vor unseren Schöpfer zu treten, kleiner Mann. Mein Urgroßvater hat getan, was er zu tun hatte, um das Präsidian zu gewinnen. Ebenso wie ich. Gewiss unterschiedliche Methoden, aber du musst begreifen, kleiner Mann, dass der Zweck alle Mittel rechtfertigt.«

»Aber ...«

»Nun reicht's mir mit deinem Gerede«, schnitt ihm Bellos das Wort ab. »Jetzt ist es an der Zeit für dich, zu sterben.«

Langsam umrundete Bellos den Tisch und kam auf Selexin und Holly zu. Verzweifelt blickte Selexin sich um. Sie konnten jetzt nirgendwohin laufen. Sich nirgendwo verstecken.

Wie angewurzelt stand Selexin vor Holly und sah den großen Mann immer näher kommen.

Da – langsam, lautlos – lenkte etwas hinter Bellos Selexins Blick auf sich.

Eine Bewegung.

Von oben.

Hinter einem der Abluftrohre an der Decke.

Langsam, ganz, ganz langsam entfaltete sich ein spindeldürrer schwarzer Körper und ließ sich *hinter* Bellos von der Decke herab.

Dabei gab er keinen Laut von sich.

Bellos hatte ihn nicht bemerkt. Er kam einfach weiter auf Selexin und Holly zu – während die große, spindeldürre Kreatur sich zu ihrer vollen bedrohlichen Größe von über drei Metern aufrichtete.

Selexin war wie vom Donner gerührt.

Es war der Rachnid.

Der siebte und letzte Wettkämpfer im Präsidian. Er sah wie ein riesiges, stockartiges Insekt aus, mit kleinem Kopf und vielgliedrig. Er streckte die acht knochengleichen Gliedmaßen aus und bereitete sich darauf vor, sie um Bellos' Körper zu schlingen und ihn zu zerquetschen.

Da, plötzlich, schlug der Rachnid zu – rasch, heftig. Erstaunlich schnell schloss er die Arme um Bellos und hob ihn hoch in die Luft.

Zunächst waren Selexin und Holly von der schieren Schnelligkeit des Angriffs verblüfft. Es war so plötzlich geschehen. Der langsame, bedrohliche Abstieg des Rachnid hatte sich von einem Moment auf den anderen in brutale Gewalt verwandelt. Und jetzt hing Bellos ganz plötzlich in der Luft, im Griff des Rachnid, und kämpfte mit diesem neuen Gegner.

Sofort setzten sich die Hoodaya in Bewegung.

Der unversehrte galoppierte von der Tür heran, sprang auf den Tisch und warf sich zur Verteidigung seines Herrn mit weit aufgesperrtem Maul auf den Rachnid. Der zweite, verletzte Hoodaya war langsamer, kletterte jedoch gleichermaßen wild auf den Tisch und mischte sich in das Kampfgetümmel.

Das Element der Überraschung schien jetzt völlig wertlos, als der Rachnid – mit dem unerwarteten Auftauchen der beiden Hoodaya konfrontiert – laut aufkreischend von der Decke fiel. Mit einem lauten *Platsch!* landete er auf dem Tisch. Die acht spindeldürren Gliedmaßen schlugen wild um sich, in dem verzweifelten Bemühen, den dreifachen Angriff abzuwehren.

Holly und Selexin starrten die Szenerie erstaunt an, bis plötzlich beide derselbe Gedanke überkam.

Raus hier!

Sie stürzten zum abgedunkelten Treppenhaus.

»Rauf oder runter?«, fragte Holly.

»Runter«, erwiderte Selexin entschlossen. »Ich habe vorhin oben im dritten Stock einen weiteren Wettkämpfer gesehen.«

Sie waren kaum fünf Stufen die Treppen hinab, als ein ohrenbetäubendes – jedoch vertrautes – Gebrüll von ganz unten ertönte.

»Der Karanadon«, rief Selexin. »Er ist wieder wach. Ich habe das rote Lämpchen auf Bellos' Armband gesehen. Komm schon.« Er fasste Holly bei der Hand. »Rauf.«

Sie eilten die Stufen wieder hinauf, und als sie an der Tür zum zweiten Stockwerk vorüberrannten, spähte Selexin hindurch und erhaschte einen flüchtigen Blick auf Bellos, der mit gespreizten Beinen auf dem Tisch über dem Rachnid kniete und in einen Zweikampf mit ihm verstrickt war.

Aber Bellos hatte jetzt ganz deutlich Oberhand.

Der unselige Rachnid lag festgenagelt auf dem Rücken und kreischte wie wahnsinnig, als ihm einer der Hoodaya einen Arm ausriss. Auf der anderen Seite war der andere Hoodaya – der verletzte – damit beschäftigt, den Führer des Rachnid zu zerfleischen.

Dann brach Bellos dem Rachnid eiskalt den Hals, und augenblicklich hörte das Kreischen auf. Bellos stand auf, wies die Hoodaya an, sich hinter ihn zu stellen, und richtete den Kopf seines Führers auf den toten Körper auf dem Tisch.

»Initialisieren!«, sagte er laut.

Eine kleine Kugel aus strahlend weißem Licht erschien über dem Kopf des Führers, und Selexin war plötzlich ganz davon gefesselt.

Holly zerrte an seinem Arm. »Komm schon, gehen wir.«

Selexin zog sich hinter die Tür zurück, und die beiden eilten die Stufen hinauf.

DAS ERSTE, was Stephen Swain am unteren Parkdeck völlig verblüffte, war dessen Größe. Es war kleiner als das in der Etage darüber. Und es hatte keine Ausfahrt. Man konnte hier unten parken, aber man musste zum Stockwerk darüber zurück, um hinausfahren zu können.

Es gab drei Türen, jede in einer anderen Wand. Auf der einen, die nach Osten führte, stand NOTAUSGANG. Auf der gegenüberliegenden Tür stand ZUM MAGAZIN. Eine dritte Tür – etwas älter – lag an der südlichen Seite des Parkdecks. Auf der Beschilderung fehlten einige Buchstaben. Zu erkennen war lediglich: …UNGSRAUM – EINTRITT VERBOTEN.

Und auf diesem Deck parkte ein Auto.

Ein einzelner, einsamer Wagen.

Ein kleiner Honda Civic in der nordwestlichen Ecke, der geduldig auf die Rückkehr seines Besitzers wartete.

Swain spannte sich bei der plötzlichen Überlegung an, dass sich vielleicht noch jemand in der Bibliothek aufhielt. Der Besitzer des Autos, den sie nur noch nicht zu Gesicht bekommen hatten.

Nein, sagte er sich. *Das kann nicht sein.*

Dann durchdachte er weitere Möglichkeiten – zum Beispiel die, den kleinen Wagen rückwärts in einem flammenden Blitz durch das unter Strom stehende Gittertor zu schicken und vielleicht so die Bibliothek zu verlassen.

Als er sich jedoch dem kleinen Civic näherte, lösten sich alle seine grandiosen Überlegungen in Luft auf.

Er seufzte.

Der Besitzer des Wagens war ganz sicher nicht hier.

Und der Wagen selbst würde durch kein unter Strom stehendes Gittertor fahren.

Dieses Auto würde überhaupt nirgendwohin fahren.

Swain blickte die beiden schweren gelben Krallen traurig an, die den kleinen Wagen am Betonboden des Parkdecks festhielten, daraufhin die aufgemalten blauen Streifen darunter.

Der Wagen stand auf einem Behindertenparkplatz, und da er kein Schild hinter der Windschutzscheibe hatte, hatten ihn die Aufseher festgekrallt.

Swain lächelte das nutzlose Auto traurig an. Im Krankenhaus hatte er so etwas Tausende Male gesehen, und er hatte stets das Gefühl gehabt, dass die Widerlinge, die einen Behindertenparkplatz blockierten, es verdienten, dass ihre Wagen festgekrallt wurden.

Hier auf dem Parkdeck der New York State Library hatte ihm dieses Auto leider absolut nichts zu bieten. Ein Gewehr ohne Patronen.

In diesem Moment bemerkte Swain das leise Zischen.

Er wandte sich um.

»Du gibst nie auf, stimmt's?«, fragte er laut.

Denn dort, am unteren Ende der nach unten führenden Fahrbahn, stand der allererste Wettkämpfer, dem Swain an diesem Abend begegnet war. Ihr Schwanz peitschte hin und her, ihre Fühler pendelten von einer Seite zur anderen, und ihr viereckiges Maul sonderte wild Speichel ab.

Reese.

Holly und Selexin stiegen die dunklen Stufen hinauf und landeten wieder am Absatz des dritten Stockwerks. Aus den Tiefen des Treppenhauses ertönte weiterhin ohrenbetäubendes Gebrüll.

Der Karanadon.

Irgendwo da unten.

Vor der geschlossenen Tür zum Lesesaal hielt Selexin inne. Er dachte an den dünnen Schatten, den er zuvor dort gesehen hatte – den Schatten des Codex.

»Die Tür ist geschlossen«, flüsterte Holly.

»Ja …«, meinte Selexin, als wäre das ziemlich offensichtlich.

»Aber …«

»Was, aber?«

Holly beugte sich nahe heran. »Aber, *wir* haben sie nicht geschlossen. Vorhin sind wir einfach abgehauen. Wir haben die Tür nicht hinter uns zugemacht. Erinnerst du dich?«

Selexin erinnerte sich nicht, aber es war ihm im Moment gleichgültig, ob die Tür geschlossen gewesen war oder nicht. Sie konnten hier schließlich keine Wurzeln schlagen.

»Vielleicht hast du Recht«, sagte er und ergriff den Türknauf. »Aber im Augenblick können wir sonst nirgendwohin.«

Der kleine Mann drehte den Knauf und öffnete die Feuerschutztür. Er zog sie weit auf.

Und fiel augenblicklich nach hinten.

Holly wandte sich ab und übergab sich explosionsartig.

»Bringt es rüber! Bringt es rüber!«, rief Quaid. Ein leichter Nieselregen hatte eingesetzt, aber er bemerkte es nicht einmal.

Die vier Männer von der NSA, die *es* trugen, stöhnten

heftig, als sie es neben dem elektrisierten Gittertor absetzten.

Währenddessen blickte Quaid auf den silbernen Kasten mit den Zahlen darauf.

Auf der mittleren Anzeige las er: 120485,05.

Einhundertundzwanzig*tausend* Volt. Einhundertundzwanzigtausend Volt reiner, unbegrenzter elektrischer Energie. So etwas wie ein elektrischer Zaun.

Quaid richtete seine Aufmerksamkeit auf das Ding, das die vier Männer gerade neben ihm abgesetzt hatten – das dicke Bleigehäuse für den transportablen Strahlungsabfallbehälter der Abteilung Sigma.

Ein solcher Behälter war im Grunde eine unter Überdruck gehaltene Vakuumeinheit innerhalb eines anderthalb Meter hohen Bleiwürfels. Sie wurde zur Aufbewahrung von im Feld aufgefundenen radioaktiven Objekten benutzt, bis sie zur Untersuchung an der riesigen elektromagnetischen Wiederaufbereitungsanlage in Ohio gebracht werden konnten.

Mit anderen Worten, das Ding war eine aufgemotzte Thermosflasche, umgeben von einem dicken, hüfthohen Bleigehäuse.

Quaid hatte angeordnet, dass der Behälter innerhalb des Wagens von allem Überflüssigen befreit und das schwere Bleigehäuse hergebracht werden sollte.

»Es wird nicht funktionieren«, meinte Marshall, als er auf den großen Bleiwürfel herabsah, dessen obere und untere Verblendungen jetzt abmontiert waren.

»Wir werden sehen«, erwiderte Quaid.

»Dieses elektrische Feld wird es mitten durchschneiden.«

»Letzten Endes ja, aber vielleicht nicht sofort.«

»Was soll das heißen?«

»Das heißt, dass es uns vielleicht genügend Zeit verschafft, ein paar Männer reinzubekommen.«

Marshall zog die Brauen zusammen. »Ich bin mir nicht sicher ...«

»Sie müssen sich nicht sicher sein«, gab Quaid grob zurück. »Weil nicht Sie derjenige sein werden, der reingeht.«

Selexin ließ die Türöffnung nicht aus den Augen. Holly übergab sich weiter über einer Lache aus Erbrochenem. Ihr standen Tränen in den Augen.

Langsam und unbeholfen kam Selexin wieder auf die Beine, die ganze Zeit über starrte er mit großen Augen auf die Türöffnung.

Dort, grausig umrissen von dem gelben Schein, den die lodernden Flammen im Lesesaal warfen, kopfüber von der Decke baumelnd, getränkt in glitzerndem Blut, hing der entsetzlich verstümmelte Leichnam von Paul Hawkins, Officer der New Yorker Polizei.

Auf dem unteren Parkdeck hielt Swain die Augen auf Reeses Schwanz gerichtet und versuchte gleichzeitig, jeden Blickkontakt mit den lähmenden Fühlern zu vermeiden.

Sie kam heran.

Auf ihn zu.

Langsam.

Plötzlich geriet sie ins Straucheln.

Erst da fiel Swain wieder ein, wann er Reese zum letzten Mal gesehen hatte. In der ersten Etage, beim Angriff der Hoodaya, als er und die anderen zu den Treppen geflohen waren.

Es bestand kein Zweifel. Reese war verwundet. Zerschlagen und zerschrammt von einem Kampf mit den Hoodaya, den sie nur ganz knapp überlebt hatte.

Swain schaute an sich selbst herab. Er war von der schmutzigen schwarzen Schmiere aus dem Aufzugschacht und dem U-Bahn-Tunnel bedeckt. Er warf einen Blick auf sein Armband.

Initialisiert - 3

Ein weiterer Wettkämpfer war tot. Jetzt waren bloß noch drei übrig. Das Präsidian näherte sich seinem Ende, und die verbliebenen Wettkämpfer waren verwundet, schmutzig und erschöpft. Jetzt war es eine Sache des Durchhaltevermögens.

Plötzlich flammte rechts ein gelbes Licht auf, und Swain sah, dass ein Gasrohr an der Decke Feuer fing.

Verstohlen blickte er zu Reese – die nach wie vor erschöpft herantrottete –, anschließend auf den nutzlosen kleinen Honda Civic gleich neben sich.

Dann wieder auf das Gasrohr. Auf die sanfte gelb-blaue Flamme, die über die gesamte Länge hinwegschoss. Swains Blicke folgten der Flamme voraus dem Verlauf der Röhre. Sie verschwand unmittelbar oberhalb der rätselhaften Tür mit der Aufschrift ...UNGSRAUM – EINTRITT VERBOTEN in der Wand.

Dann überkam Swain ein furchtbarer Gedanke.

Gas. Hauptleitungen.

Heizungsraum.

Um Gottes willen ...

Die bläulich gelbe Flamme schoss rasend schnell über die Decke, der Gasleitung folgend. Daraufhin verschwand sie in der Wand oberhalb der Tür.

Eine lange Stille folgte.

Dann ...

Die Explosion war gewaltig. Sie dröhnte wie ein Kanonenschuss, drückte die Tür zum Heizungsraum nach außen und ließ sie in tausend Einzelteile zerspringen. Gleich darauf folgten eine Rauchwolke und Flammen. Swain wurde rücklings auf die Motorhaube des Civic geschleudert.

Quaid schwankte leicht, als der Boden bebte. Eine Explosion irgendwo.

»Wir müssen jetzt rein«, sagte er zu Marshall.

»Wie viele ...?«

»So viele, wie wir reinbringen können.«

»Woher wissen Sie, dass Sie durchkommen?«, fragte Marshall.

»Woher wissen Sie, dass wir es nicht können?«, gab Quaid zurück.

Marshall schürzte die Lippen. »Niemand hat je etwas Derartiges gesehen ...«

Quaid starte ihn bloß an. Er wartete auf die Aufforderung.

Dann kniff Marshall die Augen zusammen. »Na gut, also los.«

Swain wälzte sich von der Motorhaube des kleinen Honda herab. Reese hatte sich dem Heizungsraum zugewandt.

In dem Moment reagierte die Sprinkleranlage und tränkte das gesamte Parkdeck mit Strömen von Wasser. Es war, als würde man in einem Gewitterregen stehen – dröhnende Explosionen aus dem Heizungsraum inmitten des strömenden Regens aus der Sprinkleranlage.

Swain wischte sich das Wasser aus den Augen und versuchte zu erkennen, was Reese tat. Rechts – auf halber Strecke zwischen ihr und ihm – erhielt er einen flüchtigen Blick auf die Tür in der westlichen Wand des Decks, die er erreichen wollte.

Darauf stand: ZUM MAGAZIN.

»Fertig? Okay, schiebt!«, schrie Quaid.

Das NSA-Team hob das große Bleigehäuse an und schob es zu dem unter Strom stehenden Gittertor des Parkdecks hinüber.

Quaid hatte ihnen gesagt, sie sollten den großen Bleiwürfel auf die Seite kippen, sodass die offenen Enden – oben und unten – auf das knisternde Netz aus blauer Elektrizität gerichtet waren.

Als der Würfel bloß noch einen halben Meter von den blauen Blitzen entfernt war, rief Quaid, jetzt in voller Angriffsmontur – Helm, kugelsichere Weste –, ihnen zu, sie sollten stehen bleiben.

Marshall reichte ihm ein M-16-Sturmgewehr, das mit einer Hightecheinheit ausgestattet war, die wie ein M-203-Granatwerfer aussah, nur dass sie anstelle eines großkalibrigen Gewehrlaufs zwei silbrige spitze Zinken am Ende aufzuweisen hatte. Es war ein Taser *Bajonett* – die moderne Variante einer altertümlichen Waffe. Statt einen langen Dolch ans Ende der Waffe zu stecken, brachte man mehrere tausend Volt an.

»Schon einiges an Feuerkraft«, bemerkte Marshall.

»Man sollte nicht ohne sie aus dem Haus gehen«, erwiderte Quaid und nahm die Waffe entgegen.

Marshall griff in seinen Mantel.

»Noch etwas«, sagte er und zog ein Blatt Papier aus der Tasche. Es war die Liste mit den Aufzeichnungen des Lauscher-Satelliten über Zeiten und Energieausstöße. »Haben Sie Ihre Kopie?«

Quaid klopfte auf seine Gesäßtasche. »Meinen Sie etwa, ich würde das verdammte Ding inzwischen nicht in- und auswendig kennen? Dreizehn Energiestöße, nachdem wir das erste elektrische Feld in der Stadt aufgefangen haben. Das ist der Ausgangspunkt. Dreizehn Dinge, die wir finden müssen.«

»Wenn Sie reinkommen«, sagte Marshall.

»Ja«, erwiderte Quaid grimmig. »Wenn ich reinkomme. Sie stehen lediglich Gewehr bei Fuß für alles, was ich rausbringe.«

»Wenn wir das nicht tun, dann nur, weil wir schon bei Ihnen drin sind.«

»Schön.« Quaid wandte sich an die Männer um ihn herum. »Also gut, Jungs. Packen wir's an.«

Die Männer schoben den Bleiwürfel weiter auf die Mauer aus blauer Elektrizität zu. Quaid folgte langsam und wartete am offenen rückwärtigen Ende.

Das vordere Ende berührte den Strom.

Funken flogen.

Sofort bückte sich Quaid und blickte hindurch. Offensichtlich war die Elektrizität außerstande, das Blei zu durchschneiden.

Die NSA-Männer schoben weiter, bis der Würfel halb innerhalb, halb außerhalb der blauen Lichtmauer war.

Das Blei hielt nach wie vor stand.

Jetzt hatten sie einen Tunnel zur Verfügung, und Quaid konnte unter der elektrisierten Wand hindurchkriechen.

Mit dem Gewehr in der Hand, duckte er sich in den Würfel – verschwand einen Augenblick lang – und tauchte dann am anderen Ende des elektrischen Gitternetzes wieder auf, die Daumen nach oben.

»Also gut«, rief er zurück. »Schickt die anderen durch.«

Die übrigen NSA-Leute – alle mit Taser-bestückten M-16 bewaffnet – hatten sich in einer Reihe hinter dem Würfel aufgestellt.

Der Erste, ein junger Latino namens Martinez, tauchte mit dem Kopf voran in den Würfel.

Da ertönte plötzlich ein Grauen erregendes *Krack!*, und zwar gerade, als Martinez' Beine im Tunnel verschwanden.

»Schnell, bewegt euch! Ehe er den Geist aufgibt!«, schrie Marshall.

In dem Moment, als Martinez auf der anderen Seite wieder auftauchte, die Hand mit dem Gewehr noch hinter sich, zerbrach der dicke Bleiwürfel ohne Vorwarnung unter dem Gewicht der elektrischen Mauer genau in der Mitte sauber in zwei Hälften – und das M-16 des jungen Soldaten wurde am Sicherheitsbügel durchtrennt. Die tödliche Elektrizität hatte seine Finger nur um Millimeter verfehlt.

Die Mauer stand wieder an Ort und Stelle.

Quaid und Martinez waren von den anderen abgeschnitten.

»Alles in Ordnung bei euch da drüben?«, fragte Marshall durch das Gitternetz.

»Ein Gewehr im Eimer, ansonsten alles in Butter«, erwiderte Quaid und reichte dem jüngeren Mann als Ersatz für dessen zerstörtes M-16 die eigene SIG-Sauer-Pistole. »Schätze, von nun an sind wir auf uns allein gestellt. Wir sind bald zurück.«

Quaid und Martinez eilten zum Parkdeck hinaus und zur Abfahrt hinüber.

Marshall sah ihnen nach. Als sie schließlich verschwunden waren, verzog sich sein Gesicht zu einem Lächeln.

Sie waren innerhalb der Bibliothek.

Großartig.

Bis auf die Haut durchnässt stand Swain in der einen Ecke des unteren Parkdecks. Auf der anderen Seite schossen Flammen aus dem Heizungsraum, denen der unablässig herabströmende Regen aus den Sprinklern an der Decke nicht das Geringste ausmachte.

Reese humpelte weiter auf ihn zu.

Irgendwie schien sie fest entschlossen, ihn trotz der Proteste ihres schmerzenden Körpers erreichen zu wollen; sie legte eine Besessenheit an den Tag, die erst zur Ruhe käme, wenn Stephen Swain tot wäre.

Swain überlegte. Er konnte sie nicht töten, sie war einfach zu groß, zu stark. Und selbst verwundet würde sie ihn in einem Zweikampf in Stücke reißen.

Wie macht man so was?, überlegte er. *Wie tötet man so ein Dingsbums?*

Ganz einfach. Am besten gar nicht.

Man läuft einfach weiterhin davon.

Swain trat einen Schritt zurück und spürte, wie seine Beine den kleinen Honda berührten.

Er war in die Ecke gedrängt.

Na wunderbar.

Er löste sich vom Wagen und schritt die Mauer des Parkdecks entlang auf die Tür zu, die zum Magazin führte.

Reese bewegte sich parallel zu ihm und schnitt ihm den Fluchtweg ab.

Swain blieb etwa drei Meter entfernt von dem Honda stehen, den Rücken der Wand zugekehrt. Die gewaltige Gischt aus den Sprinklern hämmerte auf seinen Kopf ein.

Er blickte auf die große Wasserlache herab, die immer weiter anschwoll. Sie war nicht mal einen Zentimeter tief, erstreckte sich jedoch fast über den ganzen weiten Betonboden und wurde größer und größer, da die Sprinkleranlage sie weiterhin mit Nachschub versorgte.

Er stand mitten darin. Reese ebenfalls.

Sein Blick folgte dem Weg, den der sich ausbreitende Teich nahm.

Er verzweigte sich in jede Richtung, sogar zur östlichen Wand hinüber, zu der Tür mit der Aufschrift NOTAUS-GANG.

Der Notausgang.

Swains Gedanken rasten.

Der Notausgang wäre wahrscheinlich eine äußere Tür, die direkt nach draußen führte.

Und falls das so wäre, dann …

Er erstarrte voller Entsetzen. Reese stand ihm nach wie vor gegenüber. Der Teich kroch langsam auf den Notausgang zu.

Falls es eine Außentür war, *stünde sie unter Strom.*

Und wenn der Teich sie erreichte …

»Du meine Güte«, sagte Swain laut angesichts des Wassers. »Oh, *du meine Güte* …«

Lauf!, schrien seine Gedanken. *Wohin? Über …*

»Keine Bewegung!«, rief eine Stimme.

Sein Kopf fuhr hoch.

Reese schnellte herum.

Zwei Männer standen am unteren Ende der Fahrbahn in der Mitte des Parkdecks.

Es waren Harold Quaid von der National Security Agency und ein weiterer Mann, beide in einer Montur wie die Mitglieder der Anti-Terror-Einheit SWAT. Quaid hielt ein seltsam aussehendes M-16-Sturmgewehr in Händen. Der andere Mann hatte eine silberfarbene, halbautomatische Pistole dabei.

Swain erstarrte.

Er warf einen Blick zum Notausgang hinüber – dann auf die Sprinkleranlage an der Decke, die keinerlei Anstalten machte, ihre Bewässerung einzustellen – und zuletzt auf den anschwellenden Teich, der sich immer näher an die Tür heranschob.

Einen Meter entfernt.

Er musste sich bewegt haben, denn Quaid rief erneut: »Ich meine es ernst! *Keine Bewegung!*«

Swain stand wie versteinert da.

Das Wasser rückte der Tür noch näher.

Reese huschte nach links davon.

Mit gehobenen Waffen verließen Quaid und sein Partner vorsichtig die Abfahrt. Sie beäugten Reese, beäugten Swain. Traten ins Wasser.

Der Teich war jetzt einen halben Meter von der Tür entfernt.

Aus der Sprinkleranlage fiel unermüdlich der Regen.

Swain wollte loslaufen …

»Bleib gefälligst stehen!«, brüllte Quaid und richtete seine Waffe drohend auf ihn. »Ich komme rüber!«

Einen Viertelmeter …

Das Wasser hatte die Tür fast erreicht …

Scheiß drauf, dachte Swain. *Ich werde so oder so sterben.*

»*Keine Bewegung … !*«, schrie Quaid erneut, als Swain zu dem Civic in der Ecke spurtete. Bei jedem Schritt spritzte Wasser hoch.

Gewehrfeuer brach los.

Swain sprintete an der Betonmauer entlang, nur Zentimeter einer Reihe von Einschusslöchern voraus.

Ich werd's nicht schaffen, dachte er, während ihm schwere Tropfen aus der Sprinkleranlage ins Gesicht schlugen. *Ich werd's nicht schaffen …*

Er hechtete zum Wagen.

Das Wasser erreichte gerade die Tür.

Mit einem lauten Bumm! landete Swain auf der Motorhaube des kleinen Honda. Gleichzeitig stellte Quaid das Feuer ein.

Swain war sich nicht sicher, was er nun hören würde: Das Knistern elektrostatischer Ströme, die durch das Wasser schossen; vielleicht sogar ein Aufschrei von Quaid, der zuletzt inmitten des Teichs gestanden und auf ihn gefeuert hatte.

Nichts davon geschah.

Überhaupt nichts.

Auf dem Parkdeck herrschte weiterhin Grabesstille, von dem beständigen Rauschen der Sprinkleranlage einmal abgesehen.

Langsam hob Swain die Hände vom Kopf. Quaid und der zweite NSA-Mann – die nach wie vor im Teich nahe der Fahrbahn in der Mitte standen – starrten neugierig zu ihm hinüber, wie er da auf der Motorhaube lag.

Reese hingegen war nirgendwo zu entdecken.

Der Teich hatte den Notausgang erreicht, und das Wasser floss jetzt darunter her, ohne dass irgendetwas geschah.

Swain konnte sich nur eine mögliche Erklärung denken: Es war keine Tür nach draußen. Sie war nicht unter Strom gesetzt worden. Dahinter musste es eine weitere geben.

Aus der Sprinkleranlage regnete es nach wie vor.

Da stürmte plötzlich – und *wild* – Reese hinter dem zweiten NSA-Mann heran. Der Brustkorb des Mannes explodierte, und im nächsten Moment ragte die Spitze ihres Schwanzes grotesk daraus hervor.

Quaid wirbelte herum, war jedoch zu langsam.

Reese war bereits wieder in Bewegung. Sie zog den Schwanz aus Martinez' Körper und ließ den Leichnam wie eine Stoffpuppe zu Boden fallen. Daraufhin trampelte sie grob darüber hinweg, warf sich auf Quaid und schleuderte ihn nach vorn, sodass er mit einem lauten Aufklatschen zu Boden ging.

Sie musste die Fahrbahn in der Mitte umgangen und sich dann *von hinten* an die beiden NSA-Männer herangeschlichen haben, die ihn bedrohten.

Ihr Opfer bedrohten.

Aber Quaid ergab sich nicht kampflos. Er wälzte sich auf den Rücken, und im selben Moment sprang ihm Reese auf die Brust. Aus ihrem Maul tropfte der Speichel, und ihre Fühler pendelten hin und her. Quaid hielt das M-16 aus dem Wasser und bestrich vergebens die Decke mit automatischem Gewehrfeuer. Gleichzeitig glaubte Swain, einen weißen Lichtblitz aus der High-Tech-Einheit am Lauf von Quaids Sturmgewehr zucken zu sehen.

Der Kampf ging unter dem strömenden Regen weiter – doch Reese war zu stark, zu schwer.

Ihre dicke rechte vordere Gliedmaße krachte auf Quaids rechten Arm herab – den Gewehrarm –, und Swain hörte das schreckliche Geräusch brechender Knochen.

Sofort erstarb das Gewehrfeuer, das M-16 flog Quaid aus der Hand und rutschte über den wasserbedeckten Boden des Parkdecks bis auf ein, zwei Meter an Swains Civic heran.

Quaid, dessen Gesicht mit Speichel bedeckt war, kreischte wie wahnsinnig, während ihm das Blut aus dem gebrochenen rechten Ellbogen strömte. Mit dem anderen

Arm vollführte er Mitleid erregende Versuche, Reese auf Distanz zu halten.

Dann krümmte sich ihr Schwanz.

Geschmeidig und anmutig hob er sich hinter ihren wirbelnden Fühlern. So, dass Quaid ihn nicht sehen konnte.

Swain blieb keine Zeit, auch nur den kleinen Finger zu rühren.

Der Schwanz traf Quaid heftig.

Tückisch und heftig.

Die Spitze drang ihm durch die Stirn, es folgte eine Explosion aus Rot, dann schoss der Schwanz durch den Schädel und trat auf der anderen Seite wieder aus. Bei dem Aufprall spannte sich Quaids Körper heftig an, er hob die Füße vom Boden, dann erschlaffte er plötzlich.

Swain sah voller Entsetzen zu, wie Reese eiskalt den Schwanz aus dem Schädel des toten Mannes zog, woraufhin der blutbeschmierte Kopf mit einem leisen Klatschen zu Boden fiel.

Dann blickte sie zu Swain auf.

Und zischte ihn wild an.

Jetzt bist du an der Reihe.

Reese trat von Quaids Leichnam weg, ihr gesamter Körper zusammengerollt, gespannt und belebt vom Geruch des Kampfes.

Regen aus der Sprinkleranlage hämmerte auf ihren rauen, dinosaurierhaften Rücken.

Swain ließ sich von dem kleinen Honda gleiten, beäugte sie achtsam und überlegte, was er jetzt tun sollte, zum Teufel. Dann sah er es aus dem Augenwinkel.

Quaids M-16.

Es lag rechts im Wasser, fünf Meter entfernt. Leblos. Verlassen.

Swain verschwendete keine Sekunde. Er sprang zu dem Gewehr hinüber.

Reese vollführte einen Satz nach vorn.

Swains Finger prallten hart aufs Wasser, als er das Gewehr packte, aufhob, herumwirbelte und auf die heranjagende Reese richtete.

Er zog den Abzug durch.

Klick!

Keine Munition! Quaid musste es leergeschossen haben. Wie *unfair!*

Reese hatte ihn jetzt fast erreicht. Sie sprang ihn an, sie flog förmlich durch die Luft, sie hatte die vorderen Gliedmaßen gehoben und das Maul geöffnet – ein riesiger angreifender Alligator.

Swain vollführte eine Rolle nach links, und Reese krachte dort herab, wo er gerade noch gewesen war. Mit einem gewaltigen Klatscher landete sie in dem flachen Wasser.

Swain kam wieder hoch, drehte sich um, um nachzusehen, wo Reese war ...

Bamm!

Ein ungeheuerliches Gewicht schlug ihm in den Brustkorb und trieb ihn zurück. Reese hatte ihn mit der Schulter gerammt.

Durch den Aufprall hob Swain vollständig vom Boden ab und landete dann plötzlich – *Wumm!* – mit einem Knall auf der Motorhaube des geparkten Honda.

Der Wagen zitterte heftig in seiner Aufhängung, und ehe es ihm recht zu Bewusstsein kam, hatte er das entsetzlichste Geräusch, das er je im Leben vernommen hatte, in den Ohren. Er öffnete die Augen und starrte in Reeses weit geöffnetes Maul – aus zwanzig Zentimeter Entfernung.

Es war schon ein besonderer Anblick: Swain – der mit dem Rücken auf der Motorhaube des Civic lag, dessen weit gespreizte Arme über die Seiten baumelten – und Reese, die aufrecht dastand, mit den Hinterbeinen auf dem Parkdeck, die stämmigen vorderen Gliedmaßen zu beiden Seiten Swains fest auf die Motorhaube des Wagens gestemmt.

Sie senkte die Schnauze über seiner Brust herab, als wollte sie ihn beschnüffeln, beriechen, ihren Sieg über ihn auskosten.

Swain hielt die Augen abgewandt – wagte nicht, auf ihre Fühler zu schauen – und hielt sie damit zugleich von dem Speichelstrom fern, der jetzt nur so auf seinen Brustkorb spritzte.

Durch den Regen aus der Sprinkleranlage sah er ihre vereinigten Schatten an der Wand neben sich – ihr Körper über den seinen gebeugt –, die auf dem Schatten des Wagens ruhten.

Sie hatte ihn.

Reese zischte grimmig.

Und in diesem Augenblick sah Swain an dem Schatten auf der Mauer, wie sich hinter ihrem Rücken ihr Schwanz hob.

Das war es.

Das war das Ende.

Reese wusste es. Swain ebenfalls.

Da spürte er es plötzlich – *irgendwie* befand es sich nach wie vor in seiner Hand, die über die Motorhaube hinabbaumelte –, und wie die Dämmerung eines neuen Tages traf ihn eine frische Erkenntnis. Swain blickte in Reeses augenloses Gesicht und sagte: »Tut mir Leid.«

Mit diesen Worten zog er den *zweiten* Abzug des M-16 – den Abzug am Taser – und feuerte damit in den Teich unter dem Wagen.

Aus den Zinken des *Bajonetts* blitzte es, und ein Stromstoß schlug ins Wasser.

Augenblicklich erhellte ein blendendes Licht das Parkdeck, und Tausende gezackter weißer Blitze schlängelten sich mit erstaunlicher Geschwindigkeit über die Wasseroberfläche.

Reese kreischte vor Qual auf, als der Strom aus dem Taser des M-16 durch das Wasser in ihren Körper hinaufjagte – über ihre Hinterbeine, die nach wie vor in dem seichten Tümpel standen.

Sie erbebte, und ihre echsenhafte Gestalt zuckte so heftig zusammen, dass der Honda unter ihr ins Schaukeln geriet.

Swain versuchte lediglich, sich von ihrem Körper fern zu halten, als dieser die betäubende elektrische Energie in sich aufnahm.

Dann, in einem letzten tödlichen Stromstoß, erbrach sich Reese über seinem Brustkorb – ein Ekel erregender, grünlich brauner Schleim –, ehe sie sich auf den Hinterbeinen aufbäumte und zu Boden stürzte, dass das Wasser nur so spritzte.

Tot.

Der kleine Honda Civic, auf dem Swain nach wie vor lag, hielt stand, als der Stromstoß seine Reifen traf – alle Versuche der tödlichen Elektrizität, den Wagen zu erklimmen, wurden von dem Gummi vereitelt.

Augenblicke später hörte der Regen aus der Sprinkleranlage auf.

Wiederum herrschte Stille auf dem Parkdeck.

Lang ausgestreckt auf der Motorhaube des Civic, wagte Swain wieder zu atmen. Das anfänglich aufflammende weiße Licht war erloschen, und jetzt war auf dem Wasser nur noch ein schwaches elektrisches Funkeln zu erkennen.

Die elektrische Energie aus dem *Bajonett* des M-16 hatte sich zerstreut. Das Wasser war wieder normal. Beim Kontakt hatte es einen Kurzschluss gegeben, und das *Bajonett* selbst hatte knisternd seine Energien erschöpft. Swain ließ das Gewehr fallen.

Er blickte auf Reese hinab. Merkwürdigerweise wirkte ihr bulliger, dinosaurierhafter Körper im Tod noch größer als im Leben. Nicht weit entfernt lagen die beiden Leichen der NSA-Männer, Quaid und Martinez, reglos auf dem nassen Boden.

Erstaunt schüttelte Swain den Kopf und fragte sich, wie zum Teufel er diese Konfrontation eigentlich überlebt hatte.

Dann piepte sein Armband.

INITIALISIERT – 2

Jetzt war bloß noch ein weiterer Wettkämpfer übrig – und er hatte Holly und Selexin immer noch nicht gefunden.

Swain holte tief Atem und rutschte vom Wagen. Mit einem leisen Aufklatschen landeten seine Füße auf dem Beton.

Es war noch nicht vorüber.

»Wir müssen«, drängte Selexin.

»Geh du doch. Ich bleibe«, erwiderte Holly.

»Ich lasse dich nicht hier zurück.«

»Dann bleiben wir eben beide hier.« Holly verschränkte resolut die Arme.

Sie standen immer noch draußen vor dem Lesesaal auf dem Treppenabsatz der dritten Etage.

Nachdem Holly Hawkins' verstümmelten Leichnam von der Decke hatte herabbaumeln sehen und sich übergeben musste, war sie an der nächsten Wand in sich zusammengesackt, um fortan ins Leere zu starren. Jetzt weigerte sie sich schlicht, den Lesesaal zu betreten, was bedeutet hätte, an dem Leichnam vorüberzugehen und – noch schlimmer – durch das Blut zu waten.

Selexin schaute sich nervös um. Unten an der Treppe stand die Tür zum zweiten Stockwerk offen. Im Lesesaal hing Hawkins Leichnam kopfunter von der Decke und baumelte ein wenig hin und her.

Wer das auch immer getan hatte – Selexin hatte Bellos und seine Hoodaya in Verdacht –, hatte ihm die Arme und den Kopf direkt aus den Gelenken gerissen, zog man die gewaltige Blutlache unter der pendelnden Leiche in Betracht. Über den ganzen Körper zogen sich parallele Schnitte – Klauenspuren. Hoodaya-Spuren. Zusammen mit dem unheimlichen gelben Schein des Feuers im Lesesaal ergab das einen besonders gruseligen Anblick.

»Du kannst die Augen zukneifen«, schlug Selexin vor.

»Nein.«

»Ich kann dich tragen.«

»Nein.«

»So sieh doch ein, dass wir nicht hierbleiben können.«

Holly blieb stumm.

Enttäuscht schüttelte Selexin den Kopf und sah zum wiederholten Mal die Treppe hinunter.

Er erstarrte.

Daraufhin wandte er sich wieder Holly zu und riss sie grob hoch, ob es ihr gefiel oder nicht.

»He ...«

»*Pscht!*«

»Was tust du da ...?«

»Wir gehen rein. *Sofort*«, erwiderte Selexin und zog sie zur Tür, während er prüfende Blicke über die Schulter warf.

Widerstrebend folgte Holly seinem Blick das Treppenhaus hinab. »*Ich habe gesagt,* ich möchte nicht ...«

Ihr erstarb die Stimme, als sie die Tür zum zweiten Stockwerk unten sah.

Ein schwacher rechteckiger Lichtschein fiel heraus, und langsam – ganz langsam – erkannte sie einen dunklen Schatten darin.

Die Quelle des Schattens tauchte auf, und Holly sah voller Entsetzen, wie der Hoodaya auf den Treppenabsatz hinaustrat und ihr direkt in die Augen blickte.

Die unter dem M-16 angebrachte Einheit trug eine Inschrift: TASER BAJONETT-*4500*.

Mein Gott, dachte Swain, über den Leichnam von Harold Quaid gebeugt, das klingt wie ein neues Motorradmodell.

Swain waren schon vorher Opfer von Taser-Schocks zu Gesicht gekommen. Normalerweise kam man mit einem dicken, fetten Kater davon, hauptsächlich deshalb, weil Taser-Stöcke der Polizei unveränderlich auf eine minimale Stromstärke eingestellt waren.

Aber diese Taser-Einheit auf dem Gewehrlauf gehörte *nicht* zur üblichen Ausrüstung der Polizei. Und falls Quaid wirklich bei der NSA war – wer wusste schon, welche Stromstärken da im Spiel waren?

Swain sah auf Reese hinab, die mit dem Gesicht nach unten in dem flachen Teich lag. Eines war gewiss: NSA-Taser dienten nicht bloß zum Betäuben. Dieser hatte genügend Spannung erzeugt, um Reese zu töten.

Er hielt das M-16 in Händen. Da das Magazin leer war und der Taser einen Kurzschluss gehabt hatte, war es nutzlos. Er warf das Sturmgewehr weg und beugte sich hinunter, um die Leichen von Quaid und Martinez zu durchsuchen. Vielleicht hatten sie noch etwas bei sich.

Martinez' SIG-Sauer-Pistole, oder was davon übrig war, lag halb untergetaucht im Wasser. Sie war völlig plattgedrückt – vermutlich war Reese auf sie getreten – und kaum mehr als eine Ansammlung verbogenen Metalls und zerbrochener Federn.

Swain durchwühlte die Uniformtaschen der beiden NSA-Männer. Er fand zwei kleine Motorola-Walkie-Talkies, vier Ersatzbatterien für die Taser-Einheit, zusätzliche Clips für die SIG-Sauer und zwei ausziehbare Schlagstöcke. Außerdem hatten beide Männer je zwei CS-Tränengasgranaten bei sich.

Er überlegte, ob Karanadons auf Tränengas reagieren würden – wahrscheinlich nicht. Teufel, wenn er die Granaten einsetzte, würde er am Ende womöglich nur sich selbst außer Gefecht setzen. Die Funkgeräte waren keine Hilfe – wen sollte er schließlich anfunken? Und gegen jemanden wie Bellos wollte er lieber nicht das Risiko eingehen, die Schlagstöcke zu benutzen. Nein, Harold Quaid und sein Partner hatten ihm wenig zu bieten.

Er fragte sich, wie sie eigentlich in die Bibliothek gekommen waren. Möglicherweise über das Parkdeck. Aber etwas musste schiefgegangen sein – ansonsten hätten sie zehn weitere Knaben und noch wesentlich mehr Artillerie dabeigehabt. Sie wären gewiss nicht auf die Suche nach Aliens gegangen, wenn sie nur zwei Gewehre zwischen sich und denen gehabt hätten.

Dann entdeckte Swain etwas.

In Quaids Gesäßtasche. Ein Blatt Papier. Eine Liste:

```
LSAT-560467-S
DATENTRANSSKRIPT 463/511-001
LAGE: 231.957
(Nordöstliche Küste: CN, NY, NJ)
```

Nr.	Zeit	Ort	Erläuterung
1.	18:03:48	CT.	Isolierter Energie-ausstoß/ Quelle: UNBEKANNT Typus: UNBEKANNT Dauer: 0.00:09
2.	18:03:58	N.Y.	Isolierter Energie-ausstoß/ Quelle: UNBEKANNT Typus: UNBEKANNT Dauer: 0.00:06
3.	18:07:31	N.Y.	Isolierter Energie-ausstoß/ Quelle: UNBEKANNT Typus: UNBEKANNT Dauer: 0.00:05

```
  4. 18:10:09  N.Y.        Isolierter Energie-
                           ausstoß/
                           Quelle: UNBEKANNT
                           Typus: UNBEKANNT
                           Dauer: 0.00:07
  5. 18:14:12  N.Y.        Isolierter Energie-
                           ausstoß/
                           Quelle: UNBEKANNT
                           Typus: UNBEKANNT
                           Dauer: 0.00:06
  6. 18:14:37  N.Y.        Isolierter Energie-
                           ausstoß/
                           Quelle: UNBEKANNT
                           Typus: UNBEKANNT
                           Dauer: 0.00:02
  7. 18:14:38  N.Y.        Isolierter Energie-
                           ausstoß/
                           Quelle: UNBEKANNT
                           Typus: UNBEKANNT
                           Dauer: 0.00:02
  8. 18:14:39  N.Y.        Isolierter Energie-
                           ausstoß/
                           Quelle: UNBEKANNT
                           Typus: UNBEKANNT
                           Dauer: 0.00:02
  9. 18:14:40  N.Y.        Isolierter Energie-
                           ausstoß/
                           Quelle: UNBEKANNT
                           Typus: UNBEKANNT
                           Dauer: 0.00:02
 10. 18:16:23  N.Y.        Isolierter Energie-
                           ausstoß/
                           Quelle: UNBEKANNT
```

			Typus: UNBEKANNT
			Dauer: 0.00:07
11.	18:20:21	N.Y.	Isolierter Energie-
			ausstoß/
			Quelle: UNBEKANNT
			Typus: UNBEKANNT
			Dauer: 0.00:08
12.	18:23:57	N.Y.	Isolierter Energie-
			ausstoß/
			Quelle: UNBEKANNT
			Typus: UNBEKANNT
			Dauer: 0.00:06
13.	18:46:00	N.Y.	Isolierter Energie-
			ausstoß/
			Quelle: UNBEKANNT
			Typus: UNBEKANNT
			Dauer: 0.00:34

Verwirrt blickte Swain auf die Liste.

Zahlen, Zeiten, Energieausstöße und die beständige Wiederholung des Worts UNBEKANNT. Vermutlich hatte das alles etwas mit der Bibliothek zu tun.

Insgesamt dreizehn Energieausstöße. Einer in Connecticut und zwölf in New York.

Na schön.

Swain sah sich die Zeiten der ersten paar Stöße an.

18:03:48. Ein Ausstoß – Quelle unbekannt, Typ unbekannt –, entdeckt in Connecticut, Dauer *neun* Sekunden.

Genau *zehn* Sekunden nach dessen Beginn, um 18:03:58, erfolgte einer in New York.

Also gut. Das war einfach. Das waren Swain selbst und Holly, die von seinem Haus in Connecticut in die Bibliothek im zentralen Manhattan teleportiert worden waren.

Sechs weitere Ausstöße von grob gerechnet der gleichen Dauer – fünf bis acht Sekunden –, zuzuschreiben den anderen Wettkämpfern und deren Führern, die für das Präsidian in die Bibliothek teleportiert wurden.

Swain erinnerte sich daran, dass Selexin bei seiner Ankunft bereits dort gewesen war. Dessen Teleportation musste zu früh erfolgt sein, um auf dieser Liste aufzutauchen.

Blieben aber immer noch fünf andere Ausstöße.

Swain durchsuchte die Liste weiter, und sein Blick fiel auf die Einträge Nummer 6 bis 9 – die vier zweisekündlichen Ausstöße, die rasch hintereinander, in einem Abstand von einer Sekunde, erfolgt waren. Jemand hatte sie unterstrichen.

Angesichts des fünften Ausstoßes zog Swain die Brauen zusammen.

18:14:12. Sechs Sekunden. Nichts Besonderes, lediglich ein weiterer Wettkämpfer und sein Führer, die ins Innere teleportiert wurden. Aber fünfundzwanzig Sekunden danach erfolgten die vier schnellen Ausstöße in rascher Folge.

Die Hoodaya!

Sie waren klein, also dürfte die Teleportation nicht lange gedauert haben. Jede nur zwei Sekunden.

Was auch die zeitlichen Unterschiede bei den anderen Teleportationen erklärte – einige Wettkämpfer waren größer oder kleiner als andere, also erforderte es mehr oder weniger Zeit, sie ins Labyrinth zu teleportieren, im Großen und Ganzen zwischen fünf und acht Sekunden.

Swain lächelte. Alles fügte sich sauber zusammen.

Außer einer Sache.

Der letzte Energieausstoß.

Er war mehr als *dreiundzwanzig* Minuten nach allen anderen erfolgt, die ihrerseits allesamt *innerhalb* von zwanzig Minuten aufgetreten waren.

Zudem hatte er vierunddreißig Sekunden gedauert. Der längste Ausstoß zuvor hatte lediglich neun Sekunden gewährt.

Was war das? Vielleicht ein nachträglicher Einfall? Oder etwas, das die Organisatoren des Präsidian vergessen hatten, ins Labyrinth zu befördern?

Es war nicht der Karanadon. Selexin hatte Swain gesagt, dass der Karanadon fast einen Tag *vor* dem Beginn des Präsidian ins Labyrinth gebracht worden war.

Im Augenblick konnte Swain das Rätsel nicht lösen, also ließ er es fürs Erste gut sein. Er musste los.

Er steckte das Blatt Papier in seine Tasche und begab sich mit einem letzten Blick auf Reeses Leichnam zu der Tür mit der Aufschrift ZUM MAGAZIN.

DER LESESAAL WAR in den gelben Schein eines außer Kontrolle geratenen Feuers getaucht.

In der entfernten Ecke des großen Raums, jenseits der Flammen, lag düster der Putzmittelraum – dunkel und verkohlt. Das Feuer dort war erloschen.

Holly schloss die Augen, als Selexin sie um den blutigen, an der Decke baumelnden Leichnam führte. Plötzlich rutschte sie in der Blutlache aus, aber Selexin bewahrte sie vor einem Sturz.

Hinter ihnen kamen die Hoodaya grunzend und schnaubend die Treppe herauf.

Selexin zog sie heftiger voran. Er führte Holly durch die L-förmigen Tische des Lesesaals.

»Der Aufzug«, flüsterte Holly. »Geh zum Aufzug!«

»Gute Idee«, erwiderte Selexin und drängte sie weiter durch das Gewirr aus stehenden und umgestürzten Tischen.

Es musste Hunderte von Tischen im Lesesaal geben. Die eine Hälfte war nach wie vor unversehrt, während die andere weniger Glück gehabt hatte und vom Karanadon bis zur Unkenntlichkeit zerdrückt, zerschmettert, in Stücke gerissen und zu Boden geschleudert worden war.

Die Aufzüge waren jetzt nicht mehr weit entfernt.

Die Türen des linken Lifts standen noch immer weit offen, dahinter zeigte sich der schwarze Abgrund des Schachts. Der Karanadon musste sie so heftig aufgezogen haben, dass sie sich nicht wieder hatten schließen können.

Selexin schlug im Laufschritt auf den Rufknopf, warf sich gegen die Wand und fuhr herum.

Im flackernden gelblichen Schein des Feuers drehte sich Hawkins' Leichnam langsam in der Tür zum Treppenhaus.

Und darunter kam ein Hoodaya langsam und vorsichtig in den Lesesaal.

Durch den Urwald aus Tischbeinen sah Selexin den zweiten Hoodaya zu seinem Partner treten und schauderte.

Sie durchsuchten den Lesesaal sehr methodisch. Spähten unter die Schreibtische.

Selexin beobachtete sie genau. Es war, als wären die Hoodaya jetzt entschlossener, ernsthafter. Es war Zeit für den tödlichen Schlag. Das Spiel war vorüber. Die Jagd hatte begonnen.

Holly fuhr herum und blickte in den offenen Aufzugschacht.

Die senkrecht nach unten führenden Seile waren verschwunden, abgerissen vom Karanadon. Wahrscheinlich ruhte er zusammen mit dem Rest des zerschmetterten Aufzugs unten am Grund. Diesmal konnten sie sich nicht hinablassen.

Die Zahlen auf der Anzeige oberhalb des anderen Aufzugs leuchteten eine nach der anderen auf, während die Kabine nach oben kroch.

UG glühte gelb. Erlosch dann.

E glühte gelb, erlosch.

1 glühte ...

Selexin zupfte sie an der Schulter. »Komm schon«, sagte er. »Hier können wir nicht bleiben.«

»Aber der Aufzug ...«

»Er wird nicht rechtzeitig eintreffen.« Selexin packte sie beim Arm und zog sie von den Aufzügen weg. Im gleichen Moment erhaschte sie einen flüchtigen Blick auf die Hoodaya, die von links herankamen.

Selexin zerrte sie heftig nach rechts und beobachtete dabei die Hoodaya durch die Tischbeine.

Die Tiere waren etwa sieben Meter entfernt und gingen mit der eiskalten Verstohlenheit erfahrener Jäger vor.

In dem flackernden Schein der Feuer erkannte Selexin sie deutlich. Die nadelscharfen Zähne, die aus dem runden Kopf ragten; die knochigen schwarzen Vorderbeine mit den blutigen Klauen, die über den Fußboden kratzten; die mächtigen muskulösen Hinterbeine; und den langen schuppigen Schwanz, der bedrohlich hinter dem schwarzen Rumpf hin und her zuckte, als besäße er ein Eigenleben.

Die perfekten Jäger.

Mitleidlos. Gnadenlos.

Selexin schluckte, als er einen umgestürzten Schreibtisch übersprang und sich vor dem Putzmittelraum wiederfand. In der Ecke.

Sackgasse.

Er sah sich um. Die Hoodaya hatten jetzt innegehalten, nach wie vor sieben Meter entfernt. Sie standen einfach bloß da und starrten ihre winzige Beute an.

Einen Augenblick später setzten sie sich wieder in Bewegung.

In entgegengesetzte Richtungen.

Sie trennten sich.

»Nicht gut«, meinte Selexin. »Das ist gar nicht gut.« Wenn sie beisammen blieben, könnte er sie wenigstens beide gleichzeitig im Blick behalten. Aber jetzt ...

»Schnell«, sagte er zu Holly. »Auf die Tische!«

»Was?«

»*Rauf mit dir!*«, beharrte Selexin. »Sie sehen unsere Beine. Wenn wir auf die Tische steigen, wissen sie nicht, wo wir sind.«

Wie ein Affe kletterte Holly auf den nächsten L-förmigen Tisch. Selexin sprang ihr rasch nach.

»Los«, flüsterte sie, jetzt offenbar in ihrem Element. Leichtfüßig sprang sie zum nächsten Tisch hinüber.

»Sei bloß vorsichtig«, meinte Selexin, der ihr stolpernd folgte. »Fall nicht runter.«

Holly tanzte flink von einem Tisch zum anderen und überwand die Lücken dazwischen mit Leichtigkeit. Selexin tat es ihr nach.

Unter sich hörten sie das Schnauben und Grunzen der Hoodaya.

Plötzlich ertönte ein *Bing!* Selexin blickte über die Schulter und sah – auf der anderen Seite des Meers aus Tischen – die obere Hälfte der Aufzugtüren.

Die sich gerade öffneten.

»O nein«, sagte er und rannte darauf zu.

Holly sah sie gleichfalls. »Können wir rüber?«

»Wir müssen's versuchen«, erwiderte Selexin.

Holly änderte ihren Kurs. Sie bewegte sich in einem weiten Halbkreis und wollte gerade über eine breite Lücke hinwegsetzen, da sprang ihr der unversehrte Hoodaya, die Klauen zum Angriff gehoben, vom Fußboden unten in den Weg.

Holly stürzte rücklings auf den Tisch, und der Hoodaya plumpste zu Boden.

Selexin holte sie ein. »Bist du …?«

Laut aufjaulend kam der Hoodaya wieder auf die Beine, vollführte einen Satz auf einen angrenzenden Tisch und schlug mit einer sichelgleichen Klaue nach Holly.

Kreischend wälzte sie sich vom Tisch und verschwand. Selexin sah sie fallen.

»Nein!«

Mit einem bösartigen Rückhandschlag traf der Hoodaya Selexin voll ins Gesicht. Selexin fuhr heftig zurück, verlor das Gleichgewicht und fiel mit dem Rücken auf die Tischplatte.

Erschreckend schnell sprang ihn der Hoodaya an, aber Selexin wälzte sich herum, und das Tier krachte in den senkrechten Abschnitt des L-förmigen Tischs, der unter der Wucht des Aufpralls heftig schwankte. Selexin verspürte ein grenzenloses Entsetzen, als die Welt unmittelbar darauf wie verrückt in Schieflage geriet und der Tisch, auf dem er saß, zu kippen begann.

Vom Fußboden aus sah Holly voller Angst, wie der Tisch, auf dem Selexin und der Hoodaya kämpften, ins Wanken geriet und schließlich wie in Zeitlupe umfiel.

Als Erster prallte Selexin hart auf dem Boden auf, wobei ihm der weiße Eierschalenhut vom Kopf flog. Sofort wälzte er sich beiseite, damit ihn der Tisch nicht traf.

Der Hoodaya rutschte herab und landete wie eine Katze unmittelbar vor ihm auf den Füßen.

Selexin war einem Angriff jetzt schutzlos preisgegeben, und der Hoodaya spannte sich schon zum Sprung an, als ihm plötzlich der Tisch auf den Rücken krachte und ihn am Boden festnagelte.

Der Hoodaya schrie wie am Spieß. Er wand sich hin und her und versuchte verzweifelt, sich zu befreien. Er schnappte mit dem Maul, knurrte und wollte sich trotz seiner misslichen Lage auf Selexin stürzen.

Der war gerade dabei, auf dem Hintern von der jaulenden Kreatur wegzurutschen, als Holly von hinten einen zweiten Tisch umkippte.

Diesmal fiel er vorwärts, und der Hoodaya sah ihn voller Entsetzen rasend schnell auf sich zukommen.

Die Vorderkante des Tischs landete mit einem lauten mahlenden Geräusch auf dem hoch aufgerichteten Kopf des Hoodaya. Er zerbrach die langen, nadelähnlichen Zähne des Tiers und zerquetschte ihm den Schädel.

Der Körper des Hoodaya zuckte und zappelte unter den beiden umgestürzten Tischen, bis er schließlich still da lag. Tot.

Schweigen.

Dann vernahm Holly ein leises *Ping!*, gefolgt von dem Knirschen, mit dem sich die Aufzugtüren wieder schlossen.

Sie kniete neben Selexin nieder und sah sich rasch in alle Richtungen um. »Wo ist der andere?«

»Ich … ich weiß es nicht.« Selexin war arg mitgenommen. »Er kann überall sein.«

Jetzt war es an Holly, ihn am Arm zu packen und auf die Knie zu ziehen. »Der Aufzug ist weg«, sagte sie entschlossen. »Komm schon, wir müssen hier raus.«

»Aber … aber«, murmelte Selexin schwach.

»*Komm!* Ab durch die Mitte!«

»Aber meine … meine Kappe!« Selexin krallte an seinem kahlen Kopf herum. »Ich brauche meine Kappe!«

Rasch fuhr Holly herum und sah sie auf dem Boden liegen. Die kleine weiße Halbkugel ragte hinter einem umgekippten Tisch in der Nähe hervor.

Auf Händen und Füßen kroch sie dorthin, umrundete die Tischbeine, streckte die Hand aus und wollte die Kappe ergreifen …

Sie stutzte.

Erstarrte dann.

Neben der Kappe standen zwei knochige schwarze Vorderbeine – das eine mit einer blutbespritzten Klaue, das andere ohne jegliche Klaue.

Mit dem Blick folgte sie den Vorderbeinen nach oben, bis sie sich von Angesicht zu Angesicht mit dem zweiten Hoodaya gegenübersah.

Nur wenige Zentimeter vor ihrem Gesicht sperrte der Hoodaya in bösartiger Vorfreude das sabbernde Maul weit auf.

Hilflos schaute Selexin aus vier Metern Entfernung zu. Er war zu weit weg.

Holly war noch immer auf allen vieren, fast Nase an Nase mit dem Tier.

Völlig wehrlos.

Der Hoodaya trat vor und blieb über der Kappe stehen.

Er war jetzt so nahe, dass Holly nur noch die Zähne sah. Die langen, zugespitzten, blutigen Zähne. Sie spürte die Wärme seines heißen Atems, der ihr übers Gesicht strich, sie roch den fauligen Gestank verrottenden Fleischs.

Sie schloss die Augen und ballte die Fäuste in der Erwartung, dass das Tier zuschlug, in der Erwartung des Endes. Sie verspürte ein kaum noch zu überbietendes Entsetzen.

Der Hoodaya zischte plötzlich wild. Holly wollte kreischen, ihr Entsetzen erreichte den Höhepunkt – und dann hatte sie den merkwürdigen Eindruck, als würde sie die Stimme ihres Vaters hören.

»*Einschalten!*«

Gleich darauf flammte jäh und prächtig ein weißes Licht auf, das sogar durch Hollys geschlossene Lider drang.

Sie hörte den Hoodaya in rasender Qual aufkreischen, öffnete die Augen und wurde sogleich von der kleinen Kugel aus gleißendem weißem Licht geblendet, das über Selexins Kappe aufgeflammt war.

Das Kreischen des Hoodaya verstummte abrupt, und Holly vernahm erneut die Stimme ihres Vaters.

»Abschalten.«

Sofort verschwand das blendend weiße Licht. Einen Augenblick lang sah Holly lediglich farbige Punkte vor den Augen.

Dann schlangen sich plötzlich zwei starke Arme um sie und hielten sie ganz fest, und Holly, nach wie vor geblendet, war zunächst versucht, sich loszureißen.

Aber der Griff war fest und sanft.

Eine Umarmung.

Holly blinzelte zweimal. Ihr Sehvermögen kehrte langsam zurück, und sie fand sich in der warmen Umarmung ihres Vaters wieder.

Erleichtert sackte sie in sich zusammen und ließ sich gegen seinen Körper fallen.

Dann brach sie in Tränen aus.

Seine Tochter fest in den Armen haltend, schloss Stephen Swain die Augen und seufzte. Holly war in Sicherheit, und sie waren wieder vereint. Er wollte sie nicht loslassen.

Mit ihr auf dem Arm wandte er sich den Überresten des Hoodaya zu.

Der Körper war sauber in zwei Hälften zerteilt worden – nur die Hinterbeine und der Schwanz waren zurückgeblieben. Der Kopf, die vorderen Gliedmaßen und die obere Rumpfhälfte waren einfach verschwunden, teleportiert. Gott wusste, wohin. Dickes, schwarzes Blut sickerte aus dem Rumpf des Tiers.

Selexin humpelte zu Swain hinüber und schnitt angesichts des halben Hoodaya eine Grimasse.

»›Einschalten!‹. ›Abschalten‹.« Selexin lachte leise in sich hinein. »Schön, zu erleben, dass Sie nicht *alles* vergessen, was ich Ihnen gesagt habe«, meinte er mit spöttischem Stolz.

Holly nach wie vor fest an sich gedrückt, zeigte Swain ein trauriges Lächeln. »Nein, nicht alles.«

Holly sah zu ihrem Vater auf. »Ich habe gewusst, dass du zurückkommen würdest.«

»Natürlich bin ich zurückgekommen, Dummerchen«, sagte Swain. »Du hast doch nicht ernsthaft geglaubt, ich würde dich hier zurücklassen, so ganz auf dich allein gestellt?«

»Oh, ähäm.« Selexin hüstelte. »Entschuldigen Sie bitte, aber die junge Dame war gewiss nicht *ganz* auf sich allein gestellt.«

»Oh, Verzeihung.«

»Er war sehr tapfer, Dad«, sagte Holly. »Er hat mir sehr geholfen.«

»Tatsächlich?« Swain sah Selexin an. »Das war sehr edel von ihm. Ich sollte ihm wirklich dankbar sein.«

Selexin verneigte sich schüchtern.

»Vielen Dank«, sagte Swain leise zu dem kleinen Mann.

Selexin, stolz auf seinen neuen Status als Held, machte einen auf bescheiden: »Oh, nicht der Rede wert. Alles im Service inbegriffen. Richtig?«

Swain lachte. »Richtig.«

»Ich habe gewusst, dass du zurückkommen würdest. Ich hab's gewusst.« Holly schmiegte sich in Swains Arme. Dann schaute sie plötzlich auf, schnitt ein spöttisch-ärgerliches Gesicht und nahm den ernsthaften Tonfall eines Erwachsenen an. »Wo bist du eigentlich die ganze Zeit über gewesen? Wie hast du uns gefunden?«

Letztlich war das Auffinden von Holly und Selexin fast reine Glückssache gewesen.

Vom Parkdeck aus war Swain ins Magazin gelaufen und zu der kleinen roten Tür gelangt, durch die er von den Hoodaya hinausgeschleudert worden war. Als er dort nichts entdeckt hatte, nicht einmal eine Spur von Holly und Selexin, hatte er weder ein noch aus gewusst.

Da hatte er in der Stille das *Ping!* des nahen Aufzugs gehört.

Der Lift musste hier im zweiten Untergeschoss gestanden haben, als jemand auf einer anderen Etage den Rufknopf gedrückt hatte.

Swain rannte hin und erreichte ihn knapp, bevor die Türen sich schließen wollten. Er sprang hinein und fuhr zu der Etage hoch, von der aus der Lift gerufen worden war. Das war besser als nichts. Und abgesehen davon, wer wusste denn schon? Vielleicht hatte Holly oder Selexin den Rufknopf betätigt. Vielleicht auch nicht, aber Swain war das zu diesem Zeitpunkt gleichgültig. Es war ein Risiko, das er in Kauf nehmen musste.

Als der Aufzug sich in der dritten Etage geöffnet hatte, stand Swain dem brennenden Lesesaal gegenüber.

Er war auf Händen und Knien aus dem Aufzug gekrochen, in dem Bemühen, unentdeckt zu bleiben.

Dann hatte er Stimmen und das Knurren der Hoodaya gehört, gefolgt vom Krachen eines umstürzenden Tischs, eine Weile später eines weiteren.

Er war aufgesprungen und dem Lärm gefolgt, hatte einen Stapel Tische umrundet und seine Tochter auf Händen und Knien und Nase an Nase mit einem der Hoodaya vorgefunden.

Swain war zu weit entfernt gewesen und hatte nicht gewusst, was er hätte tun sollen, als ihm schließlich aufging,

dass der Hoodaya über Selexins weißer, eiähnlicher Kopfbedeckung stand.

In diesem Augenblick war ein einzelnes Wort in seinen
Gedanken aufgeblitzt – »Einschalten«.

»Kommen Sie durch?«, fragte Marshall den Funker im NSA-Transporter.

»Negativ, Sir. Keine Reaktion, weder von Commander Quaid noch von Martinez.«

»Versuchen Sie's weiter.«

»Aber, Sir, ich kriege nur statisches Rauschen herein«, erwiderte der Funker. »Wir können nicht mal sagen, ob Commander Quaid sein Funkgerät *eingeschaltet* hat oder nicht.«

```
Statuskontrolle: Station 4 berichtet von
aufgedeckter Verunreinigung innerhalb des
Labyrinths.
Erwarten Bestätigung.
```

»Versuchen Sie's einfach weiter«, sagte Marshall. »Und rufen Sie mich, sobald Sie etwas reinkriegen.«

Er kletterte aus der fahrbaren Nierenkiste auf das Parkdeck und blickte hinauf zu dem elektrisierten Gittertor, dem zerquetschten Bleiwürfel und dem blauen Netz aus Elektrizität.

Was zum Teufel war Quaid zugestoßen?

Im Lesesaal erhob sich Swain, ohne Holly aus den Armen zu lassen. »Wir gehen besser weiter.«

Selexin setzte sich die weiße, kuppelähnliche Kopfbedeckung auf. Sie war mit dem schwarzen Blut des Hoodaya beschmiert. »Sie haben Recht«, meinte er. »Bellos kann nicht weit weg sein.«

»Bellos«, dachte Swain laut. »Er muss es sein.«

»Wovon reden Sie eigentlich?«

»Bellos ist der andere«, erwiderte Swain. »Der einzig verbliebene Wettkämpfer.«

»Es sind bloß noch *zwei* Wettkämpfer im Präsidian verblieben?«, fragte Selexin.

»Jawohl.« Swain hielt ihm das Armband hin.

Selexin starrte es eine Weile prüfend an, dann sah er zu Swain auf. Sein Gesicht zeigte einen grimmigen Ausdruck. »Wir haben ein ernstes Problem.«

»Was?«

»Sehen Sie sich das an!« Selexin hielt Swain das Armband vor die Nase. Darauf war zu lesen:

```
INITIALISIERT - 2
STATUSKONTROLLE: STATION 4 BERICHTET
VON AUFGEDECKTER VERUNREINIGUNG IM
LABYRINTH.
ERWARTEN BESTÄTIGUNG.
```

»Was zum Teufel soll das denn heißen?«, fragte Swain.

»Es bedeutet, dass sie ihn entdeckt haben«, erklärte Selexin.

»Wen?«, fragte Swain.

»Den Hoodaya, den Sie mit dem Teleporter in meiner Kopfbedeckung getötet haben.«

»Und wer sind *sie*, um Gottes willen?«

»*Sie* sind die Offiziellen, die am anderen Ende sitzen und vermutlich einen ziemlichen Schock erlitten haben, als ihnen über den Teleporter ein halber Hoodaya in den Schoß gefallen ist. Sie sind in Station Vier, der Teleporterstation,

373

die den Fortschritt von Wettkämpfer Vier überwachen soll
– Sie.«

»Und was genau hat diese Botschaft zu bedeuten?«

»Dieser Wettkampf ist nur für sieben Wettkämpfer gedacht«, erwiderte Selexin. »Es ist ein Kampf auf Leben
und Tod zwischen den sieben denkenden Lebewesen des
Universums. Hilfe von außerhalb ist strikt untersagt. Hoodaya sind wie Hunde. Sie sind keine denkenden Wesen.
Deswegen nehmen sie nicht am Präsidian teil. Und sie leben ganz bestimmt nicht auf der Erde. Als bei den Offiziellen in Station Vier der Hoodaya landete, der aus dem Labyrinth auf der Erde teleportiert wurde, wussten sie sofort,
dass das Präsidian kompromittiert, durch ein Agens von
außerhalb verseucht worden war.«

Einen Augenblick lang blieb Swain stumm. Dann fragte
er: »Was werden sie jetzt tun?«

»Sie erwarten die Bestätigung.«

»Welche Bestätigung?«

»Ein Offizieller muss Station Vier aufsuchen, und die
Verunreinigung in Augenschein nehmen.«

»Und was geschieht, wenn auch diese Bestätigung erfolgt ist?«

»Keine Ahnung. So was hat es noch nie zuvor gegeben.«

»Können Sie raten?«

Selexin nickte langsam.

»Nun?«, drängte Swain.

Der kleine Mann biss sich auf die Lippe. »Sie werden das
Präsidian womöglich annullieren.«

»Sie meinen, abbrechen?«

Selexin runzelte die Stirn. »Nicht ganz. Was sie vielleicht
tun werden …«

»Dad …«, hörte Swain Hollys leise Stimme an seiner
Brust. Er hielt sie nach wie vor umschlungen.

»Eine Minute, Schatz«, sagte Swain, und an Selexin gewandt fragte er: »Was werden sie unternehmen?«

»Ich denke, sie werden ...«

»*Dad!*«, flüsterte Holly beharrlich.

»Was ist, Schatz?«, fragte Swain.

»Dad. *Jemand ist hier* ...«, sagte sie in einem so leisen zischenden Geflüster, dass Swain ihre Worte erst Sekunden später zusammensetzen konnte.

Er schaute auf sie hinunter. Sie starrte ihm angsterfüllt über die Schulter.

Langsam sah sich Stephen Swain um.

Auf der anderen Seite des großen Raums hing direkt vor der Tür zum Treppenhaus ein Leichnam von der Decke – blutüberströmt und verstümmelt.

Und neben der Leiche stand Bellos.

Swain fuhr herum und sah den leblosen Körper hin und her baumeln. Eine Woge der Traurigkeit durchfuhr ihn, als er die Polizeiuniform erkannte.

Hawkins.

Wortlos begann Bellos seinen Gang durch den Wirrwarr aus L-förmigen Schreibtischen.

Auf sie zu.

»Los!«, sagte ihm Holly laut ins Ohr.

Swain setzte sich seitlich nach links in Bewegung und versuchte, so viele Tische wie möglich zwischen sich und dem Hünen zu halten.

Bellos bewegte sich entsprechend: Ruhig und rasch schlug er einen weiten Bogen von links nach rechts zwischen den Tischen entlang. Nach wie vor hatte er den weißen Führer über der Schulter.

Stolpernd wich Swain zu den Aufzügen zurück, Holly in den Armen, Selexin ihm zur Seite.

»Fortlaufen unmöglich!«, dröhnte Bellos' Stimme von der anderen Seite des Lesesaals herüber. »*Verstecken* unmöglich.«

»Sie haben dich ertappt«, rief Swain rückwärts gehend. »Sie wissen, dass du die Hoodaya in den Wettkampf mitgenommen hast. Du hast betrogen, und du bist erwischt worden.«

Bellos schlug immer noch weite Bogen von links nach rechts. Es war eine seltsame Fortbewegungsart: Sie zwang sie zum Zurückweichen. Zurück zu den …

»Das wird euch nicht weiterhelfen«, meinte Bellos.

Swain blickte über die Schulter und sah das klaffende schwarze Loch, das den linken Aufzug darstellte. Die Türen des rechten waren geschlossen.

Er ging seitlich, bis er mit dem Rücken vor dem Brett mit dem Rufknopf stand.

»Das Präsidian ist vorüber, Bellos«, sagte Swain. »Du kannst nicht mehr gewinnen. Sie wissen, dass du unlautere Mittel eingesetzt hast.«

Mit der freien Hand suchte er hinter sich nach dem Rufknopf, fand ihn und drückte ihn.

»Vielleicht wissen sie es«, meinte Bellos offenbar amüsiert. »Vielleicht auch nicht. Das spielt jetzt keine Rolle mehr.«

»Du hast dich entwürdigt!«, platzte Selexin heraus.

»Das ist mir *egal*«, erwiderte Bellos trotzig. »Ich habe getan, was ich zu tun hatte, um zu gewinnen. Selbst wenn sie die Sache mit den Hoodaya herausfinden, werde ich ihnen immer noch beweisen, dass ich dieses Präsidian gewonnen habe.«

»Und wie willst du das tun?«, fragte Selexin.

Swain, der die Antwort bereits kannte, schnitt eine Grimasse.

»Indem ich der einzige überlebende Wettkämpfer bin«, entgegnete Bellos.

Swain stöhnte.

Dann hörte er erneut Hollys Stimme. Dicht an seinem Ohr und sehr laut. »Dad, er ist hier.«

»Wer?«

»Der Aufzug.« Sie zeigte zur Anzeige oberhalb der Türen hinauf. Die 3 leuchtete gelb.

Es folgte ein leises *Ping!*

Die Türen öffneten sich. Die abgedunkelte Kabine stand weit offen.

»Rein«, sagte Swain zu Selexin. »Sofort.«

Swain und Holly betraten den Lift, während Selexin hastig einen der Knöpfe betätigte.

Bellos reagierte nicht sehr schnell. Eigentlich reagierte er sogar überhaupt nicht.

Er ging einfach weiter. Auf den Lift zu.

Die Türen schlossen sich.

Bellos schritt beiläufig heran.

Offenbar hatte er es nicht eilig, sie zu erwischen. *Es ist, als hätte er alle Zeit der Welt,* dachte Swain.

Als wüsste er etwas, das sie nicht wussten. Als hätte er etwas einkalkuliert ...

Dann jedoch schlossen sich die Türen, sie wurden von der Dunkelheit verschluckt, und der Lift begann seinen Abstieg.

Zwei lange Neonröhren lagen auf dem Boden der Kabine – es waren die beiden, die Hawkins aus ihrer Fassung gedreht hatte, als sich Swain und seine Gruppe früher an diesem Abend im ersten Stockwerk versteckt hatten.

Swain setzte eine der Röhren zurück und tauchte dadurch die Kabine in einen matten weißen Glanz.

»Na ja, das war einfach«, meinte Selexin.

»Zu einfach«, sagte Swain.

»Warum ist er uns nicht gefolgt, Dad?«, fragte Holly. »Vorher hat er uns überall gejagt. *Überall.*«

»Ich weiß es nicht, Schatz.«

»Na ja, jetzt sind wir weg«, sagte Selexin. »Mehr zählt nicht.«

»Das macht mir Sorgen«, bemerkte Swain.

Dann geschah es.

Plötzlich. Ohne Vorwarnung.

Ein lautes, schweres *Wumm!* auf dem Dach der Aufzugkabine.

Sie erstarrten. Und blickten dann langsam, sehr langsam zur Decke auf.

Bellos war gerade auf das Dach des Lifts gesprungen!

Er musste durch die offenen Türen des anderen Aufzugs gekommen sein.

Swain erkannte sofort, welchen Fehler er begangen hatte. »Gott *verdammt!*«

»Was?«, fragte Selexin.

»Sie werden sich glücklich schätzen zu erfahren, dass wir uns gerade in eine Falle manövriert haben«, erwiderte Swain sarkastisch.

Er verfluchte sich. Er hätte es vorhersehen sollen. Bei ihrer Flucht vor Bellos hatte er sich in diesen merkwürdigen Bogen bewegt und sie praktisch zu den Aufzügen geführt. Während sie geglaubt hatten, sie seien ihm entkommen, waren sie genau dorthin gegangen, wo er sie haben wollte. *Scheiße!*

Plötzlich öffnete sich die Luke in der Decke.

Swain zog Holly und Selexin in die rückwärtige Ecke der Kabine.

Bellos' Kopf tauchte verkehrt herum in der offenen Luke auf. Die Hörner zeigten abwärts.

Er zeigte ein bedrohliches Grinsen.

Dann verschwand der Kopf wieder, und einen Augenblick später schwang sich Bellos durch die Luke und landete auf den Füßen.

Innerhalb der Kabine.

Direkt vor ihnen.

»Jetzt könnt ihr nirgendwohin davonrennen«, höhnte er. »Endlich.«

Swain schob Holly hinter sich in die Ecke. Selexin blieb neben ihm stehen. Bellos stand ihnen gegenüber bei den Schaltknöpfen. Seinen Führer hatte er nicht mehr dabei.

Swain sah zu den Knöpfen neben Bellos, um festzustellen, welchen Selexin betätigt hatte. Er hoffte, der kleine Mann hatte den für die nächste Etage gedrückt. Dann gab es vielleicht bald eine Fluchtmöglichkeit.

Er bemerkte, welcher Knopf leuchtete, und schloss entsetzt die Augen.

Zweites Untergeschoss.

Sie hatten eine lange Fahrt vor sich.

»Sie haben den Kopf zur *untersten* Etage gedrückt«, flüsterte er Selexin ungläubig zu.

»Um so weit wie möglich wegzukommen«, gab Selexin flüsternd zurück. »Woher hätte ich wissen sollen, dass er auf das Dach des ...«

»*Ruhe!*«, donnerte Bellos.

»Oh, halt's Maul«, sagte Swain.

»Ja. Und du mich auch mal«, fügte Selexin hinzu.

Voller Erstaunen über dieses unverschämte Verhalten reckte Bellos den Hals. Wütend spannte sich sein Gesicht an.

Er setzte sich in Bewegung, kam auf sie zu.

Da ging Swain auf, wie groß Bellos wirklich war – er musste den Kopf einziehen, damit er mit den Hörnern nicht gegen die Decke stieß. Ein echter Schrank. Swain beäugte die goldene Brustplatte. Bei ihrem Anblick flimmerte es einem vor den Augen.

Außerdem sah er, dass Bellos der Sammlung an seinem Gürtel neue Trophäen hinzugefügt hatte: Zu der Atemmaske des Konda und dem NYPD-Abzeichen waren zwei weitere Dinge gekommen: Das erste – und grausigste – war der abgetrennte Kopf einer dünnen, insektenähnlichen Kreatur; das zweite – eher irdisch – eine kleine chemische Keule, wie sie die Polizei benutzte und die noch in ihrer Gürteltasche steckte.

Swain erstarrte.

Sie stammte von Hawkins.

Bellos also hatte den jungen Officer getötet.

Bellos ertappte Swain dabei, dass er seine frisch erworbenen Trophäen anstarrte, und berührte die kleine Sprühdose an seinem Gürtel.

»Eine merkwürdige Waffe«, sagte er. »Als Letztes hat mir dein Gefährte vor seinem Tod davon was in die Augen gesprüht. Erreicht hat er damit gar nichts. Ihr Menschen müsst wirklich ziemlich zerbrechlich sein, wenn euch etwas so Mitleiderregendes Verletzungen zufügt.«

»Du bist ein Feigling, Bellos«, fauchte Selexin.

Bellos wandte sich um, trat einen Schritt auf ihn zu und streckte den Arm nach dem Kopf des kleinen Mannes aus.

Im Versuch, zurückzuweichen, kroch Selexin förmlich in die Wand hinein.

Da schlug Swain grob Bellos' Arm weg. »Lass ihn in Ruhe«, sagte er ausdruckslos.

Bellos gehorchte pflichtschuldig Swains Befehl und nahm den Arm weg – weg von Selexin. Daraufhin schleuderte er ihn plötzlich bösartig nach vorn und traf Swain hart ins Gesicht.

Er stürzte zu Boden und umklammerte seine Kinnlade.

»Und du mich auch«, sagte Bellos mit einem höhnischen Grinsen. »Was das auch zu bedeuten hat.«

Anschließend packte ihn der schwarze Riese beim Kragen und warf ihn gegen die andere Wand der Kabine.

Der Aufprall war hart, und Swain stürzte erneut stöhnend zu Boden.

Mit großen Schritten folgte ihm Bellos.

»Erbärmlicher kleiner Mann«, sagte er. »Wie kannst du es *wagen*, mich zu berühren! Mein Urgroßvater hat auch einmal einen Menschen getötet. In einem anderen Präsidian vor zweitausend Jahren. Dieser Mensch hat geweint, gebettelt und um Gnade gefleht.«

Bellos riss Swain an den Haaren hoch und schleuderte ihn gegen die Lifttüren.

»Wirst du das tun, kleiner Erdenmann? Um Nachsicht heulen? Mich anbettlen, gnädig zu sein?«

Swain lag der Länge nach auf dem Boden. Langsam rappelte er sich auf und setzte sich, den Rücken an die Türen gelehnt. Der Schnitt auf seiner Lippe hatte sich wieder geöffnet und blutete jetzt heftig.

»Na, kleiner Mann?«, höhnte Bellos. »Wirst du um dein Leben betteln?« Er hielt inne und wandte sich dann Holly in der Ecke zu. »Oder vielmehr vielleicht um ihres?«

»Komm hier rüber«, meinte Swain gleichmütig.

»Was?«, fragte Bellos.

»Ich habe gesagt, *komm hier rüber.*«

»Nein.« Bellos lächelte. »Ich werde mich wohl zunächst dieser jungen Dame bekannt machen.« Er ging auf Holly zu.

Selexin tat einen Schritt zur Seite und versperrte ihm den Weg. »Nein«, sagte er entschlossen.

Es war ein seltsamer Anblick. Selexin – gerade mal einen Meter dreißig und völlig in Weiß –, der Holly vor dem schwarzen, einen Meter größeren Bellos schützte.

»Leb wohl, kleiner Mann«, sagte Bellos und schlug Selexin schwer auf den Kopf. Der kleine Mann ging krachend zu Boden.

Aufragend wie ein Turm stand Bellos vor Holly. »Jetzt …«

»Ich habe gesagt: ›*Komm hier rüber*‹«, klang eine Stimme in Bellos' Ohr.

Bellos drehte sich um und sah Stephen Swain vor sich,

der eine lange weiße Neonröhre auf sein Gesicht nieder-
sausen ließ.

Swain hielt die Neonröhre wie einen Baseballschläger
und schwang sie mit aller Kraft.

Die Röhre traf. Sie zerschmetterte an Bellos' Kopf, Scherben schossen in alle Richtungen, und das Gesicht des gehörnten Hünen wurde mit einem seltsamen weißen Pulver
überschüttet, das sich in der Neonröhre befunden hatte.

Bellos erbebte leicht unter der Wucht des Schlags. Doch
trotz der spektakulären Explosion der Röhre machte ihm
der Hieb nicht das Geringste aus – abgesehen von der Pul-
verschicht auf seinem pechschwarzen Gesicht. Er starrte
nur eiskalt auf Swain herab.

»Äh, äh …«, machte Swain.

Bellos schlug zu.

Hart.

Swain prallte gegen die Lifttüren. Genau in diesem Augenblick blieb der Aufzug stehen und die Türen öffneten
sich. Er stolperte rückwärts ins Magazin hinaus. Bellos
folgte ihm und hob ihn am Kragen seines T-Shirts hoch.

»Ja, ja«, sagte er »Um Gnade gebettelt, das hat er. Und
weißt du, was mein Urgroßvater da getan hat?«

Swain gab keine Antwort.

»Er hat ihn enthauptet.« Bellos schob das überpuderte
Gesicht nahe an Swain heran. »Hat ihm auch die Arme
ausgerissen.« Er strich sich über die goldene Brustplatte.
»Und ihm dann das hier abgenommen. Eine prächtige
Trophäe von einer so wenig prächtigen Kreatur.«

Swain schaute sie sich genauer an. Allerdings sah sie bei
näherem Hinsehen wie … wie die vergoldete Rüstung eines römischen Zenturio aus.

Ein römischer Zenturio?, überlegte Swain. *In einem Präsidian? Vor zweitausend Jahren? Mein Gott …*

Bellos hob Swain noch höher, bis seine Sneaker fast einen halben Meter über dem Boden schwebten, und trug ihn zu den zerknitterten Türen des anderen Aufzugs hinüber. Als der Karanadon den zerschmetterten Lift unten im Schacht verlassen hatte, musste er einfach die geschlossenen äußeren Türen aufgedrückt haben.

Bellos warf Swain hinab, und er landete schwer auf den Überresten der Aufzugdecke, gut anderthalb Meter unterhalb des Magazins.

Bellos sprang ihm nach. »Na, Mensch?«, fragte er. »Bettelst du?«

Swain hustete. »In diesem Leben wohl kaum.«

»Dann vielleicht im nächsten«, meinte Bellos, hob ihn erneut hoch und schleuderte ihn gegen die Betonmauer. Schmerzhaft prallte Swain gegen die Wand und ging hustend in die Knie.

»Denkst du jetzt an dich selbst, kleiner Mann?«, fragte Bellos, Swain umkreisend. »Oder daran, was ich nach deinem Tod tun werde? Was ist schlimmer? Dein Tod oder die Vorstellung, was ich deiner Kleinen *nach* deinem Tod antun werde?«

Swain biss die Zähne zusammen und spürte die Wärme des eigenen Bluts im Mund.

Er musste etwas unternehmen.

Er blickte auf und sah den anderen Lift wie einen großen rechteckigen Schatten in der Schwärze des Schachts über ihnen hängen. Darunter klaffte ein großes Loch. *Vielleicht …*

Bellos trat erneut dicht an ihn heran – und plötzlich erwachte Swain zu neuem Leben, warf sich rasch nach vorn und packte den großen Mann an den Fußknöcheln, sodass er aus dem Gleichgewicht geriet und sie beide zum Rand des Dachs stürzten.

Sie fielen.

Alle beide.

Vom Dach des zerstörten Aufzugs in den Schacht *unterhalb* des funktionierenden Lifts hinab.

Sie stürzten etwa dreieinhalb Meter, und Bellos landete schwer auf dem Betonboden, Swain auf ihm, sodass der Körper des Hünen seinen Sturz abfederte.

Swain kam sofort wieder auf die Beine und sah sich um.

Auf zwei Seiten feste Betonmauern – an einer Wand mehrere Seile mit Gegengewichten. Gegenüber die zerschmetterte Seitenwand des zerstörten Aufzugs, der zerdrückt unten im Schacht lag. Auf der vierten Seite erblickte Swain jedoch etwas, mit dem er überhaupt nicht gerechnet hätte.

Zwei Türen nach draußen.

Hier unten war eine weitere Etage.

Der funktionierende Aufzug konnte weiter absteigen.

Und wenn dem so war, dann …

»*Holly! Selexin!*«, brüllte er verzweifelt. »Seid ihr noch da oben? Wenn ja, geht zu den Kontrollknöpfen! *Drückt alles unterhalb von UG-2!*«

Im Aufzug oben lag Selexin nach wie vor blutend und benommen auf dem Boden. Holly kauerte in der Ecke.

Da hörte sie seltsamerweise die hallende Stimme ihres Vaters und kehrte blinzelnd in die Gegenwart zurück – »*… alles unterhalb von UG-2!*«

Was?

Sie lief zu den Kontrollknöpfen hinüber und ließ den Blick suchend darüber gleiten:

3	2
1	G
UG-1	UG-2

UG-2 war der unterste. Darunter *gab es nichts!*

Wovon redete er eigentlich?

Benommen kam Bellos langsam auf die Beine. Der Sturz hatte wehgetan.

Erneut rief Swain nach oben: »Alles unterhalb vom zweiten Untergeschoss! Einfach draufdrücken!«

Hollys Stimme trieb den Schacht hinab. »Da ist nichts! Darunter ist nichts!«

Mein Gott, dachte Swain. *Ich sehe die Türen. Da muss was sein!*

Erneut rief er: »Such unterhalb der Knöpfe! Ist da eine kleine Klappe in der Wand? Ein Fach? So was in der Art!«

Ein paar Sekunden verstrichen.

Hollys Stimme. »Ja. *Ich sehe sie!* Ich sehe eine kleine Klappe!«

Bellos stolperte gegen die Seitenwand des zerstörten Aufzugs. Auf der anderen Seite des Schachts sah Swain die fünf Seile mit den Gegengewichten senkrecht die Betonmauer emporlaufen. Sie waren straff gespannt und schmierig und verliefen anscheinend an dem Aufzug vorbei, der über ihnen schwebte, bis ganz nach oben. »Holly!«, rief er drängend. *»Öffne die Klappe!* Wenn da ein weiterer Knopf drin ist, *drück ihn einfach!*«

Holly öffnete die kleine weiße Klappe in der Wand unterhalb der Kontrollknöpfe und erblickte mehrere Schalter, die wie normale Lichtschalter aussahen.

Aber unterhalb von ihnen war noch ein schimmeliger grüner Knopf. Daneben hatte jemand mit weißer Kreide die Worte »ZUM LAGER« gekritzelt.

»Ich habe einen gefunden!«, rief sie.

»Drück ihn!«

Holly drückte den grünen Knopf und spürte sofort, wie sich ihr der Magen hob.

Der Aufzug fuhr abwärts.

Die Seile, die an der Schachtwand entlangliefen, kamen sofort in Bewegung. Einige glitten nach oben, andere nach unten – und alle rasend schnell. Das komplizierte Flaschenzugsystem der Gegengewichte war in Schwung gesetzt worden.

Swain blickte auf, als der Aufzug fünf Meter über ihm seine Fahrt aufnahm.

Nach unten.

Auf sie zu.

Das war gut. Er musste etwas unternehmen, um zu verhindern, dass …

Da wurde er abrupt auf den Betonboden geschleudert. Bellos hatte sich auf ihn geworfen.

Swain wälzte sich herum, und im gleichen Augenblick knallte eine große schwarze Faust unmittelbar neben seinem Kopf auf den Beton.

Vor Schmerzen brüllend umklammerte Bellos seine Faust.

Swain sprang auf. Sah hoch zu dem langsam absteigenden Aufzug. Er war nahe. Viel Zeit blieb nicht.

Du kannst nicht gegen Bellos kämpfen. Du musst einen anderen Weg finden …

Dann stand Bellos plötzlich wieder auf den Beinen, warf sich auf Swain und trieb ihn gegen die Seitenwand des zerstörten Lifts.

Stück um Stück kam der Aufzug näher.

Vier Meter über dem Boden.

Bellos versetzte Swain einen Hieb in den Magen, dass er sich krümmte.

Dreieinhalb Meter.

Noch ein Schlag. Swain würgte. Der Kerl war einfach zu groß, verdammt. Er konnte sich nicht gegen ihn wehren.

Gut drei Meter.

Bellos warf einen raschen Blick zu dem absteigenden Aufzug hinauf und schaute sich dann überall nach einer Fluchtmöglichkeit um. Er sah das dahinrasende Seil mit den Gegengewichten an der Mauer. Dort schien genügend Platz zum Stehen zu sein ...

Drei Meter.

Der Boden des Lifts kratzte Bellos' Hörner an, und er duckte sich.

Auch Swain sah die rasend schnell vorüberlaufenden Seile. Bellos stand jetzt weit vornübergebeugt da. Er hatte sich von ihm abgewandt und widmete seine ganze Aufmerksamkeit den Seilen.

Das war eine Chance.

Swain ergriff sie.

Schnell schob er sich hinter Bellos und trat ihn heftig in eine der Kniekehlen, sodass dieser augenblicklich einknickte.

Zweieinhalb Meter.

Dann schob er sich an ihm vorbei und krabbelte zu den Seilen mit den Gegengewichten.

Ich muss hier raus.

Sofort.

Ich werde sterben.

Er hatte die Seile fast erreicht, da umklammerte plötzlich – und heftig – eine große schwarze Hand seinen Fußknöchel. Bellos hielt seinen Fuß wie einen Schraubstock umfasst und zog ihn von den Seilen *weg!*

Swain brach der kalte Schweiß aus.

Der große Mann hielt ihn unerbittlich fest und zog ihn zurück – sodass jetzt *Bellos* näher an den Seilen war.

Swain konnte nichts dagegen tun! Bellos würde ihn offensichtlich bis zum letzten Augenblick festhalten und sich dann neben die Seile wälzen, wo er in Sicherheit wäre. Diesmal gab es keinen Ausweg. Unmöglich konnte er Bellos' Griff entkommen. Langsam senkte sich der Aufzug herab.

In diesem Moment fiel Swains Blick auf Bellos Trophäengürtel – und er sah Hawkins chemische Keule daran hängen.

Die chemische Keule ...

Aber sie hatte schon zuvor nichts angerichtet ...

Anderthalb Meter.

Da sah Swain das weiße Pulver aus der Neonröhre, die er ihm über den Schädel gezogen hatte, auf Bellos' Gesicht.

Das war Fluoroxid.

Und Fluor zusammen mit der chemischen Keule ergäbe ...

Nicht überlegen! Keine Zeit. Einfach tun!

Swain zerrte die chemische Keule aus Bellos' Gurt und zielte damit auf dessen Gesicht.

Doch Bellos sah die Bewegung und erwiderte sie mit einem Schlag der Faust auf den Behälter, wodurch er die Sprühvorrichtung absprengte!

Nein!, schrie Swain innerlich auf. *Jetzt konnte er nicht mehr sprühen!*

Dann sah er eine andere Möglichkeit.

Er biss entschlossen die Zähne zusammen, schob sich nah an Bellos' Kopf heran, umschloss den Behälter fest mit der Hand und schlug in einer glatten Bewegung die Unterseite auf die *Spitze* eines der Hörner – und durchbohrte damit im Handumdrehen den Behälter.

Blendende Reizstoffe spritzten aus dem Loch in der Unterseite. Sofort drehte Swain den Behälter so, dass die Gischt direkt Bellos' Gesicht traf.

Die Reaktion erfolgte auf der Stelle.

Die aktiven Bestandteile der chemischen Keule – Chloracetophenon und verdünnte Schwefelsäure – vereinigten sich sofort mit dem Fluoroxid zu Flusssäure, einer der ätzendsten der bekannten Säuren.

Bellos brüllte vor Qual, als ihm Blasen brennender Säure übers Gesicht flossen. Er kniff die Augen fest zusammen *und ließ Swains Knöchel los.*

Noch gut ein Meter.

Swain war frei!

Aber noch war er nicht fertig.

Als Bellos zurückwich, wälzte sich Swain auf den Rücken und trat heftig zu.

Er traf sein Ziel – Bellos' Kinn –, und der Kopf des großen Mannes ruckte heftig nach oben.

Was zur Folge hatte, dass die spitzen Hörner sich durch den *Boden* des herabkommenden Aufzugs bohrten – und in einem Augenblick reinen Entsetzens erkannte Bellos, was geschehen war.

Er steckte fest!

Seine Hörner waren im Boden des fahrenden Lifts verklemmt, und ihm blieb nicht genügend Platz, um sich hervorwinden zu können!

Knapp ein Meter.

Swain lag jetzt flach auf dem Bauch und kroch von Bellos weg über den Schachtboden.

Ein halber Meter.

Er spürte den Aufzugboden im Rücken. Es war wie das Hervorkriechen unter einem Auto.

Er streckte die Hand nach einem der Seile aus, die rasend schnell an der anderen Wand hinaufliefen, und schloss die Finger darum.

Hinter ihm lag Bellos jetzt flach auf dem Boden, den Hals in einem seltsamen Winkel nach oben verdreht. Verzweifelt zerrte er an seinen Hörnern. Er stieß ein durchdringendes schrilles Wimmern aus. »*Aaaaaahhhhh!*«

Dreißig Zentimeter.

Im nächsten Moment spürte Swain, wie das Seil an seinem Arm riss und er nach oben gezogen wurde. Seine Füße glitten unter dem Aufzug hervor, dann knallte dieser mit einem laut schallenden *Bumm!* auf den Boden. Bellos' grässliches Gewimmer erstarb abrupt, während Swain in die Dunkelheit des Schachts hinaufsauste.

PLÖTZLICH KAM SWAIN zum Stehen.

Das Seil mit dem Gegengewicht rührte sich nicht mehr, nachdem der Aufzug auf dem Boden des Schachts aufgesetzt hatte.

Alles war ruhig.

Abgesehen von dem schwachen gelblichen Schein, der durch die verbeulten äußeren Türen zum Magazin drang, gab es kein Licht.

Swain baumelte etwa zwei Meter über dem Dach des funktionierenden Lifts gegen die Wand und sah nach unten.

Ein seltsamer Anblick – beide Aufzüge Seite an Seite auf dem Grund des Schachts; der eine völlig zerstört, der andere saß einfach bloß schweigend da.

Plötzlich schlug die Luke des intakten Lifts zurück, und Swains Herz setzte vor Schrecken einen Schlag aus. Bellos konnte doch nicht …

Hollys Kopf erschien, und Swain seufzte erleichtert auf. Ängstlich suchend ging ihr Kopf hin und her. Schließlich entdeckte sie ihn, wie er da an den Seilen mit den Gegengewichten baumelte.

»Dad!« Holly kletterte auf das Dach.

Swain ließ los und fiel neben ihr herab. Sie sprang ihm in die Arme und hielt ihn ganz fest.

»Dad, ich hatte solche Angst!«

»Ich auch, Schatz. Glaub mir, ich auch.«

»Habe ich es richtig gemacht? Habe ich den richtigen Knopf gedrückt?«

»Du hast den richtigen Knopf gedrückt, ja, ja«, erwiderte Swain. »Du warst großartig.«

Holly lächelte glücklich und umarmte ihn noch fester.

Selexins Kopf tauchte in der Luke auf. Er sah Swain und Holly und sah sich dann in dem dunklen leeren Schacht um.

»Alles in Ordnung«, meinte Swain. »Bellos ist tot.«

»Ehm, so viel habe ich mir bereits zusammengereimt«, sagte Selexin.

Swain zog fragend die Brauen zusammen. Selexin nickte zur Luke des Aufzugs hinüber.

»Oh, ja ...«

Durch den Boden des Aufzugs stachen zwei spitze Hörner – Bellos' Hörner. Sie hatten sich in die Unterseite des Lifts gebohrt und ragten jetzt *ins Innere* – reglos, still –, wie das Markenzeichen eines Cadillac. Das einzige Überbleibsel von Bellos.

»Was ist passiert?«, fragte Selexin.

»Zerquetscht«, erwiderte Swain.

»*Zerquetscht?*«

»Hm, ja.«

Selexin fuhr zusammen. »Keine besonders angenehme Todesart.«

»Er war auch keine sehr angenehme Person«, sagte Holly.

»Stimmt auch wieder.«

In diesem Augenblick piepte Swains Armband.

Er sah sofort auf das Display und entdeckte einen mehrzeiligen Text:

```
VERUNREINIGUNG IN STATION 4 BESTÄTIGT.
PRÄSIDIAN IST KOMPROMITTIERT.
WIEDERHOLE.
```

PRÄSIDIAN IST KOMPROMITTIERT.
ENTSCHEIDUNG ÜBER ANNULLIERUNG NOCH NICHT
GETROFFEN.

Die Anzeige flackerte, dann erschien eine neue Zeile.

INITIALISIERT - 1
OFFIZIELLE AM AUSGANGSTELEPORTER BERICH-
TEN:
NUR NOCH EIN WETTKÄMPFER IM LABYRINTH
VERBLIEBEN.
ERWARTEN ANWEISUNGEN.

Es folgte eine Pause.

»Was soll das heißen?«, fragte Swain.

»Wenn nur noch ein Wettkämpfer übrig ist, wird der Karanadon geweckt, falls er nicht schon wach ist, und dann ...«

»... wird der Ausgangsteleporter geöffnet«, erinnerte sich Swain. »Und wenn man dem Karanadon entkommen und den Teleporter erreichen kann, gewinnt man das Präsidian.«

»Genau«, sagte Selexin. »Nur dass die Offiziellen jetzt noch entscheiden müssen, ob sie das Präsidian komplett annullieren, nachdem Bellos die Regeln gebrochen hat. Treffen sie diese Entscheidung, werden sie den Ausgangsteleporter nicht öffnen. Und wir bleiben hier zurück, zusammen *mit* dem Karanadon. Und wie ich Ihnen zuvor schon sagen wollte, werden sie wahrscheinlich auch ...«

Das Armband piepte erneut, und Selexin hielt sofort inne.

DIE ENTSCHEIDUNG IST GETROFFEN.
PRÄSIDIAN WIRD ANNULLIERT.
OFFIZIELLE AM AUSGANGSTELEPORTER ERHALTEN
FOLGENDE ANWEISUNG:
NICHT DEN AUSGANGSTELEPORTER INITIALISIE-
REN!
WIEDERHOLE.
NICHT DEN AUSGANGSTELEPORTER INITIALISIE-
REN!

»Sie blasen es ab«, meinte Swain ausdruckslos.

Selexin gab keine Antwort. Er starrte bloß ungläubig das Armband an.

Swain schüttelte ihn sanft. »Haben Sie das gesehen? Sie blasen die ganze Sache ab.«

»Ja«, erwiderte Selexin leise. »Das habe ich gesehen.« Er sah zu Swain auf. »Und ich weiß, was es zu bedeuten hat. Es bedeutet, dass Sie und ich wahrscheinlich sterben werden.«

»Was?«, fragte Swain.

»*Sterben?*«, meinte Holly.

»*Sie* werden ganz bestimmt sterben«, sagte Selexin zu Swain. »Und ich kann ohne den Ausgangsteleporter diesen Planeten nicht verlassen. Wie hoch schätzen Sie meine Überlebenschancen auf der Erde ein?«

Swain wusste die Antwort darauf. Draußen stand die NSA, und sie waren nicht hier, um ein paar Bücher auszuleihen. Außerhalb der Bibliothek hatte Selexin nicht die Spur einer Chance.

»Warum soll ich sterben?«, fragte Swain. »Warum ist das so sicher? Es gibt keine Garantie, dass der Karanadon uns findet.« Dieses Alien würde Swain jedenfalls mit Freuden der NSA überlassen.

»Nicht der Karanadon stellt für Sie die größte Bedrohung dar«, erwiderte Selexin.

»Sondern?«, fragte Swain. Da kündigte ein erneutes Piepen seines Armbands eine weitere Nachricht an.

OFFIZIELLES SIGNAL
BITTE AUFZEICHNEN: AUFGRUND ÄUSSERER UM-
STÄNDE SIEBTES PRÄSIDIAN ANNULLIERT.
DANK AN ALLE OFFIZIELLEN IN ALLEN SYSTE-
MEN FÜR IHRE UNTERSTÜTZUNG WÄHREND DIESES
WETTKAMPFS. BEFRAGUNG ÜBER VERUNREINIGUNG
ANGESETZT.
ENDE DES OFFIZIELLEN SIGNALS.
PRÄSIDIAN VOLLSTÄNDIG.
BEREITHALTEN ZUR DE-ELEKTRISIERUNG.

»De-Elektrisierung?«, fragte Swain. »Ist es das, wofür ich es halte?«

»Ja«, nickte Selexin. »Sie werden das elektrische Feld um das Labyrinth abschalten.«

»Wann?«

»So bald wie möglich, vermute ich.«

»Was ist mit dem Karanadon?«

»Sie werden ihn wohl einfach hier zurücklassen.«

»Ihn hier zurücklassen?«, fragte Swain ungläubig. »Haben Sie eine Ahnung, was so ein Ding in dieser Stadt anrichten würde? Wenn sie die Elektrizität um das Gebäude abschalten, wird es von der Leine gelassen, und nichts und niemand kann es aufhalten.«

»Es ist nicht meine Entscheidung«, sagte Selexin traurig und abwesend.

Swain wusste, dass der kleine Mann andere Sorgen hatte. Ohne den Ausgangsteleporter konnte Selexin nicht verschwinden. Sie hatten das Präsidian überlebt, und dennoch steckte er auf der Erde fest.

»Na ja«, sagte Swain und sah den dunklen Aufzugsschacht hinauf. »Es hilft nichts, wenn wir hier untätig rumstehen. Ich schlage vor, dass wir uns eine Stelle suchen, wo wir rausgehen können, wenn sie den Stecker rausziehen.«

Er hielt Holly fest und trat vom Dach des funktionierenden Lifts auf das des beschädigten. Selexin rührte sich nicht von der Stelle. Er stand einfach traurig und tief in Gedanken versunken da.

Swain und Holly kletterten durch die verbeulten Türen ins Magazin hinaus und sahen sich nach Selexin um.

»Selexin«, meinte Swain sanft. »Noch sind wir nicht tot. Kommen Sie. Kommen Sie mit uns.«

Vom Dach des Aufzugs aus, in der Dunkelheit des Schachts, schaute Selexin zu ihm auf, sprach jedoch kein Wort.

»Wir müssen einen Ausgang erreichen«, sagte Swain. »Damit wir rausgehen können, wenn der Strom abgestellt wird.«

»Bellos«, meinte Selexin tonlos und nachdenklich.

»Was?«

»Bellos kannte einen Weg.«

»Wovon reden Sie da?«, fragte Swain und überprüfte das Magazin hinter sich. »Kommen Sie, wir müssen los.«

»Er musste die Hoodaya hinausbefördern«, sagte Selexin. »Das hat er selbst gesagt.«

»Selexin, *wovon reden Sie eigentlich?*«

Selexin erklärte es. »Wir waren auf einer anderen Etage, Nummer zwei, glaube ich. Dort hat Bellos kurz mit uns gesprochen, ehe der Rachnid eingetroffen ist, sie miteinander gekämpft haben und wir entkommen sind. Damals habe ich Bellos gefragt, was er mit den Hoodaya vorhätte, wenn er das Präsidian gewinnen würde. Denn ich wusste, dass sie mit Sicherheit entdeckt werden würden, sollte er sie zurücklassen. Er hat erwidert, dass die Hoodaya längst aus dem Labyrinth verschwunden wären, wenn er durch den Ausgangsteleporter ginge.«

Swain beobachtete Selexin angespannt, wie er überlegte.

»Aber das konnte ihm nur gelingen, wenn er einen eigenen Teleporter hatte.«

»Einen eigenen Teleporter?«

»Eine große Kammer, in dem ein Teleportationsfeld erzeugt wird. Und wie Ihnen zweifelsohne bekannt ist, gibt es auf Erden keine Teleporter.«

Einen Augenblick lang überlegte Swain, und ein verschwommenes Bild formte sich in seinem Kopf, das Bild eines Puzzles, das noch nicht ganz zusammengesetzt war.

»Wie groß ist einer dieser Teleporter?«, fragte er Selexin.

»Normalerweise sehr groß und sehr schwer«, erwiderte Selexin. »Und technisch sehr kompliziert.«

Jetzt war Swain in Gedanken versunken. Das verschwommene Bild in seinem Kopf wurde langsam deutlicher.

Da traf es ihn wie ein Schlag.

»Bellos hat einen Teleporter mitgebracht«, meinte er schlicht.

»Das wissen wir nicht«, entgegnete Selexin.

»Doch, wissen wir.« Swain griff in seine Hosentasche und zog ein Blatt Papier heraus – Harold Quaids Liste von Energiestößen in dieser Nacht.

»Was ist das, Dad?«

»Es ist eine Liste.«

»Woher hast du die?«

Swain wandte sich an Selexin. »Ich habe die in der Tasche eines mysteriösen Gastes gefunden, der zufällig in Ihr Präsidian geraten ist.«

»Wovon ist es eine Liste?«, fragte Selexin.

»Werfen Sie einen Blick drauf.« Swain hielt ihm das Blatt Papier hin.

Selexin trat von einem Aufzugdach auf das nächste und kletterte dann ins Magazin hinaus. Er nahm das Blatt und untersuchte es.

»Etwas von der Erde.« Selexin überflog die Liste. »Die Entdeckung von Energiestößen unbekannter Herkunft. Was bedeuten diese Zahlen hier links?«

»Uhrzeiten«, entgegnete Swain.

Einen Augenblick lang schwieg Selexin. »Also, was ist das?«, fragte er.

»Es ist eine Liste aller Teleportationen in dieses Gebäude, seit ich um 18.03 Uhr von meinem Haus in Connecticut hierher gebracht worden bin.«

»Was?«

»Und jetzt habe ich es herausbekommen«, sagte Swain. »Dreizehn Teleportationen wurden entdeckt. Zwölf in der Bibliothek, eine in Connecticut. Bis vor kurzem konnte ich lediglich elf der zwölf Stöße zuordnen: soll heißen, sieben Wettkämpfer mit ihren Führern *plus* vier Hoodaya, macht zusammen elf.«

»Ah ja.«

»Aber mit dem letzten Stoß, damit konnte ich nichts anfangen.« Swain zeigte auf die unterste Zeile:

13. 18:46:00   N.Y.   Isolierter Energieausstoß/
                          Quelle: UNBEKANNT
                          Typus: UNBEKANNT
                          Dauer: 0.00:34

»Schauen Sie sich den an. Er dauerte vierunddreißig Sekunden – dreimal länger als alle übrigen Stöße. Und sehen Sie mal, wann er auftrat: 18.46 Uhr. Das ist beinahe *dreiundzwanzig* Minuten nach dem Stoß davor. Alle anderen erfolgten *innerhalb von zwanzig Minuten*.«

Swain sah Selexin an. »Der letzte Stoß war ein isolierter. Und er war stark. Sehr stark. Etwas, das lange Zeit zur Teleportation benötigte – vierunddreißig Sekunden.«

»Was wollen Sie damit sagen?«

»Ich glaube, Bellos hat jemanden dazu veranlasst, einen *Teleporter* in die Bibliothek zu teleportieren, damit er vor seinem Abgang die Hoodaya herausbekäme.«

Selexin nahm das schweigend auf. Erneut untersuchte er die Liste. Schließlich blickte er zu Swain hoch. »Dann bedeutet das …«

»Es bedeutet, dass sich irgendwo in diesem Gebäude ein Teleporter befindet. Den wir dazu benutzen können, Sie heimzubringen.«

Selexin schwieg einen Moment lang, während er die Neuigkeiten zu begreifen begann.

»Worauf warten wir denn noch?«, fragte Holly.

»Jetzt auf nichts mehr«, erwiderte Swain, packte Selexin bei der Schulter und rannte los. »Suchen wir ihn, solange wir noch Zeit dazu haben.«

JAMES MARSHALL STAND unten an der Fahrbahn, die zum Parkdeck führte, und schaute auf das Gitternetz aus blauer Elektrizität quer über das Metalltor, als sein Funker zu ihm trat.

»Sir?«

»Was ist?« Marshall drehte sich nicht um.

```
Statusüberprüfung:
0:01:00 bis zur De-Elektrisierung
Warten.
```

»Sir, wir erhalten jetzt nicht einmal mehr ein Signal. Commander Quaids Funkgerät ist gar nicht mehr auf Sendung.«

Marshall biss sich auf die Lippe. Die Nacht hatte so viel versprechend angefangen und erwies sich zunehmend als Fehlschlag. Sie hatten bereits zwei Männer innerhalb der Bibliothek verloren, ein Strahlungsabfallbehälter war zerstört, ein Penner, der an der südlichen Wand der Bibliothek gesichtet worden war, hatte sich in Luft aufgelöst, und jetzt hatten sie ein Gebäude vor sich, das dabei war, bis auf die Grundmauern niederzubrennen. Und wozu?, überlegte Marshall.

Für nichts und wieder nichts.

Nach ihrer nächtlichen Arbeit hätten sie nichts vorzuweisen. Kein einziges Fizzelchen.

Und er selbst war verantwortlich. Bei dieser Operation

stand zu viel auf dem Spiel. Die Division Sigma trug in dieser Sache die volle Verantwortung, deshalb mussten sie unbedingt *etwas* vorweisen.

Mein Gott, wegen der vielen Explosionen war vor kurzem die New Yorker Feuerwehr angerückt, und die NSA hatte sie am Einsatz gehindert. Weil, wie er erklärt hatte, das Gebäude Gegenstand einer Untersuchung durch die National Security Agency sei. Lassen Sie es brennen! Aber das Gebäude steht im Nationalregister. Lassen Sie's trotzdem brennen. Das würde bei den Bossen weiter oben gar nicht gut ankommen.

Also war die Lage klar: Wenn Marshall nichts vorzuweisen hatte, war er der Sündenbock. Seine Karriere hing jetzt davon ab, was sie im Innern der Bibliothek fänden.

Sie mussten *irgendetwas* finden.

Wie sich herausstellte, mussten Swain, Holly und Selexin nicht sehr weit laufen, um den Teleporter zu finden. Sie mussten nicht einmal das Magazin verlassen. Doch um ein Haar hätten sie ihn übersehen. Nur Selexins scharfem Blick entging nicht die leichte Abweichung in einem der langen Gänge, während sie im Zickzack zum zentralen Treppenhaus des Magazins rannten.

```
Statusüberprüfung:
0:00:51 bis zur De-Elektrisierung
```

»Er ist so groß«, sagte Holly ehrfürchtig.

Das war eine Untertreibung, dachte Swain, während er da im Gang stand und die riesige Maschine anstarrte.

Sie sah aus wie eine gewaltige, rechteckige Hightech-Telefonzelle mit Stahlwänden. In der Mitte war eine Glastür, und die dicken grauen Wände reichten fast bis zur Decke.

Alle Kanten waren abgerundet, sodass sich eine elliptische Form ergab, und auf dem Boden daneben stand eine große graue Kiste, die über ein dickes schwarzes Kabel mit dem Teleporter verbunden war.

Die riesige Maschine umgab eine perfekt bemessene Leere, die sich in die Bücherregale und die Decke eingeschnitten hatte. Das kugelförmige Loch in der Luft, durch das dieser Apparat gereist war, hatte schlicht und einfach alles verdampft, was bei seiner Ankunft hier gestanden hatte.

»Das ist ein tragbarer Generator«, erklärte Selexin und zeigte auf die graue Kiste. »Bellos musste einen mitbringen, um den Teleporter auf der Erde bedienen zu können.«

Swain starrte den Teleporter und die Bücherregale an. Sie befanden sich genau in der Mitte der östlichen Abteilung des Magazins, mindestens dreißig Meter von allen Eingängen entfernt, und waren von den deckenhohen Regalen umgeben. Höchst unwahrscheinlich, dass jemand während des Präsidian hier vorbeigekommen war.

»Gut versteckt«, bemerkte Swain.

»Bellos hat sich das wohl kaum aussuchen können«, meinte Selexin.

»Was wollen Sie damit sagen?«

»Na ja, ich habe darüber nachgedacht – wie Bellos seine Hoodaya ins Labyrinth teleportiert hat. Erinnern Sie sich daran, dass er jedes Mal, wenn wir ihn gesehen haben, seinen Führer über der Schulter hängen hatte?«

»Ja.«

»Na ja, ich habe mich immerzu gefragt, *weswegen er ihn außer Gefecht setzen musste*. Meiner Ansicht nach ist Folgendes geschehen«, erklärte Selexin. »Bellos betritt zusammen mit seinem Führer auf seinem Heimatplaneten den *offiziellen* Teleporter. Einmal drinnen, erhält der Führer die

Koordinaten des Labyrinths auf dem Armband, das er Bellos bislang noch nicht ausgehändigt hat. Daraufhin schlägt Bellos den Führer nieder, stiehlt die Koordinaten, öffnet anschließend wieder den Teleporter und reicht die Koordinaten an eine andere Person weiter.

Anschließend werden er und sein Führer allein ins Labyrinth teleportiert, während gleichzeitig ein weiterer Teleporter in der Nähe die Hoodaya losschickt.

Viel später teleportieren sie diesen Teleporter, aber sie haben nur ungenaue Koordinaten. Der Teleporter hätte *überall* in der Bibliothek eintreffen können. Sie konnten ihn unmöglich absichtlich in eine dunkle Ecke teleportieren. Andererseits stehen die Chancen, dass man etwas in eine dunkle Ecke teleportiert, nicht schlecht, wenn der allgemeine Zielort ein *Labyrinth* ist. Ohne Frage ein kalkuliertes Risiko, aber eines, dass Bellos offensichtlich einzugehen gewillt war.«

```
Statusüberprüfung:
0:00:30 bis zur De-Elektrisierung
```

Holly, die neben Swain stand, starrte zu der großen grauen Maschine auf. »Was tun wir jetzt, Dad?«

Swain zog die Brauen zusammen und blickte in den dunklen Gang zurück. In der Ferne hatten jetzt einige Regale Feuer gefangen.

»Wir schicken Selexin nach Hause, Schatz«, erwiderte er. »Dann ist er in Sicherheit und kann den anderen berichten, was wirklich geschehen ist.«

»Oh«, sagte Holly enttäuscht.

»Stimmt.« Selexin nickte langsam.

»Kann er nicht hier bleiben, Dad?«, fragte Holly. »Er könnte bei uns wohnen. Wie in E.T.«

Selexin lächelte traurig und streckte die Hand zum Griff der Glastür des Teleporters aus. Zu Swain sagte er: »Als ich ins Labyrinth kam, war ich der Ansicht gewesen, meine Aufgabe sollte in der Führung des menschlichen Wettkämpfers durch das Präsidian bestehen. Und darüber war ich gar nicht glücklich. Ich war sicher, Sie würden keinen Augenblick überleben und daher wäre es auch um mich geschehen. Aber jetzt, nachdem ich mit ansehen durfte, wie Sie Ihr Leben und das Ihrer Tochter verteidigt haben, weiß ich, wie sehr ich mich geirrt habe.«

Swain nickte.

Selexin wandte sich an Holly. »Ich kann nicht hier bleiben. Deine Welt ist noch nicht für mich bereit, ebenso wenig bin ich für sie bereit. Na ja, sogar das Präsidian war noch nicht bereit für deine Welt.«

»Vielen Dank«, erwiderte Holly weinend. »Vielen Dank, dass du auf mich aufgepasst hast.«

Dann warf sie die Arme um Selexin und drückte ihn fest an sich. Einen Augenblick lang war er verblüfft, unvorbereitet auf diese plötzliche Zuneigungsbekundung. Langsam hob er die Arme und druckte Holly ebenfalls an sich.

»Pass auf dich selbst auf«, sagte er und schloss die Augen. »Und auf deinen Vater. So, wie er auf dich aufpasst. Leb wohl, Holly.«

Sie ließ ihn los. Selexin wandte sich an Swain und streckte die Hand aus.

»Sie sind ein wenig zu groß für eine Umarmung«, sagte Selexin lächelnd.

```
Statusüberprüfung:
0:00:15 bis zur De-Elektrisierung
```

Swain nahm die Hand des kleinen Mannes und schüttelte sie. »Nochmals vielen Dank«, sagte er ernst.

Selexin verneigte sich. »Ich habe nichts getan, was Sie selbst nicht auch für sie getan hätten. Oder für mich. Ich war bloß während Ihrer Abwesenheit zur Stelle. Und abgesehen davon, danke ich *Ihnen* dafür, dass ich meine Meinung über Sie ändern konnte.«

Er griff nach der Tür des Teleporters. Sie öffnete sich mit einem leisen pneumatischen Zischen.

Swain legte einen Arm um Hollys Schulter. »Auf Wiedersehen, Selexin«, sagte er. »Es wird mir sehr schwer fallen, Sie zu vergessen.«

»Das ist gut, Mr. Swain. Wenn man in Betracht zieht, dass Sie fast alles Übrige vergessen haben, was ich Ihnen heute Abend gesagt habe.«

Swain lächelte traurig, als Selexin den Teleporter betrat.

»Vergessen Sie nicht, dieses Ding zurückzuteleportieren, sobald Sie angekommen sind«, meinte er und zeigte auf den Apparat.

»Keine Sorge. Werde ich nicht«, entgegnete Selexin und schloss die Glastür hinter sich.

Swain trat vom Teleporter zurück und sah hinunter auf sein Armband.

STATUSÜBERPRÜFUNG:
0:00:04 BIS ZUR DE-ELEKTRISIERUNG

»Oh, verdammt …«, sagte Swain, als ihm die Bedeutung der Anzeige aufging. »Oh, *verdammt!*«

Im Teleporter drückte Selexin mehrere Knöpfe an der Wand und trat daraufhin zur Glastür.

Ein strahlend weißes Licht erglühte hinter ihm, und der kleine Mann drückte den Finger an das Glas.

»Lebt wohl«, formte er lautlos mit dem Mund.

Das strahlend helle weiße Licht innerhalb des Teleporters verzehrte Selexin, dann folgte plötzlich ein helles kurzes Aufblitzen, und im Innern des Teleporters war alles wieder dunkel.

Selexin war verschwunden.

Holly wischte sich Tränen aus den Augen, und Swain sah erneut auf das Armband.

STATUSÜBERPRÜFUNG:
0:00:01 BIS ZUR DE-ELEKTRISIERUNG.
WARTEN.
DE-ELEKTRISIERUNG INITIALISIERT ...

Swain fasste Holly bei der Hand und rannte verzweifelt den schmalen Gang hinunter zum zentralen Treppenhaus. Holly wusste nicht, was los war, lief aber einfach mit.

Ein lauter Piepton erfüllte die Luft.

Swain wusste genau, was jetzt vor sich ging – es war das, was ihm Selexin zuvor zu sagen versucht hatte. Zur Bestätigung musste er nicht einmal auf sein Armband schauen.

Erneut piepte das verdammte Ding beharrlich, und während ihm das Piepen in den Ohren tönte, ging ihm auf, was die Annullierung des Präsidian wirklich zu bedeuten hatte.

Das elektrische Feld existierte nicht mehr.

Sein Armband war nicht mehr davon umgeben.

Es hatte sich auf die Selbstzerstörung eingestellt.

Und nichts konnte es aufhalten. Es gab auf Erden kein weiteres elektrisches Feld, mit dem man es umgeben konnte. Als er die erste Stufe des Treppenhauses erreichte, warf er einen Blick auf das Armband. Darauf stand:

PRÄSIDIAN ANNULLIERT.
DETONATIONSSEQUENZ EINGESCHALTET.
14:54
COUNTDOWN LÄUFT.

Mein Gott!

SECHSTER ZUG

30. November, 22.47 Uhr

DRAUSSEN VOR DER BIBLIOTHEK brüllte Marshall Befehle.

»Bewegt euch! Bewegt euch! Bewegt euch! Geht da rein!«, schrie er ungeachtet des strömenden Regens.

Augenblicke zuvor hatte sich das Gitternetz aus knisternder blauer Elektrizität einfach in Nichts aufgelöst und Marshall sich einem klaffenden Loch im Tor gegenüber gesehen. Jetzt ließ er Sigmas SWAT-Team an sich vorüber auf das Parkdeck rennen.

»Higgs!«, rief er.

»Ja, Sir?«

»Von nun an gilt in dieser Sache eine komplette Nachrichtensperre. Sie gehen schnurstracks zu Levine und sagen ihm, er soll die Sender anrufen und seine Beziehungen spielen lassen. Schaffen Sie mir diese Kameras hier weg. Und besorgen Sie uns ein Überflugverbot für den gesamten Bereich. Innerhalb eines Radius von sechs Kilometern um dieses Gebäude will ich keinen Hubschrauber sehen. Los jetzt!«

Higgs eilte über die Fahrbahn davon.

Marshall stützte die Hände auf die Hüften und lächelte im Regen.

Sie waren drin.

Swain und Holly nahmen die Treppe immer zwei Stufen auf einmal. Schwer atmend zogen sie sich am Geländer um die Kehren.

Sie hielten inne, Swain lugte durch die Feuerschutztür hinaus.

Vor ihm lag das weite Erdgeschoss – dunkel und verödet.

Leer.

Swain erkannte so gerade eben den Rang oben. Dort war es auch finster. Keine Feuer. Noch nicht.

Niemand war hier.

Armband.

14:23
14:22
14:21

Drüben am Infoschalter brannte Licht. Swain trat vorsichtig zwischen den Bücherregalen hindurch und ging darauf zu. Holly folgte nervös.

Zehn Meter vom Schalter entfernt sagte er zu ihr: »Bleib hier!«

Swain schob sich näher heran. Er spähte über die Tischplatte, zuckte plötzlich zusammen und wandte sich ab.

»Was ist?«, flüsterte Holly.

»Nichts«, erwiderte er und fügte dann hastig hinzu: »Komm nicht rüber.«

Erneut warf er einen Blick auf die grausige Szenerie. Auf der anderen Seite der Theke lag der blutige und verstümmelte Leichnam einer Polizistin.

Hawkins' Partnerin.

Man hatte ihr *buchstäblich* die Gliedmaßen einzeln ausgerissen – die Arme waren einfach *verschwunden,* beide nur noch Knochenstümpfe. Ihre Uniform war blutgetränkt. Swain erkannte so gerade eben den langen ausgefransten Riss im Hemd, wo ihr Bellos die Marke abgerissen hatte.

Dann sah er die Glock auf dem Boden – nur wenige Zentimeter von ihrer wahrscheinlich verzweifelt ausgestreckten Hand entfernt.

Swain hatte einen Einfall: *Vielleicht könnte er sein Armband abschießen.*

Nein, die Kugel würde ihm durchs Handgelenk fahren. *Keine* gute Idee.

Dennoch bückte er sich und hob die Waffe auf. Eine Schutzmaßnahme.

Dann ertönte ohne jegliche Vorwarnung plötzlich ein krachendes *Wumm!* von irgendwo hinter ihm.

Holly kreischte auf, Swain fuhr herum und erblickte …

… den Karanadon, der auf einem Knie hockte und sich langsam zu voller Größe erhob.

Genau hinter Holly!

Er musste oben in der ersten Etage gewesen sein! Und heruntergesprungen!

Ohne auch nur darüber nachzudenken, richtete Swain seine gerade gefundene Glock auf das Untier und feuerte zweimal. Beide Schüsse gingen um drei Meter daneben. Teufel, er hatte noch nie zuvor eine Waffe abgeschossen.

Holly kreischte über das Pistolenfeuer hinweg und lief zu Swain hinüber.

Bumm.

Der Karanadon kam auf sie zu.

Erneut hob Swain die Pistole. Feuerte. Verfehlte ihn erneut. Diesmal um zwei Meter. Er wurde also besser.

Bumm. Bumm.

»Lauf!«, quietschte Holly. »Lauf!«

»Noch nicht! Ich kann ihn noch treffen!«, rief Swain zurück. Er hob die Stimme, um die donnernden Schritte des Ungetüms zu übertönen.

Bumm. Bumm. Bumm.

»Also gut, lauf!«, schrie er.

Swain und Holly jagten zu den Bücherregalen hinüber. Der Karanadon gewann an Boden. Sie umrundeten eine Ecke und betraten einen schmalen Gang. Zu beiden Seiten Regale. Im vollen Lauf blickte Swain über die Schulter.

Da stieß er plötzlich mit dem Fuß gegen etwas – stolperte – und stürzte kopfüber zu Boden. Er schlug hart auf, die Glock rutschte über den glatten Marmorboden davon.

Bumm. Bumm. Bumm.

Der Boden erzitterte heftig. Swain wälzte sich auf den Rücken und sah nach, über was er gestolpert war.

Es war ein Kadaver. Der zerrissene und zerfetzte Kadaver des Konda – des grashüpferähnlichen Alien, den die Hoodaya getötet hatten, während Swain und die anderen vom ersten Stockwerk aus zusahen.

Bumm.

Der Fußboden schüttelte sich ein letztes Mal.

Stille. Abgesehen vom Piepen des Armbands.

Swain blickte auf und sah Holly auf der anderen Seite des Kadavers stehen.

Und direkt hinter ihr – einer hellen Gestalt, umrahmt von völliger Finsternis – ragte wie ein pechschwarzer Turm der Karanadon auf.

Holly rührte keinen Muskel.

Der Karanadon war so nahe, dass sie seinen heißen Atem im Nacken spürte.

»*Nicht bewegen*«, flüsterte Swain grimmig. »Was du auch tust, nicht bewegen.«

Holly gab keine Antwort. Ihr zitterten die Knie. Sie würde sich ganz bestimmt nicht bewegen. Selbst wenn sie es gewollt hätte, sie konnte es nicht. Schweißperlen traten ihr auf die Stirn, während der Karanadon langsam immer näher rückte.

Sein Atem ging in kurzen, raschen Stößen, als ob er ...

Schnüffelte. Er beschnüffelte sie. *Roch* an ihr.

Langsam schob sich die Schnauze ihren Körper hinauf.

Holly war vor Schreck erstarrt. Sie wollte kreischen. Sie ballte die Fäuste an ihren Seiten und schloss die Augen.

Plötzlich berührte sie etwas Kaltes, Nasses am linken Ohr. Es war die Nase des Karanadon, die Spitze seiner dunklen, runzligen Schnauze. Sie war kalt und feucht wie die Nase eines Hundes.

Fast wäre sie in Ohnmacht gefallen.

Swain beobachtete voller Entsetzen, wie der Karanadon die linke Kopfseite seiner Tochter streifte.

Er nahm sich Zeit. Ging langsam vor. Methodisch. Steigerte ihre Angst.

Er hatte sie.

Swain vernahm das beständige Piepen seines Armbands. Wie lange noch? Er wagte nicht hinzuschauen – wagte nicht, den Karanadon aus dem Blick zu lassen. *Scheiße.*

Er verlagerte sein Gewicht – und spürte seltsamerweise eine Ausbuchtung in seiner Hosentasche. Es war der kaputte Telefonhörer. Der würde hier nicht viel nutzen. Moment mal ...

Da war doch noch was ...

Das Feuerzeug.

Langsam griff Swain in seine Tasche und holte Jim Wilsons Feuerzeug heraus.

Der Karanadon beschnüffelte Hollys Fußknöchel.

Holly stand einfach bloß stocksteif da, die Augen geschlossen, die Fäuste geballt.

Swain rollte das Feuerzeug in der Hand umher. Wenn er etwas anzündete, konnten die Flammen den Karanadon vielleicht kurzzeitig ablenken.

Andererseits hatte das Feuerzeug vorhin im Treppenhaus auch schon nicht funktioniert.

Jetzt musste es funktionieren.

Swain hielt es an ein staubiges altes Buch im Regal gleich neben sich.

Bitte, funktioniere! Nur einmal. Bitte, funktioniere!

Das Feuerzeug öffnete sich mit einem lauten metallischen *Klick!*

Augenblicklich fuhr der Kopf des Karanadon hoch und starrte Swain anklagend an, als wollte er sagen: »Was tust du da eigentlich?«

Er hielt das Feuerzeug näher an das staubige Buch, aber da schoss der Karanadon heran, und im nächsten Moment fand sich Swain auf dem Boden wieder. Er lag auf dem Bauch, und ein gewaltiger schwarzer Fuß drückte ihm schwer auf den Rücken.

Holly kreischte.

Swain hatte die Arme weit vor sich ausgebreitet und das Gesicht zur Seite gedreht, sodass eine Wange flach gegen den kalten Marmorboden gepresst war. Vergebens kämpfte er gegen das Gewicht des Karanadon an.

Das Ungetüm brüllte laut. Swain blickte auf und sah, dass er nach wie vor das Feuerzeug in der Hand hielt. Das Armband am linken Handgelenk piepste beharrlich. In einer entfernten Ecke seines Bewusstseins überlegte er, wie viel Zeit ihnen noch bis zur Explosion bliebe.

Der Karanadon erblickte das Feuerzeug.

Und Swain sah voller Entsetzen, wie eine gewaltige

schwarze Klaue sich langsam senkte und seinen linken Unterarm vollständig umklammerte. Fest umklammerte. Ihn fast zerquetschte. Den Blutfluss abschnitt. Überall traten die Adern hervor. Der Arm war dabei zu brechen ...

Dann knallte die riesige Kreatur sein Handgelenk hart auf den Fußboden.

Mit voller Wucht auf den Marmorfußboden.

Swain brüllte vor Schmerz. Es ertönte ein lautes Klappern, gefolgt von einem scharfen brennenden Schmerz, der ihm durch den rechten Unterarm schoss.

Beim Aufprall öffnete sich reflexartig seine Hand, und das Feuerzeug fiel zu Boden.

Swain nahm keine Notiz davon.

Auch den sengenden Schmerz im Unterarm hatte er vergessen.

Ungläubig starrte er auf sein linkes Handgelenk.

Das Armband war ebenfalls auf den Fußboden geknallt.

Die Gewalt des Aufpralls hatte es gelöst. Jetzt lag es locker und nach wie vor beharrlich piepend um Swains Handgelenk.

Aber es war nicht mehr verschlossen.

Es war ab.

Swain sah den Countdown.

12:20
12:19
12:18

Da spürte er plötzlich, wie eine Klaue seinen Hinterkopf umfasste und ihn grob gegen den Fußboden drückte. Das Gewicht auf seinem Rücken verschwand.

Zeit zum Töten.

Sein Blick fiel auf das Feuerzeug. Auf dem Fußboden. In Reichweite.

Der Karanadon senkte den Kopf.

Rasch schnappte sich Swain das Feuerzeug und hielt es an das unterste Brett des Regals. Dann schloss er die Augen und betete zu Gott, dass Jim Wilsons blödes Feuerzeug dieses eine Mal, wenigstens dieses verdammte Mal, funktionieren möge.

Er drehte am Rädchen.

Das kleine Flämmchen hielt kaum eine halbe Sekunde, aber das reichte.

Ein staubbedecktes Buch unmittelbar vor dem Karanadon fing sofort Feuer.

Die riesige Bestie brüllte, als die Flammen vor seinem Kopf hochschlugen und das gesträubte Fell auf der Stirn entzündeten. Sofort wich er zurück, ließ Swain los und schlug verzweifelt auf die brennende Stirn ein.

Swain wälzte sich herum, löste in einer raschen Bewegung das Armband vom Handgelenk und legte es um eine der gewaltigen Klauen des Ungetüms.

Das Armband klickte.

Schloss sich.

Dann war Swain auf den Beinen. Lief los. Hob Holly hoch, schnappte sich die Glock vom Fußboden und rannte auf die gewaltigen Glastüren am Eingang der Bibliothek zu. Hinter sich hörte er das Gejammer und Gebrüll des Karanadon.

Er erreichte die Türen und warf sie auf.

Und sah etwa ein Dutzend Wagen mit rotierenden Lichtern. Dazu mit Gewehren bewaffnete Männer. Die durch den Regen auf ihn zuliefen.

Die National Security Agency.

»Das ist die Polizei, Dad. Sie wird uns retten.«

Swain fasste sie bei der Hand und zog sie von den Türen weg zum Treppenhaus hin.

»Ich glaube nicht, dass diese Polizisten uns helfen werden, Schatz«, sagte Swain beim Laufen. »Erinnerst du dich, was in E.T. mit Eliots Haus geschehen ist? Erinnerst du dich, wie die Bösen es in eine große Kunststoffplane gepackt haben?«

Sie liefen, was sie konnten. Hatten das Treppenhaus jetzt fast erreicht.

»Ja.«

»Nun ja«, sagte Swain, »die Leute, die das getan haben, sind dieselben, die jetzt draußen vor der Bibliothek stehen.«

»Oh.«

Sie erreichten das Treppenhaus und liefen die Stufen hinunter.

Swain blieb stehen.

Er vernahm Stimmen ... und Rufe ... und schwere Schritte von unten.

Die NSA *war bereits drin.*

Sie mussten über das Parkdeck hereingekommen sein.

»Schnell. Hoch. Sofort.« Swain zog Holly wieder in Richtung Treppenabsatz.

Sie stiegen weiter die Stufen hoch.

Als sie an der Feuerschutztür vorüberrannten, die zum Erdgeschoss führte, hörten sie lautes Klirren wie von zerbrechendem Glas, gefolgt von noch mehr Stimmen und Rufen.

Swain schloss die Tür hinter ihnen.

Sie waren im Fotokopierraum auf der zweiten Etage.

»Schnell«, sagte er zu Holly und führte sie zum Internetraum. »Hier durch.«

Im Internetraum ging Swain zielstrebig zu einem der Schiebefenster gegenüber.

Es ließ sich leicht öffnen und er beugte sich hinaus.

Sie waren auf der westlichen Seite des Gebäudes. Swain betrachtete den Park, der die Bibliothek umgab. Bis hinunter zum Rasen waren es gut und gerne fünf Meter.

Er fuhr herum und schaute zu den Kabeln an der Decke auf.

»Dad, was tun wir jetzt?«, fragte Holly.

»Wir gehen raus«, erwiderte Swain und zerrte an einigen der dicken schwarzen Leitungen.

»Wie?«

»Durchs Fenster.«

»Durch *das* Fenster da?«

»Ja.« Swain riss einige weitere Kabel aus den Steckdosen und knotete sie an den Enden zusammen.

»Oh«, meinte Holly.

Erneut ging Swain zum hochgeschobenen Fenster hinüber und schlug mit dem Griff seiner Waffe die Scheibe ein. Daraufhin schlang er das Ende der Kabelkette um den jetzt freiliegenden unteren Balken des Fensterrahmens und knotete es fest.

Dann drehte er sich zu Holly um.

»Komm schon«, sagte er und steckte sich die Waffe wieder in den Gürtel.

Holly trat zögernd heran.

»Spring mir auf den Rücken und halt dich fest! Ich bring uns beide runter.«

Da vernahmen sie Rufe aus der ersten Etage. Swain horchte. Hörte sich nach Anweisungen an, Befehlen. Jemand sagte jemand anderem, was er zu tun hatte. Die NSA war nach wie vor auf der Suche. Er überlegte, was mit dem Karanadon passiert war. Noch hatten sie ihn wohl nicht gefunden.

»Na gut, dann los«, meinte er und nahm Holly Huckepack. Sie hielt sich ganz fest.

Dann warf er die Kabel aus dem Fenster und machte sich an den Ausstieg auf den Sims.

»*Sir!*«, meldete eine von statischem Rauschen unterlegte Stimme.

James Marshall nahm sein Funkgerät. Er stand jetzt vor dem Haupteingang zur Bibliothek. Die majestätischen Glastüren waren zerschmettert und zerbrochen, völlig zerstört nach dem ungestümen Eindringen der NSA-Männer nur wenige Minuten zuvor.

Es war der Funker im Lastwagen.

»Was ist?«, fragte Marshall.

»*Sir, wir haben visuelle Bestätigung, ich wiederhole, visuelle Bestätigung eines Kontakts auf der zweiten Etage, eines weiteren auf dem unteren Parkdeck und noch eines im Erdgeschoss.*«

»Ausgezeichnet«, sagte Marshall. »Weisen Sie alle an, sie sollen *nichts* anrühren, bis ich es sage. Sterilisierungsprozedur ist in Kraft. Jeder, der sich diesen Organismen auf zehn Meter nähert, gilt als verseucht und wird auf unbestimmte Zeit unter Quarantäne gestellt.«

»*Verstanden, Sir.*«

Marshall schaltete das Funkgerät ab.

Er rieb sich die Hände und blickte zu der brennenden Bibliothek auf. Dank dieses Gebäudes würde seine Karriere einen raketenhaften Aufschwung nehmen.

»Ausgezeichnet«, wiederholte er.

Swain fiel auf den Rasen und ließ Holly neben sich gleiten.

Sie waren draußen.

Endlich.

Inzwischen regnete es heftiger. Swain sah sich nach einer Fluchtmöglichkeit um. Sie waren in der Nähe der südwestlichen Ecke des Gebäudes. Ihm fiel ein, wie er zuvor aus der U-Bahn gekommen war. Drüben auf der *östlichen* Seite der Bibliothek.

Die U-Bahn.

Niemand würde etwas darauf geben, wenn man ihn in der U-Bahn sähe – seine Kleidung zerrissen und zerfetzt, Hollys in kaum besserem Zustand. Er wäre einfach ein weiterer Penner, der mit seinem Kind in der U-Bahn lebte.

Es war der Weg nach draußen, der Weg nach Hause.

Wenn sie an der NSA vorüberkämen.

Swain zog Holly durch den strömenden Regen in den Schutz der südlichen Bibliotheksmauer. Sie kamen an dem zerbrochenen Fenster im Souterrain vorüber, durch das er nach seinem unfreiwilligen Verlassen des Gebäudes wieder hineingekommen war. Wenn sie den Regen und die nächtlichen Schatten der Eichen als Deckung benutzten, kämen sie hoffentlich unbemerkt an der NSA vorbei.

Sie erreichten die südöstliche Ecke.

Hinter den Eichen sah Swain die prächtige weiße Rotunde. Und dahinter die U-Bahn-Station.

Noch immer spannte sich von Baum zu Baum ein weiter Kreis aus gelbem Absperrband um die Bibliothek. Ein paar Männer von der NSA, bewaffnet mit M-16, waren dort stationiert. Sie hatten den Rücken dem Gebäude zugekehrt und hielten die kleine Schar aus hilflosen Feuerwehrleuten, örtlichen Cops und neugierigen Nachtschwärmern auf Distanz. Es waren nicht viele NSA-Leute, nur gerade eben genügend, das Gelände abzusichern. Swain vermutete, dass die meisten anderen jetzt im Gebäude waren.

»Also gut«, sagte er zu Holly. »Bist du so weit? Zeit für die Heimfahrt.«

»Alles klar«, erwiderte Holly.

»Dann in die Startlöcher!«

Swain ließ noch eine Sekunde verstreichen, während derer er um die Ecke des Gebäudes lugte.

»Na schön, *jetzt!*«

Sie lösten sich vom Gebäude und rannten über das offene Gelände zu den Bäumen. Unter einer großen Eiche blieben sie stehen, um wieder zu Atem zu kommen.

»Sind wir schon da?«, fragte Holly atemlos.

»Fast«, erwiderte Swain. Er zeigte auf die Rotunde. »Dahin geht's als Nächstes. Anschließend rüber zur U-Bahn. Soll ich dich tragen?«

»Nein, ist nicht nötig.«

»Schön. Fertig?«

»Ja.«

»Dann ab durch die Mitte.«

Erneut rannten sie los. Unter den Bäumen hervor. Hinaus ins Freie.

Bumm.

Marshall, der nach wie vor am Haupteingang stand, spürte den Boden unter sich erzittern. Er sah durch die zerschmetterten Glastüren in die Bibliothek und suchte nach dem Grund für die Erschütterung.

Nichts. Dunkelheit.

Bumm.

Er runzelte die Stirn.

Bumm. Bumm. Bumm.

Da kam etwas. Etwas Großes.

Dann sah er es.

Meine Fresse ...

Marshall verschwendete keine Zeit für einen zweiten Blick. Er machte auf dem Absatz kehrt und rannte davon – die Stufen hinunter, weg vom Eingang. Keine zwei Sekunden später wurden die gewaltigen Türen zur Bibliothek wie ein Paar Streichhölzer aus den Angeln gerissen.

Swain und Holly waren auf halbem Weg zur Rotunde. Da geschah es.

Ein dröhnendes, donnerähnliches Gebrüll schallte hinter ihnen über den Park.

Swain blieb stehen und fuhr herum. Der strömende Regen peitschte ihm ins Gesicht. »O nein!«, rief er. »Nicht schon wieder.«

Oben auf der Treppe zum Haupteingang stand der Karanadon. Zu Füßen des gewaltigen schwarzen Ungetüms lagen die Trümmer der nun völlig zerstörten riesigen Glastüren. NSA-Männer spritzten in alle Richtungen davon.

Der Karanadon schenkte den fliehenden Menschen keinerlei Beachtung. Er nahm ihre Anwesenheit überhaupt nicht zur Kenntnis. Stattdessen stand er einfach oben auf dem Treppenabsatz und drehte den Kopf langsam in einem weiten Bogen.

Er ließ den Blick über das Gelände schweifen.

Er suchte.

Suchte nach ihnen.

Dann sah er sie. Ungeschützt zwischen den Bäumen und der großen weißen Rotunde, inmitten des strömenden Regens.

Die riesige Bestie stieß ein lautes Gebrüll aus. Dann sprang sie ab und legte mit erschreckender Schnelligkeit die Strecke zwischen der Bibliothek und den Bäumen zurück. In einem Wahnsinnstempo jagte sie durch den strömenden Regen heran, und bei jedem Schritt erzitterte die schlammige Erde.

Bumm. Bumm. Bumm.

Swain und Holly hetzten auf die Rotunde zu und rannten die Treppe zu der kreisrunden Betonbühne hinauf.

Der Karanadon erreichte die Bäume, pflügte lautstark durch die Äste einer der riesigen Eichen und jagte weiter auf die Rotunde zu.

Dann blieb er stehen. Zehn Meter entfernt. Und beobachtete sie mehrere Sekunden lang.

Die Bühne war zur Falle geworden.

Marshall sprach in sein Funkgerät.

»Jetzt gebe ich *Ihnen* eine verdammte Bestätigung! Das verfluchte Ding ist einfach da aus diesem Vordereingang spaziert! Jemand soll hier rüberkommen, und zwar zackig!«

Knisternd kam eine Antwort.

»Ich gebe einen Scheißdreck darum, was Sie vor Augen haben! Jemand soll *sofort* hier rüberkommen! Und sagen

Sie denen, die sollen das größte Schießeisen mitbringen, das wir dabeihaben!«

Swain führte Holly zur anderen Seite der Bühne und hob sie hoch. Der Karanadon kam langsam näher. Der Regen trommelte laut auf das Dach der Rotunde.

»Bleib unten«, sagte Swain, während er Holly über das Geländer hievte. Sie sprang leichtfüßig auf den zwei Meter tiefer liegenden Erdboden.

Der Karanadon erreichte den Sockel der Rotunde. Sein Fell war im strömenden Regen klitschnass geworden und klebte an ihm wie das eines Hundes. Das Wasser lief eine Falte in seiner langen schwarzen Schnauze entlang und tropfte bedrohlich von einem seiner riesigen Hundezähne herab.

Langsam kam die riesige Bestie die Treppe hoch.

Swain schob sich in einem Bogen von Holly weg.

Der Karanadon betrat die Bühne.

Er starrte Swain an.

Es folgte ein endloses, angespanntes Schweigen.

Swain zog die Glock.

In Erwiderung hierauf knurrte der Karanadon. Tief und wütend.

Keiner von beiden rührte sich.

Da rannte Swain plötzlich zum Geländer.

Er hatte es gerade erreicht und wollte sich darüber schwingen, als ihn eine riesige schwarze Klaue am Kragen packte und zurückzog. Laut klatschend landete er mitten auf dem Bühnenboden.

Der Karanadon stellte sich breitbeinig über Stephen Swain und senkte die Schnauze, bis er beinahe dessen Gesicht berührte. Swains Pistolenhand hatte er mit einer der haarigen Klauen auf der Bühne festgenagelt.

Vergeblich versuchte Swain, sich von den grässlichen Fängen, dem fauligen Atem und der dunklen runzligen Schnauze abzuwenden, die zu einem beständigen höhnischen Grinsen verzogen war.

Der Karanadon reckte ein wenig den Hals, als wollte er sagen: Na, keine Lust, abzuhauen?

Da wandte Swain den Kopf ab und sah den Hinterfuß des Ungetüms vortreten.

Eine Woge des Entsetzens wallte durch seinen Körper, als sein Blick auf das Armband fiel, das er während des Präsidian getragen hatte. *Nun hatte er es direkt vor Augen.*

»*O Mann* ...«, sagte er laut.

Der Countdown tickte nach wie vor:

1:01
1:00
0:59

Nur noch eine Minute bis zur Detonation.

Heilige Scheiße.

Er drehte und wand sich, aber der Karanadon hielt ihn am Boden fest. Der Bombe an seinem Fuß war er sich offenbar überhaupt nicht bewusst.

Swain blickte sich auf der Rotunde nach einer Fluchtmöglichkeit um – er sah das weiße, verschnörkelte Geländer, das die Bühne umgab, die sechs Säulen, die das kuppelähnliche Dach trugen. Am Geländer hing ein kleines hölzernes Kästchen, dessen Tür mit einem Vorhängeschloss versperrt war. In einer entfernten Ecke seines Bewusstseins überlegte Swain, wozu es wohl diente.

Hier war nichts. Absolut nichts, das er benutzen konnte.

Schließlich war er doch am Ende seiner Möglichkeiten angekommen.

Da ertönte plötzlich eine Stimme.

»Hallo ...?«

Sofort fuhr der Kopf des Karanadon hoch und er wandte sich ab.

Nach wie vor sah Swain die Zahlen, die nur Zentimeter von seinem Gesicht entfernt abwärts liefen.

0:48
0:47
0:46

»Hallo? Ja, hier drüben.«

Swain erkannte die Stimme.

Es war Holly.

Er schaute auf. Sie stand drüben nahe am Bühnenrand, und der Regen fiel wie ein Vorhang hinter ihr herab. Der Karanadon fuhr zu ihr herum ...

... und ganz plötzlich klatschte etwas Kleines gegen seine Schnauze, das unmittelbar neben Swains Kopf zu Boden fiel. Es war ein schwarzer Schuh. Ein Mädchenschuh. Holly hatte ihn nach dem Karanadon geworfen!

Die riesige Bestie knurrte. Ein tief aus der Brust kommendes Poltern purer, tierischer Wut.

0:37
0:36
0:35

Dann hob sie langsam den Fuß und bewegte sich auf Holly zu.

»Holly!«, schrie Swain. »Verschwinde! Er hat noch das Armband um, es wird in dreißig Sekunden hochgehen!«

Sie stutzte einen Augenblick lang. Aber dann verstand sie und rannte los. Sie sprang die Stufen hinunter und verschwand im Park.

Der Karanadon machte Anstalten, ihr zu folgen, blieb dann jedoch wie angewurzelt stehen.

Und drehte sich um.

0:30
0:29
0:28

Er hatte Swains Pistolenhand immer noch nicht losgelassen – presste sie nach wie vor fest gegen den Bühnenboden.

Swain mühte sich ab, sie hervorzuziehen, aber vergeblich. Der Karanadon war einfach zu stark, verdammt!

0:23
0:22
0:21

Und wie er sich so drehte und wand, kratzte etwas an seinem Rücken.

Er zog die Brauen zusammen – und erkannte, dass er gerade einen Teil der Bühne gestreift hatte, der nicht völlig eben war.

Ein kleines, hölzernes, teilweise in den Boden eingelassenes Viereck.

Eine Falltür.

Eben jene Falltür, die er in den Jahren zuvor bei den Sommervorstellungen in Gebrauch gesehen hatte.

Er lag genau darauf.

Blitzartig begriff er. Sein Kopf fuhr herum – und sein

Blick fiel auf das kleine Holzkästchen mit dem Vorhängeschloss, das er zuvor schon am Geländer gesehen hatte.

Jetzt wusste er, wozu es diente.

Es beherbergte die Kontrollknöpfe für die Falltür.

0:18
0:17

Der Karanadon überragte ihn wie ein Turm. Knurrte.

0:16
0:15

Obwohl das Ungetüm seine Pistolenhand nach wie vor
festhielt, war Swains Waffe so ungefähr auf die Bedie-
nungsvorrichtung der Falltür gerichtet.

0:14
0:13

Swain schoss. Traf die obere Kante des Kästchens. Der Karanadon brüllte.

0:12
0:11

Er zielte erneut. Feuerte. Diesmal traf die Kugel das Kästchen näher am Schloss.

0:10

Aller guten Dinge sind drei ..., dachte er und kniff die Augen zusammen.

Bamm!

Swain feuerte und ... *krack!* ... das Vorhängeschloss sprang auf, von der Kugel zerschmettert!

0:09

Das Türchen schwang auf. Im Innern zeigte sich ein großer roter Hebel. Einfache Sache: Man zog den Hebel nach unten, und die Falltür auf der Bühne öffnete sich.

0:08

Swain feuerte erneut, diesmal auf den Hebel. Verfehlte ihn. Er warf einen verstohlenen Blick zum Karanadon hinauf – und sah gerade rechtzeitig eine der mächtigen schwarzen Fäuste auf sein Gesicht zukommen! Swain drehte den Kopf zur Seite, und die riesige schwarze Klauenfaust knallte *unmittelbar neben seinem Ohr* in die Bühne und schlug ein glattes Loch durch die Falltür. Der Karanadon hob erneut die freie Klaue, und das wäre zweifelsohne der endgültige Hieb.

0:07

Swain sah, wie sich die große Klaue hob. In rascher Folge feuerte er auf den Hebel.
Bamm! Bamm! Bamm! Bamm!
Daneben. Daneben. Daneben. Daneben.

0:06

Die Klaue des Karanadon erreichte ihren Scheitelpunkt. Die Knöchel knackten laut, als er sie zur Faust schloss.

»Gott verdammt!«, rief Swain sich selbst zu. »*Konzentrier dich!*«

Die Faust des Karanadon sauste herab ...

Swain blickte am Lauf seiner Waffe entlang ...

... und hatte plötzlich den Hebel kristallklar im Blick. »Hab ich dich«, sagte er.

Bamm.

Der Schuss löste sich, die Kugel pfiff durch die Luft, und diesmal ...

... *Krack!* ...

... *schlug* sie auf den Hebel und durchtrennte ihn an seiner Aufhängung, dass die Funken nur so flogen. Der ganze Mechanismus zerbrach, der Hebel fiel herunter und ...

0:05

Racks!

Ohne Vorwarnung gab die Falltür unter Swain nach.

0:04

Die Faust des Karanadon sauste herab und traf ins Leere. Swain plumpste wie ein Stein in den Bauch der Bühne.

Mit einem *Wumm!* landete er in der Dunkelheit, dass es nur so staubte.

0:03

Den Karanadon oben auf der Bühne sah er in einem Rechteck aus Licht stehen. Zornig blickte er durch das Loch, das nur Augenblicke zuvor die Falltür gewesen war, auf ihn herab.

Ab durch die Mitte!

Rechts erkannte er in der Dunkelheit einen senkrechten Lichtschlitz – das war die kleine Holztür, die unter der Bühne ins Freie führte.

0:02

Swain kroch darauf zu, feuerte währenddessen, durchsiebte die Tür mit Kugeln in der verzweifelten Hoffnung, das Vorhängeschloss auf der anderen Seite zu treffen.

0:01

Dann rammte er die Tür mit der Schulter, sie sprang auf, und wild um sich schlagend stürzte er hinaus in den strömenden Regen und landete unbeholfen auf dem nassen Gras, das die Bühne umgab.

0:00.

Inferno.

Das Armband explodierte – ein glühendes, blendendes Weiß –, und mit ungeheurer Geschwindigkeit pflanzte sich die Druckwelle in alle Richtungen fort.

Swain kam mühsam auf alle viere und drückte sich fest gegen den Betonsockel der Bühne, während sich die weiß glühende Mauer aus Licht spektakulär über seinen Kopf hinweg zur Seite ausbreitete. Drüben bei den Bäumen lag Holly auf dem Boden und hatte die Hände über die Ohren geschlagen.

Der Karanadon, Ausgangspunkt des strahlend hellen Explosionsblitzes, verschwand schlichtweg. Sämtliche sechs Säulen, die das Kuppeldach der Rotunde trugen, wurden bei der Detonation zerschmettert – im Handumdrehen zu einem weißen Pulver zermahlen –, und die gewaltige weiße Kuppel, ihrer Stützen beraubt, krachte hinunter auf die Bühne.

Der dicke Betonsockel hinter Swains Rücken bekam unter der Wucht der Explosion Risse, hielt jedoch stand.

Weißer Betonstaub und etwa eine Milliarde Farbflocken schwebten durch die Luft, ehe der strömende Regen sie zerstreute und auflöste.

Langsam stand Swain auf und starrte die Rotunde an, deren riesiges Kuppeldach jetzt zerbrochen auf der Bühne lag. Der Regen hämmerte gnadenlos darauf ein.

Vom Karanadon war nichts übrig geblieben. Zu mächtig und heiß war die Explosion gewesen.

Swain eilte zu Holly hinüber und hob sie auf.

Er sah die NSA-Männer durch den Regen auf sie zulaufen und wollte schon eilig die Flucht ergreifen, da geschah es.

Plötzlich.

Unerwartet.

In schneller Folge – insgesamt sechs Mal – ertönten Explosionen, und weiß glühende Lichtbälle brachen auf spektakuläre Weise aus verschiedenen Teilen der Bibliothek hervor.

Die mächtigste erfolgte auf der dritten Etage. Es schien eine Kombination aus zwei getrennten Explosionen zu sein, und der weiße Feuerball war doppelt so groß wie die, die aus dem Erdgeschoss und der ersten Etage schossen.

Aus nahezu jedem Fenster der New York State Library hagelte es Glas. Die Leute um das Gebäude gingen in Deckung, und da erfolgte eine *unterirdische* Explosion – merkwürdigerweise genau an der Stelle, wo das unterirdische Parkdeck lag. Sie entwurzelte eine große Eiche und schickte einen Schwall Erde und Gras in den regengetränkten Himmel.

Eingehüllt in einen Schleier aus Regen, brannte die gesamte Bibliothek jetzt lichterloh. Flammen leckten aus sämtlichen Fenstern, und als Stephen Swain seine Tochter unauffällig von dem Inferno wegführte, sackte die dritte Etage in sich zusammen und begrub auch die zweite und erste Etage unter sich.

Das Dach des Gebäudes war noch unversehrt, als die sechste und letzte Explosion die Bibliothek erschütterte und ein seltsames Schauspiel nach sich zog:

Ein leerer Aufzug – der durch den Schacht nach oben sauste – durchbrach das Dach und schoss in den Himmel hinauf, erreichte den höchsten Punkt seiner parabelförmigen Bahn, fiel anschließend zurück und zerschmetterte auf dem Dach.

In diesem Moment sackte es ein, und unter dem Quietschen der Träger und vielfachen Explosionen kollabierte die New York State Library in einem flammenden Inferno und brannte trotz des strömenden Regens vollständig nieder.

James Marshall starrte benommen und ehrfürchtig die brennenden Überreste des Gebäudes an, in das er so viele Hoffnungen gesetzt hatte.

Zum Zeitpunkt der Explosionen hatten sich fast dreißig Männer im Gebäude aufgehalten. Niemand konnte das überlebt haben.

Marshall stand einfach nur da und sah dem Gebäude beim Brennen zu. Sie konnten es abschreiben. Ebenso die Rotunde. Marshall hatte mit eigenen Augen gesehen, wie sich die große schwarze Kreatur krachend ihren Weg durch den Haupteingang gebahnt hatte. Und er hatte sie explodieren sehen.

Eine solche weiß glühende – mikronukleare? – Explosion würde nicht viel hinterlassen. Mein Gott, genau genommen *überhaupt nichts*!

Marshall schob die Hände in die Taschen und kehrte zu seinem Wagen zurück. Telefonanrufe mussten getätigt, Erklärungen abgegeben werden.

In dieser Nacht waren sie einem Kontakt so nahe gewesen wie nie zuvor. Vielleicht würden sie nie mehr so nahe kommen.

Und jetzt? Was hatten sie jetzt?

Nichts.

Stephen Swain saß in der U-Bahn, seine Tochter schlafend auf seinem Schoß.

Bei jedem Ruckeln des Zugs schwankten sie wie die anderen vier Fahrgäste in ihrem Abteil hin und her. Es war spät, und die fast leere Bahn würde sie in die Außenbezirke von New York City bringen. Von da aus würden sie – was eine teure Angelegenheit werden würde – ein Taxi zurück nach Connecticut nehmen.

Nach Hause.

Holly schlief friedlich in Swains Schoß. Hin und wieder wälzte sie sich herum, um es sich bequemer zu machen.

Swain lächelte traurig.

Er hatte die Armbänder vergessen, die alle Wettkämpfer des Präsidian zu tragen hatten. Nach dem Verschwinden der elektrisierten Wände musste sich – wie bei ihm – ebenfalls die Detonationssequenz eingeschaltet haben. Daher waren auch die übrigen Armbänder explodiert, als der Karanadon mit Swains Armband in die Luft geflogen war, jeweils dort, wo ihre Träger sich nach ihrem Tod befunden hatten – Reese im unterirdischen Parkdeck, Balthasar in der dritten Etage, Bellos unten im Aufzugschacht.

Swain musterte seine Kleidung – sie war schmierig, schwarz und an einigen Stellen blutverschmiert. Den anderen Fahrgästen schien dies gleichgültig.

Er lachte leise in sich hinein. Daraufhin schloss er die Augen und lehnte sich in seinen Sitz zurück, während es im Zug polternd Richtung Heimat ging.

Epilog

New York City, 1. Dezember, 4.52 Uhr

Die Beschäftigten bei der New Yorker U-Bahn nennen ihn den »Maulwurf«, den gewöhnlichen elektrischen Triebwagen eines U-Bahn-Zuges, der zu einer Kehrmaschine auf Schienen umgebaut worden war.

Spät in der Nacht, wenn der Verkehr auf ein Minimum beschränkt ist, gondelt der Maulwurf durch die Tunnel, und seine rotierenden Besen vorn fegen allen Müll auf, der während des vorherigen Tages auf die Schienen gefallen ist. Am Ende seiner Tour wird dieser Abfall in einen Verbrennungsofen gekippt und vernichtet.

Spät in dieser Nacht unternahm der »Maulwurf« seine übliche Tour durch die Tunnels neben der State Library. Kurz bevor er an der Umspannstation von Con Edison vorüberkam, nickte der Fahrer ein.

Deshalb bemerkte er den offenen Eingang nicht, nicht das Innere – vollgepfropft mit herabgestürzten Ziegelsteinen und Betonteilen.

Und er bemerkte nicht das leise *Kling-Kling* von Metall

auf Metall unten auf den Gleisen, als er die Umspannstation passierte.

Der Maulwurf gondelte weiter den Tunnel entlang und verschwand, und alles, was hinter ihm zurückblieb, waren um eine Schiene gelegte Handschellen.

»Matthew Reilly ist der neue König
des Action-Thrillers«
Mario Ulbrich, Freie Presse

William Race, Professor für
Sprachen, wird von der US Army
für eine geheimnisvolle Mission
angeheuert: die Suche nach
einer uralten Inka-Statue, die
angeblich in einem Tempel
hoch oben in den Anden zu
finden ist.
Nur Race kann das Manuskript
entschlüsseln, das den
entscheidenden Hinweis enthält. Was der Professor nicht
weiß: Eine Gruppe von
Extremisten hat sich an seine
Fersen geheftet. Denn die
Statue verleiht ihrem
Besitzer die Macht, auf
einen Schlag die ganze Welt
zerstören zu können ...

Matthew Reilly
Der Tempel
Roman
Deutsche Erstausgabe

UB14

»Dieses Buch legt man nicht mehr aus der Hand.«
The New York Times Book Review

King, der Virtuose des Schreckens, entführt den Leser auf zwei Reisen in einen Kosmos rätselhafter Alpträume:

Seltsame Dinge ereignen sich an Bord eines Flugzeugs, das durch einen Riss in der Zeit im Irrealen verschwindet. Ein ganz normaler Linienflug gerät zu einer Odyssee auswegloser Schrecken. Und ein Schriftsteller bekommt Besuch von einem Mann, der behauptet, dieser habe ihm eine Geschichte gestohlen – Beginn eines Horrortrips in die mörderischen Abgründe einer schizophrenen Psyche ...

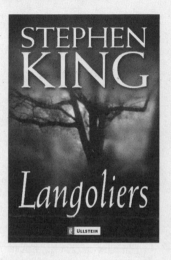

Stephen King
Langoliers

ULLSTEIN TASCHENBUCH

UB27

Eine Reise zum Mittelpunkt der Erde ...
Action und Spannung pur!

Wer hätte keine Angst davor, sich in der totalen Finsternis einer Höhle zu verirren – wo jeder Schritt der letzte sein könnte; wo etwas lauert, das die Witterung der eigenen Angst aufnimmt ...?

Unter dem Eis der Antarktis erforschen zwei Spezialisten eine faszinierende Höhlenlandschaft. Was Ashley und Ben nicht wissen: Ihr Team ist bereits das zweite, das in diese atemberaubende Welt reist. Die Forscher, auf deren Spuren sie in die Höhlen vordringen, kehrten niemals zurück ...

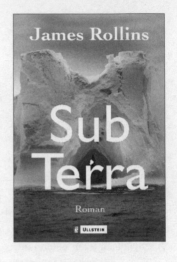

James Rollins

Sub Terra

Roman

Deutsche Erstausgabe

ULLSTEIN TASCHENBUCH

»Schon wieder ein Meisterwerk: gespenstisch gut!«
Welt am Sonntag

Mit *Duddits* knüpft Stephen
King an seine klassischen
Erfolge wie *Der Friedhof der
Kuscheltiere* oder *Es* an: Was
die vier Freunde Pete, Henry,
Jonesy und Biber als
harmlosen Jagdausflug in die
Wälder von Maine geplant
hatten, endet in einer bizarren
tödlichen Bedrohung. Da fällt
ihnen Duddits ein, ihr alter
Freund mit telepathischen
Fähigkeiten – er ist ihre letzte
Hoffnung auf Rettung aus
diesem nicht enden
wollenden Alptraum ...

Stephen King

DUDDITS
»Dreamcatcher«

Roman

ULLSTEIN TASCHENBUCH

Spuren einer menschlichen Siedlung unter
zweitausend Metern Eis –
ein rasanter Antarktis-Thriller.

Ein sensationeller Fund und
eine ebenso bedrohliche wie
rätselhafte Botschaft aus der
Vorzeit der Menschen:
Für Ash und Michelle beginnt
der Trip in den Alptraum
einer Utopie ...

Richard Hayer

Palmer Land

Roman

UB48

*»Kein zweiter Schriftsteller der Gegenwart
beherrscht so sehr die Klaviatur des Grauens
wie Stephen King.« Die Welt*

Castle Rock, Maine: Ein
mysteriöser Fremder eröffnet
hier eines Tages einen Laden
mit dem Namen »Needful
Things«, in dem jeder
bekommen kann, wovon er
schon lange träumt. Doch alles
hat seinen Preis – und Gaunt
bestimmt ihn, denn er kennt
die verborgenen Sehnsüchte
und Schwächen
jedes Einzelnen.
Der Alptraum beginnt ...

»Kings Choreographie ist
grandios. Wie ein
monumentales Ballett der
Apokalypse inszeniert er den
Untergang Castle Rocks.«
Nordwest-Zeitung

Stephen King

**In einer kleinen Stadt
»Needful Things«**

Roman

ULLSTEIN TASCHENBUCH